Kurt Rabl   Christoph Stoll   Manfred Vasold

From the Von der
U.S. Constitution amerikanischen Verfassung
to the Basic Law zum Grundgesetz
of the Federal Republic of der Bundesrepublik
Germany Deutschland

A Survey Eine Zusammenschau
with 241 Documents, Illustrations mit 241 Dokumenten und Abbildungen
and Plates im Text und auf Tafeln

Verlag Moos & Partner

Facing title page:
Daniel Chodowiecki (1726–1801), "Tolerance".
Copperplate from the Göttingen Almanac, 1792.

Zum Bild gegenüber dem Haupttitel:
Daniel Chodowiecki (1726–1801), Toleranz.
Kupferstich aus dem Göttinger Taschenkalender für das Jahr 1792.

Concept and design: Heinz Moos

Idee und Gestaltung: Heinz Moos

The Authors

Kurt Rabl, Ph. D., J. D., D. Pol. Sc., lectures at the University of Munich and the Academy of Political Sience at Munich. He formerly headed the Department of "Völkerrecht und ausländisches öffentliches Recht der Forschungsstelle für Außenpolitik und Völkerrecht" at the University of Mainz. His many publications include *Das Selbstbestimmungsrecht der Völker – Geschichtliche Grundlagen, Umriß der gegenwärtigen Bedeutung* (second revised and expanded edition, Cologne and Vienna, 1973), and *Das Amt des Präsidenten der Vereinigten Staaten von Nordamerika vor und nach der zweiten Amtsperiode Richard M. Nixons (1973/74)* (Munich, 1985).

Christoph Stoll, b. 1941, studied philosophy and German literature in Erlangen and Munich. Since 1969 he has been a staff member of the Academy of Sciences and Literature at Mainz. Publications: *Bibliographie der Personalbibliographien zur deutschen Gegenwartsliteratur* (in collaboration with Herbert Wiesner and Irene Zivsa, Munich, 1971), *Sprachgesellschaften im Deutschland des 17. Jahrhunderts* (Munich, 1973), *Ernst Kreuder. Von ihm – über ihn* (in collaboration with Bernd Goldmann, Mainz, 1974), *Hans Jacob Christoffel von Grimmelshausen* (Munich, 1976), *Bischof Ketteler in seinen Schriften* (in collaboration with Erwin Iserloh, Mainz, 1977).

Manfred Vasold, b. 1943; Ph. D., studied political science and history in France and the U.S., doctorate at the University of Erlangen. Numerous publications on German and American history; in preparation, biography of Rudolf Virchow (scheduled to appear: Stuttgart, 1988).

Zu den Autoren

Dr. jur. Dr. phil. Dr. rer. pol. Kurt Rabl, Lehrbeauftragter der Universität München sowie der Hochschule für Politik, München; vormals Leiter der Abteilung Völkerrecht und ausländisches öffentliches Recht der Forschungsstelle für Außenpolitik und Völkerrecht der Universität Mainz. Zahlreiche Veröffentlichungen, darunter: Das Selbstbestimmungsrecht der Völker – Geschichtliche Grundlagen, Umriß der gegenwärtigen Bedeutung, zweite erweiterte Auflage, Köln und Wien 1973. Verfassungsrecht und Staatskrisis – Das Amt des Präsidenten der Vereinigten Staaten von Nordamerika vor und nach der zweiten Amtsperiode Richard M. Nixons (1973/74), München 1985.

Christoph Stoll, geboren 1941, Studium der Germanistik und Philosophie in Erlangen und München, seit 1969 wissenschaftlicher Mitarbeiter der Akademie der Wissenschaften und der Literatur in Mainz. Veröffentlichungen: Bibliographie der Personalbibliographien zur deutschen Gegenwartsliteratur, München 1971 (zusammen mit Herbert Wiesner und Irene Zivsa). – Sprachgesellschaften im Deutschland des 17. Jahrhunderts, München 1973. – Ernst Kreuder. Von ihm – über ihn, Mainz 1974 (zusammen mit Bernd Goldmann). – Hans Jacob Christoffel von Grimmelshausen, München 1976. – Bischof Ketteler in seinen Schriften, Mainz 1977 (zusammen mit Erwin Iserloh).

Manfred Vasold, geboren 1943, B. A., M. A., Dr. phil.; Studium der Geschichte und Politologie in den USA und Frankreich, Promotion in Erlangen. Zahlreiche Veröffentlichungen zur deutschen und zur amerikanischen Geschichte; Biographie von Rudolf Virchow, voraussichtlich Stuttgart 1988.

Editorial staff:
Thomas Käsbohrer, Peter Macalister-Smith

Redaktionelle Mitarbeit:
Thomas Käsbohrer, Peter Macalister-Smith

Translation:
Lynne Bils-Baumann, Louis Bloom, Robert Rowley

Übersetzung:
Lynne Bils-Baumann, Louis Bloom, Robert Rowley

Printed in the Federal Republic of Germany

ISBN 3-89164-037-4

CIP-Titelaufnahme der Deutschen Bibliothek

Von der amerikanischen Verfassung zum Grundgesetz der Bundesrepublik Deutschland : e. Zusammenschau mit 241 Dokumenten u. Abb. im Text u. auf Tafeln = From the U.S. constitution to the basic law of the Federal Republic of Germany / Kurt Rabl ... – Gräfelfing : Moos, 1988
ISBN 3-89164-037-4
NE: Rabl, Kurt [Hrsg.]; PT

© 1988 by Verlag Moos & Partner   8032 Gräfelfing vor München

Foreword Vorwort

In recent years the publisher of this book brought out a series of works in the field of German-American relations, including the *Treaty of Amity and Commerce of 1785*. In light of that fact, the bicentennial of the U.S. Constitution seemed an appropriate occasion to dedicate a volume specifically to that document.

Compared to Germany, the United States is a young country. But as far as democratic institutions are concerned, constitutional history is much older in America than in Germany: in Washington, the 100th Congress has convened; in Germany, the eleventh *Bundestag*. In 1987 the U.S Constitution became two hundred years old.

It is therefore not surprising that many countries in Europe – and on other continents as well – have often "borrowed" constitutional concepts from the United States. On the other hand, the framers of the American Constitution naturally drew inspiration from old European political philosophy. The U.S. Constitution of 1787 would without a doubt have warmed the hearts of the great thinkers of the Enlightenment on the old continent.

Starting in the waning 18th century, even before Tocqueville, the wish had been expressed in Germany for the creation of a "union of states like the American model." The idea of a federalistic system was considered particularly alluring, and had historical roots in the country. But when the first German revolution of 1848/49 was put down, many emigrated to the country in which their constitutional concepts were already operative: to America.

The publisher and the authors have strived to present the subject matter in such a way that a chapter of history unfolds before the eyes of even young readers. That may be significant for the postwar generation, especially when the events following the two world wars are dealt with. We hope that this book makes it manifest that German-American friendship has deep roots and need not serve only as an occasional pretext for political exigencies of the day.

The bilingual form we have chosen for this book may indeed have a disadvantage in that German and American readers, respectively, may be presented with a number of facts that are already sufficiently well known to them, but must be included for the sake of the reader of the other language. On the other hand, it is this publisher's experience that many readers find it an advantage to be able to compare parallel passages in the two languages and welcome the opportunity to gain an insight into the mentality which the other language reflects.

Nachdem der Verlag in den zurückliegenden Jahren eine Reihe von Publikationen im Umfeld der deutsch-amerikanischen Beziehungen herausbrachte – darunter den „Freundschafts- und Handelsvertrag von 1785" – lag es nahe, dem Jubiläum der U. S.-Constitution eine eigene Untersuchung zu widmen.

Gemessen an Deutschland sind die Vereinigten Staaten von Amerika ein junger Staat. Was die demokratischen Institutionen anbelangt, so reicht seine Geschichte aber weiter zurück als die deutsche: In Washington tagt der einhundertste Kongreß, in Bonn der elfte Bundestag. Die amerikanische Verfassung wird 1987 zweihundert Jahre alt.

So kann es nicht verwundern, daß die Europäer – aber auch außereuropäische Länder – oftmals „Anleihen" in den USA machten. Umgekehrt haben natürlich die amerikanischen Verfassungsväter aus altem europäischen Staatsdenken geschöpft. Den großen Bewegern der Aufklärung im alten Kontinent hätte die amerikanische Bundesverfassung von 1787 bestimmt gut gefallen.

Ab dem ausgehenden 18. Jahrhundert, schon vor Tocqueville, war in Deutschland der Wunsch wach, einen „Bundesstaat in der Art des amerikanischen" entstehen zu lassen. Besonders der föderalistische Gedanke gefiel und hatte historische Wurzeln im Lande. Als aber die erste deutsche Revolution 1848/49 niedergeschlagen wurde, wanderten viele in jenes Land aus, in dem die Verfassung ihrer Vorstellung schon in Kraft war, nach Amerika.

Der Verlag und die Autoren waren bemüht, den Stoff so aufzubereiten, daß auch für die jungen Menschen beider Länder – in einer Zeit des Generationenwechsels nicht unwichtig – ein Stück lebendiger Zeitgeschichte vor Augen geführt wird. Dies gilt besonders für die Entwicklungen nach dem Ende des Ersten und Zweiten Weltkrieges. Wir hoffen, daß auch dieses Buch offenlegt, daß die deutsch-amerikanische Freundschaft tief begründet ist und es nicht nötig hat, gelegentlich als Requisit tagespolitischer Notwendigkeiten zu dienen.

Ein Wort noch zur Form der Parallel-Ausgabe. Sie hat zwar den Nachteil, daß einem Teil der Leser möglicherweise bekannte Fakten noch einmal ins Gedächtnis gerufen werden. Andererseits aber überwiegt nach den Erfahrungen des Verlages der Vorteil, daß sie der Zusammenschau dienlich ist und darüber hinaus eine Ermunterung zur Auseinandersetzung mit der jeweils anderen Sprache darstellt.

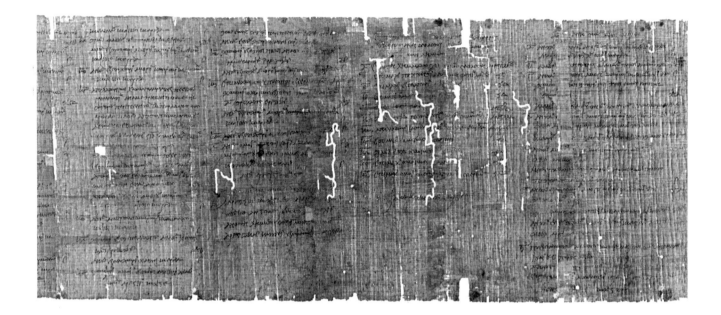

From the treasure trove of constitutional history:

This work on the constitution of ancient Athens is attributed to the philosopher Aristotle (384 – 322 B. C.), and is part of a series of 158 treatises dealing with the constitutional institutions of the various states of the Grecian world. The original manuscript was supposedly still extant until the seventh century A. D., but was lost sometime thereafter. In 1890, a copy of the text was discovered in Egypt. The papyrus roll came into the possession of the British Museum and was published by Sir F. G. Kenyon, at that time assistant in the Department of Manuscripts.

Aus der Schatzkammer der Verfassungs-Geschichte:

Das Werk über die Verfassung von Athen wird dem Philosophen Aristoteles (384 – 322 vor Christi Geburt) zugeschrieben und gehört zu einer Serie von 158 Verfassungen, die sich mit den Verfassungsinstitutionen verschiedener Staaten der griechischen Welt beschäftigte. Das Original war vermutlich bis ins siebte nachchristliche Jahrhundert erhalten und ging erst in der Folgezeit verloren. 1890 fand man in Ägypten eine Abschrift des Textes. Die Papyrus-Rolle wurde von den Kuratoren des britischen Museums in Besitz genommen und von Sir F. G. Kenyon herausgegeben, der zu dieser Zeit Assistent im Department of Manuscripts war.

Contents   Inhalt

How It All Began:

The Origins
of the U. S. Constitution

Grundlagen der Entwicklung:

Das Werden der
amerikanischen Verfassung

Signing of the U.S. Constitution of 1787. Oil painting by Howard Chandler Christy.

Die Unterzeichnung der US-Constitution von 1787, Ölgemälde von Howard Chandler Christy.

In June of the year 1215, King John of England was compelled by his rebellious barons to sign a long list of promises guaranteeing the rights of the feudal nobles against royal despotism. In the course of the centuries, this "Magna Carta Libertatum" (left) became the basis for the mostly unwritten English constitution. (Right): the final version of the Magna Carta, issued in 1225, during the reign of Henry III. Both documents are in the possession of the British Museum in London.

Im Juni des Jahres 1215 setzte König Johann von England sein Siegel unter diese Liste von Forderungen (links), die ihm die Adligen des Landes zur Sicherung ihrer Rechte und Freiheiten gegen königliche Willkür vorgelegt hatten. Als „Magna Charta Libertatum" wurde dieses Dokument im Lauf der Jahrhunderte zur Grundlage der zumeist ungeschriebenen englischen Verfassung. Rechts die unter König Heinrich III. im Jahre 1225 ausgefertigte, endgültige Fassung der Magna Charta. Beide Urkunden befinden sich im British Museum, London.

I

| The English Sources of the American Insurgency: America and English Liberty | Der englische Ursprung des amerikanischen Aufbegehrens: Amerika und die englische Freiheit |

The Beginnings of the U.S. Constitution / Die amerikanischen Verfassungsanfänge

"The American colonies revolted, not because they were oppressed, but because they were free and their freedom carried the promise of still greater freedom, one unrealizable in the more settled and static conditions of old society but beckoning as a possibility in the new continent."[1] That is how a particularly qualified authority on the subject characterized the two-sidedness of the impulse which eventually led to the Declaration of Independence and the birth of a new kind of nation. On the one hand, it was in pursuit of a "greater freedom" that Europe had been left behind. But on the other hand, once the oppressive old social system had been abandoned, it became evident that the hoped-for "greater freedom" was not automatically present, but could only be attained by effort and struggle. What makes America a special case is that the efforts toward that goal had to and did take place in the new country according to the very same basic principles which applied or should have applied in the former homeland. Indeed, "the mother country and the colonies grew from the same roots: the Magna Carta and common law, the parliamentary institutions and autonomous local administration, the Puritan and 'Glorious' Revolutions, Milton and Locke".[2]

The fact that early American constitutional thinking was rooted in English political traditions can easily be documented. For instance, the royal patent granted to Virginia assured that the settlers and their descendants would in every respect enjoy all the rights and liberties as did the inhabitants of England. A short time later, this assurance was given to Massachusetts as well.[3] The charter for Maryland, subsequently given to "our well beloved and right trusty subject Caecilius Calvert, Baron of Baltimore," was worded differently, but contained the same obligation for the new lords of the land to administer the law "with the Advice, Assent, and Approbation of the Free-Men of the ... Province, or of the grater Part of them, or of their Delegates",

„Die amerikanischen Kolonien haben nicht revoltiert, weil sie unterdrückt wurden, sondern weil sie frei waren, und weil ihre Freiheit ihnen eine noch größere Freiheit verhieß – eine Freiheit, die in den gesetzten und beständigen Verhältnissen der alten Gesellschaftsordnung nicht in Erfüllung gehen konnte, aber auch in dem neuen Kontinent als eine Möglichkeit lockte."[1] So kennzeichnete ein ausgewiesener Fachmann den doppelten Kern der Beweggründe für die Ereignisse, die zur amerikanischen Unabhängigkeitserklärung und zur Staatswerdung des neuen Gemeinwesens geführt haben. Auf der einen Seite hatte der Gedanke an die „größere Freiheit" den Entschluß ausgelöst, Europa zu verlassen, andererseits hatte man erkennen müssen, daß diese „größere Freiheit", die man, die beschwerlich gewordene alte Gesellschaftsordnung hinter sich lassend, zu erreichen hoffte, sich nicht von selbst darbot, sondern errungen werden mußte. Die amerikanische Besonderheit ist nun, daß der Einsatz für dieses Ziel sich im Zeichen eben jener Grundsätze vollziehen mußte und vollzog, die im neuen Land nicht weniger zur Geltung zu bringen waren, wie sie in der früheren Heimat galten oder hätten gelten müssen. In der Tat – „das Mutterland und die Kolonien sind aus den gleichen Wurzeln hervorgewachsen: die Magna Charta und das Gewohnheitsrecht, die parlamentarischen Einrichtungen und die lokale Selbstverwaltung, die Puritanische und die Glorreiche Revolution, Milton und Locke"[2]. Die Verwurzelung des frühamerikanischen Verfassungslebens in den staatlichen Überlieferungen Englands ist dokumentarisch vielfach belegbar. So enthalten zum Beispiel die königlichen Freibriefe für Virginia die Zusicherung, daß die Siedler und ihre Nachkommen sich in jeder Hinsicht aller Rechte und Freiheiten der Einwohner Englands sollten erfreuen können. Dieselbe Zusicherung wurde wenig später ebenfalls für Massachusets gegeben.[3] Der alsbald danach dem „geliebten und höchst vertrauenswürdigen

and for that purpose, to "call (them) together ... when, and as often as Need shall require".[4] The Ordinance for Virginia of 1621 had already provided for the annual convening of a General Assembly composed of the members of the Council of State and two "Burgesses" from every town, chosen by the inhabitants, to treat important matters concerning the public welfare of the colony.[5] Smaller communities such as Plymouth, Rhode Island, Connecticut, or New Haven organized themselves on their own, without such charters, on the basis of the settlers' voluntary mutual cooperation. The best known such agreement is the so-called "Mayflower Compact" drawn up by the founders of Plymouth.[6] The signers explicitly called themselves "Loyal Subjects of our dread Sovereign Lord King *James,* by the Grace of god, of *Great Britain, France,* and *Ireland,* King, *Defender of the Faith, &c,*" making it clear that they still attached value to remaining within the jurisdiction of domestic English law. Not as well known, but equally significant, were - much later, on the eve of the Glorious Revolution of 1689-1701 - the conditions William Penn drafted to regulate the charter he had secured for the settling of the "province of Pennsylvania".[7] They required the preservation of English customs in the laying out of roads and streets, the strict observance of English law in the courts, and moreover, the saving to the king of a share of all the gold and silver mined in the province.[8] In the Pennsylvania Charter of Privileges granted in 1701, immediately following the Glorious Revolution, the jurisdictional status of Pennsylvania's legislative assembly was finally specified as, among other things, having all the powers and privileges of an assembly, according to "the Rights of the free-born Subjects of England. ...".[9] Those are all unmistakable indications that the official administration of the province was to be and remain in accordance with English law - obviously no different from the other colonies on the eastern coast of America settled by the English.

Untertan Caecilius Calvert, Baron von Baltimore" erteilte Freibrief für Maryland enthielt zwar nicht die gleiche Formel, wohl aber die Verpflichtung für den neuen Gebietsherren, die Gesetzgebung „nach dem Ratschlag und mit Zustimmung und Einwilligung der freien Männer der Provinz, ihres größeren Teils oder ihrer Vertreter oder Bevollmächtigten" auszuüben und diese zu diesem Zweck „so oft wie nötig zusammenzurufen".[4] Eine jährlich einzuberufende Allgemeine Versammlung, bestehend aus den Notablen des Staatsrates und je zwei „angesehenen Bürgern" jeder Stadt, die von den Einwohnern zwecks Behandlung „außerordentlicher und wichtiger" Gegenstände zu wählen waren, war bereits vorher auch für Virginia vorgeschrieben worden.[5] Kleinere Gemeinschaften - Plymouth, Rhode Island, Connecticut, New Haven - organisierten sich ohne solche Freibriefe aus eigener Kraft auf der Grundlage freiwilliger Übereinkünfte zwischen den Siedlern; die bekannteste solche Übereinkunft ist der sogenannte „Mayflower Compact" der Plymouth-Gründer[6], deren Unterzeichner sich selbst ausdrücklich als „gehorsame Untertanen unseres erhabenen Herren, Jakob, von Gottes Gnaden König von Großbritannien, Frankreich und Irland, Verteidiger des Glaubens &c." bezeichneten und damit zu erkennen gaben, daß sie nach wie vor Wert darauf legten, nicht aus dem Friedensbereich des heimischen englischen Rechts auszuscheiden. Weniger bekannt, aber nicht weniger bedeutsam sind die sehr viel später - am Vorabend der Glorious Revolution von 1689/1701 - von William Penn erlassenen Bestimmungen zur Durchführung des ihm erteilten Freibriefs über die Besiedlung der „Provinz Pennsylvanien"[7], worin für das Straßen- und Wegebaurecht die Beobachtung der aus England überkommenen Gepflogenheiten („custom"), für das Strafrecht schlechterdings das englische Recht als verbindlich vorgeschrieben und außerdem festgesetzt wurde, daß dem König ein Teil des Wertes allen, im neuen Land geförderten Goldes oder Silbers zufallen sollte.[8] In dem unmittelbar nach der Glorious Revolution erteilten Freibrief endlich wurde die Rechtsstellung der pennsylvanischen Gesetzgebenden Versammlung unter anderem dahin umschrieben, daß sie alle Befugnisse und Rechte haben sollte, die „den Rechten frei geborener englischer Untertanen ... entspricht".[9] All dies sind unmißkennbare Hinweise darauf, daß die öffentliche Ordnung des Landes - offenbar nicht anders als die der übrigen, englisch besiedelten Ländereien an der amerikanischen Ostküste - ins Recht Englands eingebettet sein und bleiben sollte.

Wiliam Penn receiving the charter of his new colony from the hand of King Charles II. This "Charter of Establishment", which calls the colony Pennsylvania in honor of Penn's father, was signed by the king on March 14, 1681.

William Penn erhält die am 14. März 1681 unterzeichnete Gründungscharter für die nach seinem Vater benannte Kolonie Pennsylvanien aus der Hand von König Charles II.

View of Philadelphia around 1702, just twenty years after the founding of the city by William Penn.

Ansicht von Philadelphia um 1702, knapp zwanzig Jahre nach der Gründung durch William Penn.

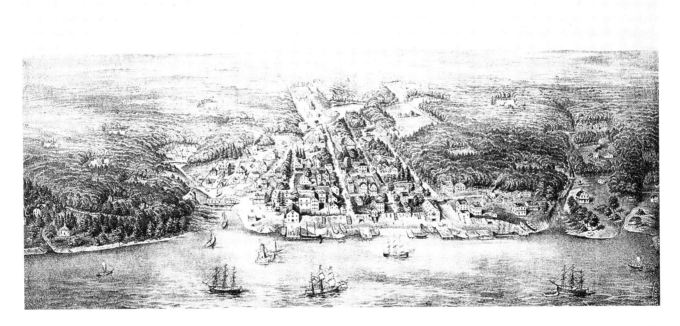

A dispute was later to break out as to whether the settlers had actually brought the liberties and privileges inherent in those rights across the ocean with them. If so, then particularly Article XIV of the "long charter" (Magna Carta Libertatum) of 1215 should prove to be to their advantage: it stated that the king could not levy extraordinary taxes without consent of the Great Council and the "vassals". It was this provision that King Charles I (who was later executed for endeavoring to subvert the constitution) had – albeit reluctantly – reconfirmed in the Petition of Right in 1628, at the very time that the above-mentioned colonial patents for Virginia and Massachusetts had been granted or similar basic agreements had been reached in the Mayflower Compact. If this royal restriction were not only to apply to England, but to the English settlements on the other side of the Atlantic Ocean as well – and that would be the case if it were to be assumed that the settlers had as much right as those who remained "at home" to the protection that the traditional and reconfirmed English law provided, – then the legislative assemblies or their comparable counterparts of every colony were included in the right to withhold consent as far as the taxes they had to pay were concerned.

This logical conclusion was becoming increasingly significant since the late 17th century – in England, the period of the Glorious Revolution (1689 – 1701) – because by then the settlers' communities had well-developed governmental systems to manage their own affairs. These included representative assemblies with full legislative powers and "parliamentary privilege". At that time, approximately 75 % of the adult white males already had voting rights. The colonists also had their own law courts on all levels and their own law enforcement agencies. Formally the administration was headed by a royal governor, whose limited executive powers and financial dependency upon the budgetary measures passed by the local parliament, however, made it hardly possible for him to take any action on his own accord or upon instructions from London, against the will of the settlers.[10] (In New York, the situation was somewhat different, and less favorable for the settlers, most of whom at first were not English; that matter will be briefly dealt with later on.) From their point of view, the Anglo-American settlers thought of the broad transoceanic society to which they belonged as a federalistic decentralized system. They were prepared to recognize the central legislative and judicial authority in London as far as commerce was concerned (the Navigaton

Später sollte Streit darüber entbrennen, ob die Siedler auch die kraft dieses Rechts überlieferten Freiheiten und Gerechtsame in der Tat mit sich über den Ozean genommen hätten. War das so, dann hatte insbesondere jener Artikel XIV des Großen Freiheitsbriefs (Magna Charta Libertatum) von 1215 zu ihren Gunsten zu gelten, der bestimmte, daß der König neue Steuern oder Abgaben nur nach der vorherigen Zustimmung der Großen des Reiches und seiner „Lehnsleute" sollte erheben lassen können – ein Satz, den der später als verfassungsbrüchig hingerichtete König Karl I. um die gleiche Zeit, als die vorerwähnten kolonialen Freibriefe für Virginia und Massachusetts erteilt oder dem Mayflower Compact ähnliche Gründungsvereinbarungen geschlossen worden waren, durch die Petition of Rights aufs neue, wenn auch widerstrebend bekräftigt hatte (1628). Galt diese königliche Zusicherung nicht nur für England, sondern gleichermaßen auch für die englischen Siedlungen jenseits des Atlantischen Ozeans – und das war der Fall, wenn davon auszugehen war, daß ihre Bewohner sich des Schutzes, den das überkommene und restatuierte englische Recht gewährte, gleichermaßen sollten erfreuen können wie die ‚zuhause' Gebliebenen –, dann waren die Allgemeinen Versammlungen oder vergleichbaren Körperschaften einer jeden Siedlung in diese Bewilligungsbefugnis eingerückt, soweit es um Abgaben ging, die sie entrichten sollten.

Diese Folgerung drängte sich seit der Wende vom 17. zum 18. Jahrhundert – für England die Zeit der Glorious Revolution von 1689/1701 – umso mehr auf, als die Siedlergemeinschaften bis dahin in den Besitz eines umfassend ausgebauten eigenen Verfassungsgefüges gelangt waren, bestehend aus eigenen parlamentarischen Vertreterversammlungen, deren Wahl bereits etwa drei Vierteln der erwachsenen weißen Männer offenstand und die sich im Vollbesitz der Gesetzgebungsgewalt und der Geschäftsordnungsautonomie („parliamentary privilege") befanden, weiter bestehend aus eigenen Gerichten aller Stufen und eigenen Vollzugsorganen unter dem zwar der Form nach königlichen Gouverneur, der jedoch schon wegen seiner finanziellen Abhängigkeit von den Haushaltsbeschlüssen des Lokalparlaments und wegen seiner beschränkten Exekutivmittel kaum unternehmen konnte, aus eigenem Entschluß oder auf Weisung aus London Maßnahmen durchzuführen, die von den Siedlern abgelehnt wurden.[10] (Über New York, wo die Verhältnisse etwas anders, und zwar für

Acts), as well as foreign policy (declarations of war and peace treaties), defense and currency. However, they demanded the right to make their own decisions on everything else, – on all local and regional matters including land and property laws, taxation, as well as their relations to the Indians – autonomously and independent of London.

die zunächst meist nichtenglischen Siedler ungünstiger lagen, wird noch kurz zu handeln sein.) Von hier aus begriffen die angloamerikanischen Siedler das größere, ozeanüberspannende Gemeinwesen, dem sie angehörten, als föderativ-dezentrales Gebilde; sie waren bereit, die Gesetzgebungs- und Entscheidungsgewalt der Londoner Zentrale in Sachen des Außenhandels (Navigationsakte!), der Außenpolitik (Kriegserklärung, Friedensschluß), der Verteidigung und der Währung anzuerkennen, bestanden andererseits aber darauf, daß sie überall sonst, in allen regionalen und lokalen Angelegenheiten einschließlich des Boden- und Steuerrechts sowie der Beziehungen zu den Indianern autonom seien und unabhängig von London für sich allein entscheiden durften.

The Conflict with London

Der Streit mit London

If it were contended that Parliament in London should be able to exercise sovereign rights even in matters of legislation – particularly in point of the levying of taxes and tolls – upon the American territories, matters which, up to then, had been decided solely by local assemblies, the Americans naturally held a different standpoint. They felt that at least since 1689 – 1701 the achievements of the Glorious Revolution had to be taken into account: that especially meant the active participation of the settlers involved, when it came to debating and passing such measures. As it seemed impossible for American representatives to participate in the activities of the Lower House in London, the only conclusion left to be drawn, in their view, was for the Lower House to forego enacting laws applicable to the American colonies. They claimed the right to share in the fruits of that change in constitutional practice. The wide-sweeping and irrevokable parliamentary lawmaking and particularly taxation authority, the binding to law of all levels of the executive, precluding any exceptions or exemptions on the part of the crown[11] – all that was to apply in like measure, unabridged and undiminished, to the colonial settlements and their constitutional representatives. These were the claims made by the settlers; they were repudiated by the state magistrates in London, who maintained instead that the monarch and the London Parliament still held supreme constitutional power, under which they could grant personal liberties or withhold them from the settlers at their own discretion, whether or not those rights were specified in the new reform. The New York colonists had already had that bitter experience imme-

Wurde demgegenüber behauptet, daß das Parlament in London mit Wirkung für die amerikanischen Gebiete auch in Angelegenheiten der Gesetzgebung Hoheitsrechte sollte ausüben können, die bisher allein von den heimischen Versammlungen wahrgenommen worden waren – wozu insbesondere auch die Auferlegung von Steuern und Gebühren gehörte –, so ergab sich aus amerikanischer Sicht von selbst die Forderung, daß sich ein solches Verfahren spätestens seit 1689/1701 unter Beachtung der Errungenschaften der Glorious Revolution zu vollziehen hatte: also vor allem unter tätiger Teilnahme der betroffenen Siedler bei Beratung und Beschlußfassung der einschlägigen Vorschriften. Da eine Teilnahme amerikanischer Abgeordneter an den Verhandlungen des Londoner Unterhauses aber unmöglich erschien, konnte aus dieser Sicht nur übrigbleiben, daß das Unterhaus darauf verzichtete, insoweit für die amerikanischen Kolonien Recht setzen zu wollen. So verstand man den Anspruch, daß die Errungenschaften jenes Verfassungsumschwunges – die umfassende und unwiderrufliche Parlamentarisierung der Gesetzgebungs- und insbesondere der Besteuerungsgewalt, die Bindung der Exekutive in allen Stufen an die gesetzliche Ordnung unter Ausschluß jeglicher Befreiungs- oder Ausnahmebefugnis der Krone[11] – ungekürzt und unabgeschwächt auch zugunsten der Siedlergemeinschaften und ihrer Verfassungsorgane gelten sollten. Seitens der Siedler wurde dieser Anspruch erhoben; seitens der Londoner Staatsjuristen wurde er bestritten: nach wie vor seien vielmehr der König und das Londoner Parlament die obersten Verfas-

diately after the accession to the throne of James II, the last Stuart king, who had dissolved the General Assembly within two years of its having finally been established in 1683 after lengthy efforts and disputes.

The American colonial concept of law and order, based as it was on traditional English common law, considered the main elements of the legal code to be hallowed by divine right and the course of time, and as such, not subject to human alteration. That is why, in the eyes of the Americans, the English stand on the matter meant nothing less than that the government in London was planning to arrogate sweeping powers over the people and territories overseas. That kind of unbridled and tyrannical arbitrary power exercised with apparent impunity would amount to the establishment of something like "political slavery", an unreasonable and unacceptable situation, against which it was permitted – in fact, necessary – to offer resistance.

In this ethical pathos lie essence and significance of the American revolt against the English crown. In the realization of that paraphrased postulate lay the promise of that "even greater freedom" which was spoken of earlier. In the eyes of the Americans, it was not a question of overthrowing the existing constitutional foundations, but on the contrary, of hindering the abolishment of their freedom, which would have meant the retraction of the constitution.[12]

sungsherren, die den Siedlern öffentliche Rechte – seien sie in der neuen Ordnung gegründet oder nicht – gewähren oder nach ihrem Ermessen versagen oder entziehen könnten. (Die New Yorker hatten das sofort nach der Thronbesteigung des letzten Stuartkönigs Jakobs II. zu ihrem Leidwesen erfahren müssen, als der König die nach langen Auseinandersetzungen im Jahre 1683 endlich zustandegebrachte Allgemeine Versammlung nach noch nicht zweijährigem Bestehen wieder aufgehoben hatte.)

Da die Rechtsordnung nach amerikanischem, am überkommenen englischen Gemeinrecht geschulten Verständnis jedoch ein Regelgefüge darstellte, dessen maßgebende Züge, geheiligt durch göttlichen Willen und natürlichen Zeitablauf, menschlichem Zugriff schlechtweg entzogen waren, so bedeutete diese englische Auffassung in amerikanischen Augen nichts anderes, als daß die Londoner Regierung sich die Vollmacht anzumaßen gedachte, Land und Volk in Übersee nach freiem Ermessen überhaupt aus dem Recht hinausfallen zu lassen, das heißt straflos eine ungezügelt-tyrannische Willkürherrschaft, ja: so etwas wie „politische Sklaverei" aufrichten zu können: eine unannehmbare Zumutung, gegen die Widerstand zu leisten erlaubt, ja: geboten war.

In diesem ethischen Pathos liegen Kern und Sinn des amerikanischen Abfalls von der englischen Krone – in der Verwirklichung des damit umschriebenen Postulats lag die Verheißung jener „noch größeren Freiheit", von der eingangs die Rede gewesen ist: wobei es sich in amerikanischen Augen nicht darum handelte, gegebene Verfassungsgrundlagen umzustürzen, sondern im Gegenteil gerade darum, einen freiheitsvernichtenden Verfassungsumsturz zu verhindern.[12]

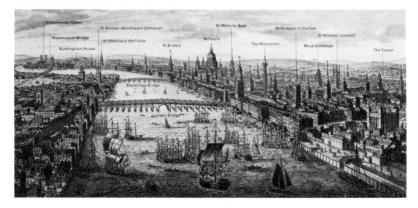

View of 18th-century London

Ansicht Londons im 18. Jahrhundert

II

German Contributions to American Developments in the 17th and 18th Centuries

Deutsche Beiträge zu amerikanischen Entwicklungen im 17. und 18. Jahrhundert

A Parallel to the German Empire?

Eine Parallele zum Deutschen Reich?

A recent American reproach to English politics in the 17th and 18th centuries was that London was incapable of comprehending the "historical reality" of the fact that the kingdom had "become a federalized nation" due to the emergence of autonomous regional systems in the overseas colonies.[13]

Any attempt to portray the mutual influences between American and German constitutional thought and law during the course of the past two centuries would find, as an obvious starting-point, a comparison of English constitutional practice in the 17th and 18th centuries with that of the German Empire between the Peace of Westphalia and when it came to an end during the Napoleonic era. In a strange coincidence of opinion with the above-mentioned reproach by 20th-century American constitutional historians, German legal scholars and philosophers of an earlier age also felt justified in calling that German Empire a "federation" (Pufendorf) or a "composite nation" (Leibnitz).[14] As a matter of fact, a reference to that can actually be found in one of the many propagandistic political pamphlets which appeared in America on the eve of the Revolution. In 1765, eight years before the first outburst of rebellion in the Boston harbor, Governor Hopkins of Rhode Island wrote that "in an imperial state, which consists of many separate governments each of which hath peculiar privileges and of which kind it is evident the empire of Great Britain is, no single part, though greater than another part, is by that superiority entitled to make laws for or to tax such lesser part. ... This may be fully verified by the empire of Germany, which consists of many states, some powerful and others weak, yet the powerful never make laws to govern or to tax the little and weak ones, neither is it done by the emperor, but only by the diet, consisting of the representatives of the whole body. Indeed, it must be absurd to suppose that the common people of Great Britain have a sovereign

Von amerikanischer Seite hat man der englischen Politik des 17. und 18. Jahrhunderts vorgeworfen, daß man in London unfähig gewesen sei, die „geschichtliche Wirklichkeit" zu begreifen, daß das Reich zufolge des Aufwachsens autonomer Ordnungen in den überseeischen Siedlerkolonien „zum föderalen Staat geworden" sei.[13]

Für eine Darstellung, die sich zur Aufgabe gestellt hat, die Wechselwirkungen zwischen amerikanischem und deutschem Verfassungsdenken und -recht während der vergangenen beiden Jahrhunderte nachzuzeichnen, könnte naheliegen, die Verfassungsverhältnisse Englands im 17. und 18. Jahrhundert mit denen des Deutschen Reiches zwischen dem Westfälischen Frieden und seinem Erlöschen während der napoleonischen Ära zu vergleichen – jenes deutschen Reiches, das zeitgenössische deutsche Rechtsgelehrte und Philosophen in merkwürdig erscheinender Ähnlichkeit mit dem soeben erwähnten Tadel amerikanischer Verfassungshistoriker des 20. Jahrhunderts ebenfalls als „Föderation" (Pufendorf) oder als „zusammengesetzten Staat" (Leibniz) bezeichnen zu können glaubten.[14] In einer der zahlreichen politisch-propagandistischen Flugschriften, die am Vorabend der Revolution in Amerika erschienen sind, findet sich in der Tat ein diesbezüglicher Hinweis. Großbritannien – schrieb der Gouverneur von Rhode Island, Stephen Hopkins, im Jahre 1765 (acht Jahre vor dem Aufzüngeln der ersten Aufruhrflamme im Bostoner Hafen) – sei ein aus mehreren, jeweils mit besonderer Rechtsstellung ausgestatteten Staaten zusammengesetztes Reich, in dem kein Teilstaat, sei er auch größer als irgendein anderer, befugt sei, sich die Gesetzgebungs- oder Besteuerungsgewalt über kleinere Teilstaaten anzumaßen. Man könne das am deutschen Reich erkennen: es bestehe aus vielen Staaten, von denen einige mächtig, andere jedoch schwach seien, doch habe weder ein mächtiger Staat noch der Kaiser selbst jemals unternommen, kleinere Staaten zu beherrschen

and absolute authority over their fellow subjects in America, or even any sort of power whatsoever over them; but it will be still more absurd to suppose they can give a power to their representatives which they have not themselves."[15]

That comparison may have a certain validity, yet it is somewhat questionable to try to draw a parallel between the Perpetual Imperial Diet at Regensburg and the London Parliament, or compare the jurisdictional relationship between the German emperor and the states of the German Empire on the one hand, with that between the English king and the American colonies on the other hand – quite apart from the historical constitutional development within those various territorial sub-units. Symptomatic of that development in Germany was the waning of the principle of absolute monarchy and the rise of regional reigning princes, whereas in the American colonies it was aimed toward the establishment of democratic constitutional forms of government. It must also be pointed out that only after and in virtue of their Declaration of Independence did the Americans formally demand and acquire those rights which the German sovereign princes had already managed to have chartered by writ in the Westphalian peace treaties of 1648: full and equally effective interior and external sovereignty. One need only compare the phrases, "exercitium liberum iuris territorialis in ecclesiasticis quam politicis"[16] (the free exercise of territorial rights in ecclesiastical as well as worldly matters) and, conceptually related, the "ius faciendi inter se et cum exteris foedera pro sua cuiusque conservatione ac securitate"[16] (the right to conclude treaties among themselves and with foreign rulers for their perpetuation and security) with the words: "...full power to levy war, conclude peace, contract alliances... and do all other things which independent states may of right do."

oder zu besteuern, vielmehr könne das nur durch den Reichstag geschehen, auf dem alle Teilstaaten des Reiches vertreten seien. Daher sei abwegig, behaupten zu wollen, daß das Volk Großbritanniens hoheitliche Gewalt über seine amerikanischen Mitbürger ausüben könne, und noch weniger annehmbar sei der Gedanke, daß dieses Volk seine gewählten Vertreter mit einer Vollmacht habe ausstatten können, die es selbst nicht besitze.[15]

Dieser Hinweis mag richtig sein – dennoch ist nicht bedenkenfrei, zwischen dem Immerwährenden Reichstag zu Regensburg und dem Londoner Parlament oder zwischen den Rechtsbeziehungen des deutschen Kaisers zu den deutschen Reichsständen, einerseits, und dem Verhältnis zwischen dem englischen König und den amerikanischen Kolonien, andererseits, Verbindungslinien ziehen zu wollen – ganz abgesehen von der verfassungsgeschichtlichen Entwicklung innerhalb der jeweiligen Teileinheiten: sie vollzog sich in Deutschland im Zeichen des Absterbens des Ständegedankens und des Heraufkommens des landesfürstlichen Absolutismus, während die Entwicklung in den amerikanischen Siedlerkolonien auf den Aufbau und die Verfestigung demokratischer Verfassungsformen zielte. Auch ist darauf aufmerksam zu machen, daß die Amerikaner erst kraft ihrer Unabhängigkeitserklärung jene Rechte auch der Form nach beanspruchten und erlangten, die sich die deutschen Reichsstände bereits in den westfälischen Friedensverträgen von 1648 hatten verbriefen lassen können: die volle, nach innen und außen gleichermaßen wirksame Souveränität – man vergleiche die Formeln „exercitium liberum iuris territorialis in ecclesiasticis quam politicis" (freie Ausübung der Landeshoheit sowohl in geistlichen als auch in weltlichen Angelegenheiten) und, damit begrifflich verbunden, das „ius faciendi inter se et cum exteris foedera pro sua cuiusque conservatione ac securitate"[16] (Recht, unter sich und mit dem Ausland Bündnisse für ihre Erhaltung und Sicherheit abzuschließen) gegenüber den Worten: „... full power to levy war, conclude peace, contract alliances ... and do all other things which independent states may of right do".

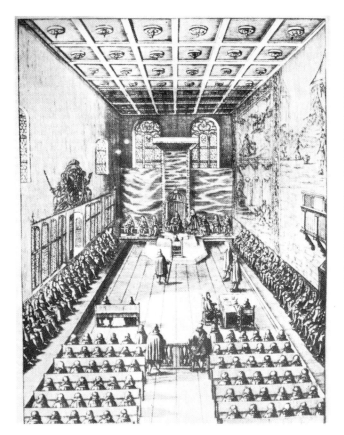 

The Imperial Diet at Regensburg. With the Peace of Westphalia of 1648, the diet became a regularly meeting conference of representatives of the princes and the free cities of Germany. It was held from 1663 until 1806 in Regensburg (or Ratisbon) in Bavaria.

Der Immerwährende Reichstag zu Regensburg. Der Westfälische Friede von 1648 hatte aus dem Reichstag eine ständige Konferenz von Gesandten aller jetzt selbständigen deutschen Staaten gemacht, die von 1663 bis 1806 in Regensburg tagte.

The House of Commons in London in 1742. Whereas in the days of the Magna Carta it was the barons who formed the counterbalance to the king, in the 16th century that function was taken over by the knights joined with the burgesses in the House of Commons of the bicameral Parliament. The "lower house" has remained the center of political power in Great Britain until the present time.

Das Unterhaus („House of Commons") in London 1742. Waren zu Zeiten der Magna Charta noch die Barone das Gegengewicht zum Königtum gewesen, so ging ab dem 16. Jahrhundert diese Funktion auf die „Commons", die Nichtadeligen über, deren Sitz, das Unterhaus, bis heute das Zentrum politischer Macht in Großbritannien geblieben ist.

19

Three Pavers of the Way

Anyone seeking further connections between American and German conceptions and convictions regarding human rights, or, more precisely, German contributions to the evolution of American government based on law, can find them. Out of the available material, the three following examples may be selected.

Tragic Loyalty to the Constitution: Jacob Leisler

The first concerns Jacob Leisler, the son of a Protestant minister from Frankfurt-Bockenheim.[17] As an impecunious young man, Leisler arrived in New York (then still Nieuw Amsterdam) in 1660 in the service of the Dutch West India Trading Company. He married the widow of a wealthy cloth merchant, earned a considerable fortune on his own, and was appointed captain of one of the four militia contingents of the city. The originally all-Dutch and Protestant inhabitants came under temporary British rule in 1664; except for a short period of reoccupation (1672/73), the English secured the permanent cession of Manhattan by the treaty of Breda (1667), under the then-reigning Catholic house of Stuart. Changes which the British subsequently made in the traditional local administrative system, in addition to English attempts to immure the city within its system of the Navigation Acts - detrimental to the hitherto almost exclusive trade relations with Amsterdam -, as well as Catholic attempts, known in advance and tolerated by the new officials, to infiltrate the educational and cultural institutions - all that led to tensions arising between various groups and social classes among the populace. Signs of social unrest appeared. Not only in New York, but in the colony's smaller towns as well - primarily in Albany, the state capital today - a regulatory economic system had developed, upheld by a tightly intermeshed structure of production, manufacturing and trade restrictions with exceptional permits being granted on an individual and hereditary basis. That was rooted in the traditional monopolies of the craftsmen and tradesmen guilds, or, to be more exact, of certain wealthy and influential individuals among their members.[18] When James II fled from England to France, vacating the throne, and during the uncertain times that followed, while he tried - from French

Drei Schicksale im Vorfeld:

Wer indes nach anderen Verbindungslinien zwischen amerikanischen und deutschen Rechtsgedanken und -überzeugungen oder, genauer: nach deutschen Beiträgen zur Ausformung der amerikanischen Rechtskultur sucht, kann sie finden; aus dem zur Verfügung stehenden Material seien die folgenden drei Fälle herausgegriffen.

Tragische Verfassungstreue: Jacob Leisler

Der eine von ihnen betrifft Jacob Leisler, den Sohn eines evangelischen Pfarrers aus Frankfurt-Bockenheim.[17] Er war als vermögensloser junger Mann im Jahre 1660 im Dienst der Holländisch-Westindischen Handelsgesellschaft ins damalige Nieuw Amsterdam, das heutige New York, gekommen, hatte die Witwe eines vermögenden Tuchhändlers geheiratet, seinerseits ein beachtenswertes Vermögen erworben und war zum Hauptmann eines der vier städtischen Milizkontingente ernannt worden. Die Verhältnisse der Stadt waren schwierig. Die ursprünglich rein niederländische und evangelische Bevölkerung war 1664 vorläufig und nach kurzer Rückeroberung 1672/73 endgültig unter britische Herrschaft des damals katholischen Königshauses (Stuart) gelangt. Englischerseits durchgeführte Veränderungen der überkommenen Lokalverwaltung, englische Versuche, die Stadt zum Schaden der bisher fast ganz auf Amsterdam ausgerichteten Handelsbeziehungen fest ins System der Navigationsakte einzubinden, katholische Versuche, mit Vorwissen und Duldung der neuen Behörden ins Schul- und Kulturleben einzudringen, riefen Spannungen zwischen einzelnen Bevölkerungsgruppen und -schichten hervor. Soziale Unrast trat hinzu. Nicht nur in New York, sondern auch in den kleineren Städten des Landes - allen voran in Albany, der heutigen Staatshauptstadt - hatte sich, aufbauend auf einem engmaschigen Gefüge von Herstellungs-, Verarbeitungs- und Handelsverboten mit erblich-individuellen Ausnahmeerlaubnissen, eine Wirtschaftsverfassung herausgebildet, die auf ersessenen Alleinbefugnissen der Handwerkerzünfte und Kaufmannsgilden, genau: einzelner ihrer wohlhabend-einflußreichen Mitglieder beruhte.[18] Die Entthronung Jakobs II. und die darauf folgende unsichere Zeit, während der er von Frank-

When New York was still Nieuw Amsterdam: two early views of the city from the 17th century.

Als New York noch Nieuw Amsterdam hieß: Zwei frühe Ansichten aus dem 17. Jahrhundert.

Captain Jacob Leisler from Frankfurt governed New York between 1689 and 1691. His descendant, Walter Leisler Kiep (here shown at right).

Amerika gedenkt seiner Vergangenheit: 1965 wurde in New York ein Denkmal für den deutschstämmigen Jacob Leisler, Gouverneur der Stadt von 1689 bis 1691, errichtet. Einer seiner Nachfahren, Walter Leisler Kiep (im Bild rechts).

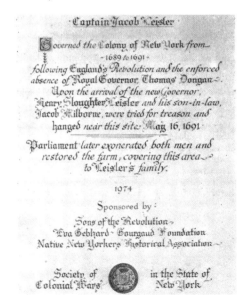

An early engraving of a street in the village of New Amsterdam. The city hall of the time is shown in the center.

Der Rathausplatz von Neu-Amsterdam, dem heutigen New York, um die Mitte des 17. Jahrhunderts.

and Irish soil - to regain power, there was resulting unrest particularly in the city and territory of New York. Aligned on the side loyal to the Stuarts were, along with the governor and his associates, at first some, then many, and finally, almost all who up to then had been dominant in the field of commerce. On the other side were dissatisfied craftesmen and their apprentices, small merchants and their workmen, wagoners, boatmen, and other members of the lower middle class. When, to the disappointment of those circles, the governor failed to come out publicly in support of the regime of the new monarchs, William and Mary, they formed out of their ranks a "security committee", which chose Leisler as its commander. Without offering any resistance, the colonial governor turned over the keys to the fort to him on May 31, 1689, and sailed to England shortly thereafter. All at once, Leisler, who up to then had never been politically active, found himself entrusted with heading the provisional administration of the colony. He believed his authority derived its legitimacy on the one hand from a resolution of the security committee proclaiming him to be the "supreme commander of the province", and on the other hand, from an order issued by the new monarchs, addressed ambiguously - but perhaps not unintentionally so - "To whomever at the present time is charged with the preservation of the peace and lawful order in the province of New York."

Be that as it may, it was Leisler who soon reconvened the colonial assembly that the dethroned king had dissolved, and it was upon his urging that the assembly passed a bill doing away with all the above-mentioned trade restrictions and economic barriers. That was a liberating and socially conscious precursor to the pertinent articles of the U.S. Constitution which was to take effect a century later (Article I, Section 9, Paragraph 5; Section 10, Paragraphs 2 and 3). It was also Leisler who - in this respect too, ahead of his time - convened the first "intercolonial congress" with the purpose of making decisions on matters concerning the "common good" and the common defense against external enemies: the garrisons in Canada, at that time still in French possession, and the Indian tribes that were allied with or influenced by them. And finally, it was he too who recommended and planned a precautionary foray to southeast Canada - a venture that was actually undertaken 85 years later in the course of the struggle for independence (and in accordance with Article XI of the Articles of Confederation of 1777 - 81, which mentions the possibility of including Canada in the confederation of the colonies which were then rebelling).

reich und Irland aus versuchte, wieder zur Herrschaft zu gelangen, stürzte insbesondere auch Stadt und Landschaft New York in Unruhe. Auf der einen Seite standen der stuarttreue Gouverneur, seine Umgebung und zunächst manche, später viele und schließlich fast alle bislang führend gewesenen Wirtschaftskreise, auf der anderen Seite unzufriedene Handwerker, mittlere und kleinere Kaufleute mit ihren Gesellen und Gehilfen, Fuhrleute, Schiffer und andere Angehörige der unteren Mittelschicht. Da es der Gouverneur zum Mißfallen dieser Kreise unterließ, sich öffentlich zum neuen Monarchenpaar und zur Neuen Ordnung zu bekennen, fand sich aus ihrer Mitte ein ‚Sicherheitsausschuß' zusammen, der Leisler zu seinem Kommandanten wählte. Widerstandslos übergab ihm der Gouverneur die Festungsschlüssel am 31. Mai 1689 und schiffte sich bald darauf nach England ein; an der Spitze einer ihrer Natur nach provisorischen Ordnung fand sich auf einmal der bisher politisch noch nie hervorgetretene Leisler, der seine Vollmacht einmal auf einen Beschluß des Sicherheitsausschusses über seine Bestellung zum Inhaber des „Oberkommandos über die Provinz", zum anderen auf einen, möglicherweise nicht ohne Absicht unklar gefaßten Erlaß des neuen Monarchenpaares „an denjenigen, der zur Zeit für die Aufrechterhaltung des Friedens und der gesetzmäßigen Ordnung in der Provinz New York ... sorgt", stützen zu können glaubte. Wie dem auch sei - er war es, der die vom entthronten König aufgelöste Landesversammlung alsbald aufs neue berief, und auf sein Betreiben beschloß diese Versammlung die Abschaffung aller vorerwähnten Handelsbeschränkungen und Wirtschaftshemmnisse: eine befreiende, sozialgetönte Vorwegnahme der einschlägigen Bestimmungen (Artikel I § 9 Absatz 5, § 10 Absatz 2 - 3) der ein Jahrhundert später in Kraft getretenen amerikanischen Verfassungsurkunde. Leisler war es auch, der - auch insoweit seiner Zeit voraus - den ersten „Interkolonialen Kongreß" zusammenrief, der über Angelegenheiten „gemeinsamen Wohls" und der gemeinsamen Abwehr äußerer Feinde - die Garnisonen im damals noch französischen Canada und die mit ihnen verbündeten oder von ihnen beeinflußten Indianerstämme - zu entscheiden haben sollte. Und endlich war er es, der den präventivmilitärischen Feldzug nach Südostcanada befürwortete und plante, der 85 Jahre später im Zuge der Unabhängigkeitskämpfe (und im Zeichen des Artikels XI der „Articles of Confederation" von 1777/81, worin von der Möglichkeit des Anschlusses Canadas an die damalige Konföderation der aufständischen Kolonien die Rede ist) in der Tat gewagt werden sollte.

The opponents of his economic and fiscal policies conspired to besmirch his reputation with the new royal couple, and when the new governor they appointed arrived, Leisler was arrested on a charge of high treason and unauthorized use of the royal state seal. Despite his affirmations of loyalty to the Crown in word and deed, he was made to stand trial and sentenced to death by a kind of court which would hardly be called acceptable by today's standards. Leisler was publicly executed on May 17, 1691; eight years later, when it became apparent that he had been falsely convicted, he was posthumously rehabilitated by Parliament.

It would certainly be an overestimation to regard Jacob Leisler as a pioneer or even herald of modern democratic self-government or social democratic principles. Nevertheless, he is an outstanding example among the well-to-do of his time as one who sympathized with the plight of the underprivileged vocational groups and social classes, and who was prepared to think with foresight and lend a helping hand when an unusual chain of events gave him the power to do so. By the same token, he was far from being a military dictator, for he hastened to restore the parliament to power which his predecessor had dissolved. And finally, one can see in him one of the first American politicians – if not the very first – to grasp and attempt to realize the idea of unifying the commonwealth that had developed on the new continent, not under the imperious dominance of a dictatorial authority, but under a constitutional government in accordance with the will of the governed. Leisler may not have been one of the foremost trailblazers of the U.S. Constitution, but he surely deserves a place of honor among their ranks.

Von den Gegnern seiner Wirtschafts- und Fiskalpolitik beim neuen Monarchenpaar angeschwärzt, wurde er nach Ankunft eines neuen Gouverneurs trotz seiner in Wort und Tat bekundeten Loyalität gegenüber der neuen Ordnung vor ein – nach heutigen Maßstäben kaum einwandfrei zusammengesetztes – Gericht gestellt, das ihn wegen Hochverrats und widerrechtlichen Gebrauchs des königlichen Staatssiegels (wohl anläßlich der Verkündigung des vorerwähnten Aufhebungsgesetzes) zum Tode verurteilte. Am 17. Mai 1691 hingerichtet, wurde er acht Jahre später, als seine gesetzes- und oranientreue Gesinnung offenbar geworden war, unter Aufhebung des Todesurteils feierlich rehabilitiert.

Sicher wäre zu hoch gegriffen, wollte man in Jacob Leisler einen Vorkämpfer oder zumindest Vorläufer moderner demokratischer Selbstverwaltungsrechte und sozialstaatlicher Grundsätze sehen. Doch ragt er aus der Reihe der Wohlhabenden seiner Zeit als einer heraus, der für die Beschwernisse der sozial benachteiligten Berufsgruppen und Gesellschaftsschichten aufgeschlossen und bereit war, durch die Tat vorausschauend zu helfen, als ihm durch eine außergewöhnliche Verkettung der Zeitläufe die Möglichkeit dazu in die Hand gespielt worden war. Ebenso war er ein Militärdiktator, der sich beeilte, ein vom vorigen Machthaber beseitigtes Parlament in seine Rechte schleunig wiedereinzusetzen. Und schließlich wird man in ihm einen der frühesten, wenn nicht den ersten amerikanischen Politiker sehen dürfen, der den Gedanken einer nicht obrigkeitsverordneten, sondern aus dem autonomen Willen der Betroffenen erfließenden politisch-verfassungsmäßigen Vereinigung der auf dem Neuboden entstandenen Gemeinwesen faßte und wenigstens im Ansatz zu verwirklichen suchte. So gebührt ihm in der Reihe der amerikanischen Verfassungsahnen sicher kein hervorragender, wohl aber ein gesichert ehrenhafter Platz.

New York City's emblem   *Wappen der Stadt New York*

An Early Protest against Slavery: Francis Daniel Pastorius

The second example that deserves mention in regard to the subject at hand concerns a problem of American constitutional practice that has continued to play a great role up to recent times: the question of slavery. And here too it concerns an act that took place in early times, in the final years of the 17th century. It was the German mayor of Germantown (now a suburb of Philadelphia), Francis Daniel Pastorius, born in Lower Franconia, who, together with his Mennonite brethren, formulated a declaration against "traffic in man-body".[19] His reasoning is replete with evidence of the kind of ethical socio-political democratic thinking which eventually was to lead to manifold results. For instance, how would whites feel if they were captured by a "Turkish vessel and sold for slaves to Turkey"? Didn't the concept of freedom of religion and creed which they enjoyed without fear in Pennsylvania force them of necessity to practice freedom from slavery as well? Must not the possession of a Black slave be condemned as much as the possession of stolen goods? And must not "we who profess that it is not lawful to steal, ... likewise avoid to purchase such things as are stolen …"? And finally an appeal is made to Pennsylvania to free all slaves – men who "have as much right to fight for their freedom, as you have to keep them as slaves". At the time, the slaves were not revolting, but what would happen if and when that should come to pass?

Today we realize how prophetic these questions were, and we can feel how they seem to lurk behind the explicit prohibition of slavery almost a century later for the so-called "Northwest Territory",[20] the region today comprising the states of Ohio, Illinois, Michigan and Wisconsin. Of course no one can claim that the demands made by Pastorius had any direct influence on that prohibition. Nevertheless, they were undoubtedly among the various influences which flowed together in the stream of general public opinion which eventually led to Abraham Lincoln's Emancipation Proclamation of January 1, 1863, and to the relevant legislation over the course of the entire century that followed.

Früher Protest gegen die Sklaverei: Franz Daniel Pastorius

Ein zweiter Fall, von dem im vorliegenden Zusammenhang berichtet werden kann, betrifft ein Problem, das in der amerikanischen Verfassungswirklichkeit bis in die jüngste Zeit eine große Rolle gespielt hat – die Frage der Rechtsstellung der schwarzen Mitbewohner des Landes –, und auch hier handelt es sich um einen Vorgang aus früher Zeit, nämlich aus den letzten Jahren des 17. Jahrhunderts. Es war der deutsche Bürgermeister von Germantown, einem Vorort von Philadelphia, der aus Unterfranken gebürtige Franz Daniel Pastorius, der zusammen mit seinen mennonitischen Glaubensbrüdern eine Erklärung gegen den „traffic in man-body" abgab.[19] Seine Begründung steckt voller sozialethisch-verfassungspolitischer Gedanken, die in der Folge vielfache Wirkungen entfalten sollten: was Weiße wohl sagen würden, wenn man sie – zum Beispiel als Gefangene auf einem orientalischen Schiff – als verkäufliche Ware behandeln würde? ob sich denn aus dem Begriff der Glaubens- und Bekenntnisfreiheit, wie man sie im damaligen Pennsylvanien freudig und furchtlos genieße, der Begriff der persönlichen Freiheit nicht zwingend ergebe? ob denn der Besitz und die Verfügungsgewalt über einen Negersklaven nicht genauso zu beurteilen sei wie der Besitz und die Verfügungsgewalt über entwendetes Gut? und ob man – gut- oder bösgläubig – an Diebsgut etwa so etwas wie Eigentum erwerben könne? Schließlich wurde die Forderung gestellt, Pennsylvanien möge alle Sklaven freisetzen – Menschen, die ein Recht darauf hätten, für ihre Freiheit notfalls auch mit gewaltsamen Mitteln zu kämpfen. Noch sei davon keine Rede – aber was werde geschehen, wenn es einst dazu kommmen sollte?

Daß und wie sehr diese Fragen in die Zukunft wiesen, wissen wir heute. Ebenso können wir ermessen, daß sie fast ein Jahrhundert später in Gestalt des ausdrücklichen Sklavereiverbots für das sogenannte „Nordwest-Territorium"[20], das heißt die heutigen Staaten Ohio, Illinois, Michigan und Wisconsin ihren Niederschlag gefunden haben. Natürlich kann niemand behaupten, daß die Forderungen Pastorius' für dieses Verbot unmittelbar ursächlich gewesen seien – zweifellos aber sind sie als mitwirkende Kraft in den allgemeinen Meinungs-und Gesinnungsstrom eingeflossen, der schließlich zu der von Abraham Lincoln am 1. Januar 1863 verkündeten Emanzipationserklärung und zu der über das ganze folgende Jahrhundert ausgebreiteten Ausführungsgesetzgebung geführt hat.

Idealized bust of Francis Daniel Pastorius by J. Otto Schweizer. Contemporary portrayals of the founder of Germantown were not handed down.

Idealisierende Büste des Franz Daniel Pastorius von J. Otto Schweizer; authentische Porträts des Gründers von Germantown sind nicht überliefert.

One of the earlier views of Germantown.

Eine der frühesten Ansichten von Germantown.

Lay-out plan of Pastorius' property, 1714.

Lageplan des Pastoriusschen Grundstücks aus dem Jahr 1714.

"Here is liberty of conscience, which is right & reasonable; here ought to be lickewise liberty of every body, except of evil-doers, which is an other case. But to bring men hither, or to robb and sell them against their will, we stand against. In Europe there are many oppressed for Conscience sacke; and here there are those oppressed which are of a black Colour …": Facsimile (page 2) of the first documented protest against slavery in America, written and for the most part probably formulated by Francis Daniel Pastorius in April, 1688. After having been submitted to the Quaker monthly assembly, it was referred to the quarterly, and then to the annual assembly, where it was tentatively filed as being not ready for judgement. Pennsylvania did not enact a law against the importation of slaves until 1711, a law which was in turn nullified by the London government …

„Hier herrscht Freiheit des Gewissens, was recht und vernünftig ist; in gleicher Weise sollte hier Freiheit des Körpers herrschen, außer für Übeltäter, was ein anderer Fall ist. Aber dagegen, daß man Menschen gegen ihren Willen hierher bringt, sie raubt oder verkauft, erheben wir Einsprache. In Europa müssen viele Unter-drückung leiden, des Gewissens halber; und hier werden jene unterdrückt, die von schwarzer Farbe sind …": Faksimile (Blatt 2) des ersten dokumentierten Protests gegen die Sklaverei in Amerika, niedergeschrieben und wahrscheinlich in wesentlichen Teilen formuliert von Franz Daniel Pastorius im April 1688. Die monatliche Quäkerversammlung, an die der Antrag gerichtet war, verwies ihn an die vierteljährliche und diese an die Jahresver-sammlung weiter, wo er als vorläufig nicht entscheidungsreif zu den Akten gelegt wurde. Erst 1711 erließ Pennsylvanien ein Gesetz gegen die Einfuhr von Sklaven, das jedoch von der Londoner Regierung annulliert wurde …

25

The man who will be dealt with in this last example of the subject at hand may also have seen himself as an contributive force in the stream of the growing critical public opinion in response to the demonstrations of power from an overbearing state government. We are talking about Johann (John) Peter Zenger, who was born in the region of Germany of the Rhineland-Palatinate and came to America in 1710 at the age of thirteen, where he learned the printer's trade. *The New York Weekly Journal,* the first oppositional newspaper to appear on American soil, was printed in his workshop, starting in the late autumn of 1733.[21] What is interesting is that the direction that the newspaper followed had been laid out by two English political literati who had been vehemently attacking the political and social conditions in Britain since the beginnings of the 1720s, both writing under the alias of "Cato". Widely well known, read and discussed in England, their politically motivated polemics did not accomplish much there – which makes the effect which they had in America, and especially in New York, appear even more remarkable. One of their most frequently quoted essays dealt with the freedom of speech as an inseparable part of every "publick liberty": because if the management of public affairs is nothing more than trustees acting on the behalf of the interests of the people – the concept, which was to be repeated in Article 2 of the Virginia Bill of Rights of 1776, appears here for the first time –, then holders of public office should endeavor to expose their decisions and measures to the judgement of the general public, in order to reap praise, if said decisions and measures were "honest", and, on the other hand, to reap loathing, if they were ruinous. Of course, the citizen should speak well of his public officials when they had earned it, but it is a sign of maladministration and tyranny when something bad can occur in secrecy – which is why every authority which tries to take liberties away from the people starts by suppressing the freedom of speech, the horror of all "publick Traytors".[22]

It was along these lines that "Cato" – at this point James Alexander, a New York lawyer and political journalist, member of the American Philosophical Society – expressed his opinions in a series of essays which appeared in the first issues of the weekly paper put out by Zenger.[23] The motive for the essays was the manner in which New York Governor William Cosby, who had arrived from England one and a half years earlier, was running his office. It was suspected that Cosby – and probably legitimately so – was guilty of greed, corruption, self-enrichment, perversion of justice,

Als mitwirkende Kraft im Strom einer sich gegenüber Machtäußerungen einer überheblichen Staatsgewalt langsam kritischer gebenden öffentlichen Meinung mag sich auch der Mann gefühlt haben, der im vorliegenden Zusammenhang als letztes Beispiel erwähnt sei. Es handelt sich um Johann (John) Peter Zenger, der, aus der Pfalz stammend, als Dreizehnjähriger im Jahr 1710 nach Amerika gelangt war und dort das Druckerhandwerk erlernt hatte. In seiner Werkstatt wurde seit dem Spätherbst 1733 das „New York Weekly Journal", die erste regierungsoppositionelle Zeitung gedruckt, die auf amerikanischem Boden erschienen ist.[21] Von Interesse ist, daß die Linie, die das Blatt verfolgte, von zwei englischen politischen Literaten vorgezeichnet worden war, die unter dem Decknamen „Cato" die heimischen politisch-gesellschaftlichen Zustände seit dem Beginn der zwanziger Jahre heftig angriffen. In England weitum bekannt, gelesen und diskutiert, hat ihre engagierte Polemik dort dennoch nur wenig ausgerichtet – um so bemerkenswerter ist die Wirkung, die sie auf dem Umweg über das von Zenger herausgegebene Wochenblatt auf Amerika und insbesondere auf New York ausgeübt haben. Einer ihrer meistzitierten Aufsätze beschäftigte sich mit der Meinungsfreiheit als untrennbarem Bestandteil jeglicher öffentlichen Freiheit („Publick Liberty"): da die Führung der öffentlichen Angelegenheiten nichts als treuhändige Wahrnehmung der Volksinteressen sei – hier taucht der Gedanke zum ersten Mal auf, der im Abschnitt 2 der Virginia Bill of Rights von 1776 wiederholt werden sollte –, so müßten alle Inhaber eines öffentlichen Amts bestrebt sein, ihre Entscheide und Maßnahmen dem Urteil der Allgemeinheit offenzulegen, um Lob zu ernten, wenn sie gelungen („honest"), hingegen um Abscheu zu erfahren, wenn sie verderblich gewesen seien. Wohl solle der Bürger Gutes über seine Behörden sagen, wenn sie es verdienten, doch sei es ein Zeichen von Mißwirtschaft und Tyrannei, wenn Schlechtes im Verborgenen geschehen könne – weshalb jede Obrigkeit, die dem Volk die Freiheit nehmen wolle, damit beginne, die Meinungsfreiheit, diesen Schrecken aller politischen Schädlinge („publick Traytors") zu unterdrücken.[22]

In diesem Sinn äußerte sich „Cato" – diesmal James Alexander, New Yorker Rechtsanwalt und politischer Publizist, Mitglied der amerikanischen philosophischen Gesellschaft – in einer Aufsatzreihe, die in den ersten Folgen des Zenger'schen Wochenblattes erschien.[23] Anlaß dazu war die Amtsführung des, damals seit anderthalb Jahren aus Eng-

The second issue of Zenger's "Journal", the main author of which was James Alexander. Each issue of the newspaper opened with an anonymous letter to Zenger – de facto an editorial. Zenger never appeared as an author himself, but had to accept responsibility for the unsigned contributions of his political friends.

Nummer zwei von Zengers „Journal", dessen Hauptautor James Alexander war. Jede Nummer der Zeitung wurde mit einem anonymen, an Zenger gerichteten Brief – de facto einem Leitartikel – eröffnet. Zenger selbst trat nicht als Autor in Erscheinung, mußte aber für die ungezeichneten Beiträge seiner politischen Freunde die Verantwortung übernehmen.

William Cosby issued a proclamation offering a twenty pound reward for the arrest of the author of two "scandalous" poems directed against the colonial government.

William Cosby setzt eine Belohnung von 20 Pfund für die Ergreifung des Autors zweier Spottgedichte auf die Kolonialregierung aus.

and other acts of corruption. The opposition against him soon formed a firm, coherent block, and the *New York Weekly Journal* became the opposition's militant and often cantankerous mouthpiece. As customary at that time, the attacks against the Governor – polemic, critical reflections, satirical verse, fictional advertisements with risqué contents – appeared anonymously; if the Governor wanted to move against the opposition and in particular against its journalistic mouthpiece, then he could only go after the printer and publisher – Zenger.

And so the Governor attempted to bring him to trial for "seditious libel". It is an honor and a tribute to New York's parliamentary and judicial authorities at that time that, for the most part, they did not succumb to the Governor's demands: the jurors responsible did not start preliminary proceedings; the motion on the part of the Governor's council, presented to the town council, to have four issues of the *New York Weekly Journal,* issues which were considered to be especially insulting, burned in public, was not entered into the agenda. Finally he succeeded in putting together a jury for the High Court, but with difficulties, and the Court was brought into the matter by the Governor in a disputable legal manner. Zenger, who had refused to name the authors of the articles listed in the indictment, was taken into coercive detention, on account of his steadfast safe-guarding of editorial secrecy. He was held in prison during the entire trial, which lasted eight months.

According to English law at that time, which did not allow the introduction of evidence in support of the defendant's veracity in criminal libel cases concerning the press, he should have been convicted. His defense attorney, however, in a brillant speech,[24] succeeded in convincing the jurors that this restriction did not apply to America (anymore), but rather that a free citizen of this country must be at liberty to "publicly take up a protest against maladministration in the harshest manner". The defense closed by emphatically indicating that the case at hand here did not have to do with a "poor printer", or with New York, but, in the last analysis, it had to do with Zenger's liberty. Zenger was acquitted.

As a wise observer in retrospect remarked, this verdict was based less on the law of that time and more on "the law to come"[25], namely, on the notions of freedom of speech and freedom of the press, notions developed by the two "Catos" and by Zenger allowing his printing press to be used, accepting the risk of personal harm and injury: it was based on the right which later was put down in writing in Article 12 of the Virginia Bill of Rights and eventually in the first Amendment of the American Constitution. Zenger's systematic, unwavering stand is testimony of this.

land hereingelangten New Yorker Gouverneurs William Cosby, dem – wohl zum großen Teil berechtigterweise – Habgier, Bestechlichkeit, Selbstbereicherung, Rechtsbeugung und andere Korruptionsdelikte vorgeworfen wurden. Die Opposition gegen ihn gewann alsbald festen, parteimäßigen Zusammenhalt, und das „New York Weekly Journal" wurde ihr streitbares, hin und wieder auch streitsüchtiges Organ. Dem Zeitgeist entsprach, daß die gegen den Gouverneur geführten Angriffe – polemisch-kritische Betrachtungen, Spottgedichte, fiktive Anzeigen anzüglichen Inhalts – anonym erschienen; wollte er gegen die Opposition und insbesondere gegen ihr publizistisches Sprachrohr vorgehen, so konnte er sich nur an den Drucker und Herausgeber – Zenger – halten.

So betrieb der Gouverneur ein pressestrafrechtliches Verfahren gegen ihn wegen „aufwieglerischer Verleumdung" (seditious libel). Es gereicht den damaligen parlamentarischen und gerichtlichen Instanzen New Yorks zur Ehre, daß sie sich diesem Verlangen weithin verweigert haben: zur Einleitung der Strafuntersuchung zuständige Geschworene blieben untätig; der Antrag des Gouverneursrates an die Landesversammlung, vier als besonders anstößig betrachtete Folgen des „Weekly Journal" öffentlich verbrennen zu lassen, wurde nicht auf die Tagesordnung gesetzt; endlich gelang die Zusammensetzung der Geschworenenbank für das vom Gouverneur in rechtlich anfechtbarer Weise eingeschaltete Oberste Gericht nur unter Schwierigkeiten. Zenger selbst, der sich geweigert hatte, die Namen der Verfasser der von der Anklage beanstandeten Beiträge preiszugeben, wurde wegen seiner standhaften Wahrung des Redaktionsgeheimnisses in Beugehaft genommen und während des gesamten Verfahrens acht Monate lang im Gefängnis festgehalten.

Nach damaligem englischem Recht, das in pressestrafrechtlichen Verleumdungsverfahren keinen Wahrheitsbeweis zuließ, hätte er verurteilt werden müssen. Dennoch gelang es seinem Verteidiger in glänzender Rede,[24] die Geschworenen davon zu überzeugen, daß diese Einschränkung für Amerika nicht (mehr) anwendbar sei, sondern daß es einem freien Bürger dieses Landes unbenommen sein müsse, „öffentlich gegen Machtmißbräuche in schärfster Form Verwahrung einzulegen"; er schloß mit dem eindringlichen Hinweis darauf, daß es sich hier nicht um den Fall eines „armseligen Druckers", auch nicht um eine Sache New Yorks, sondern letztlich um die Angelegenheit eines jeden in Amerika lebenden Bürgers handle – um seine Freiheit gehe es. Zenger wurde freigesprochen.

Wie ein gescheiter Betrachter rückschauend bemerkt hat, gründete dieses Urteil weniger auf dem damals geltenden,

From these three examples, which, as indicated, represent many others which could be given, it becomes apparent that there was a striving toward that "greater freedom" on the German side too, for the sake of which not only a Leisler, Pastorius, or Zenger, not only Englishmen, Germans, and Dutchmen, but many others as well, set out to find a new homeland across the sea. The indivdual contributions to the development of the U.S. Constitution of the kind sketched out above, each regarded by itself alone, hardly ever carried any great, let alone decisive, weight. However, taken all together, they form a composite political picture of demands and achievements in constitutional government with which the United States made history – not only domestically, but far beyond its own borders, and especially in Germany.

als vielmehr auf „zukünftigem Recht",[25] nämlich auf dem Begriff von Meinungs- und Pressefreiheit, wie er von den beiden „Cato" entwickelt worden war und dem Zenger unter Inkaufnahme persönlicher Gefahr und Unbill seine Druckerpresse zur Verfügung gestellt hatte: auf dem Recht, wie es später im Abschnitt 12 der Virginia Bill of Rights und endlich im ersten Zusatzartikel zur amerikanischen Verfassungsurkunde niedergelegt werden sollte. Zengers zielbewußt-unerschrockene Haltung legt dafür Zeugnis ab.

Aus diesen drei Beispielen – die sich, wie angedeutet, vermehren ließen – wird sichtbar, daß auch von deutscher Seite daran gearbeitet worden ist, jene „größere Freiheit" zu erlangen, um deretwillen nicht nur ein Leisler, Pastorius oder Zenger, nicht nur Engländer, Deutsche, Niederländer oder viele andere ausgezogen waren, sich im Lande über der See eine neue Heimat zu schaffen. Die Einzelbeiträge zur amerikanischen Verfassungsentwicklung von der Art, wie sie vorstehend beispielmäßig skizziert werden konnten, waren, für sich allein betrachtet, kaum jemals von größerem, geschweige entscheidendem Gewicht. Dennoch fügen sie sich zum Gesamtbild der staatstheoretisch-verfassungspolitischen Forderungen und Errungenschaften zusammen, mit denen die Vereinigten Staaten nicht nur im eigenen Bereich, sondern, weit darüber hinaus wirkend, zumal auch in Deutschland Geschichte gemacht haben.

Contemporary woodcut of an early 18th-century printing press.

Zeitgenössischer Holzschnitt einer Druckerpresse des frühen 18. Jahrhunderts.

Plaque by J. Otto Schweizer at the Steuben Memorial in the Historical National Park, Valley Forge, Steuben training American soldiers.

Tafel am Steuben-Denkmal im Historischen Nationalpark von Valley Forge, modelliert von J. Otto Schweizer. Steuben bei der Ausbildung amerikanischer Soldaten.

III

The American Revolution and the Origin of the American Constitutional System

Die amerikanische Revolution und das Entstehen der amerikanischen Verfassungsordnung

The Break with England

Die Lossagung von England

The events leading to the American Revolution are well known. One of the first indications was the formal protest against the Stamp Act passed in London in 1765. An early turning point was reached with the so-called Boston Tea Party on December 16, 1773, which brought swift punishment in the "intolerable acts" of 1774, closing Boston harbor and restricting self-government in Massachusetts. The initially spontaneous indignant opposition was later expressed in a petition dispatched by the first Continental Congress. After the first blood was shed at Lexington in April, 1775, the rebellion escalated and the Revolutionary War, signaled by the Declaration of Independence of July 4, 1776, was fought until 1781. As the Articles of Confederation of 1777 – 81 had not proved effective, a convention of delegates held in the summer of 1787 produced a Constitution for the Union, submitting it to Congress on September 17 of that same year. Following ratification by the states, the new Constitution went into effect on June 21, 1788. In May of 1789, the Estates General of France met at Versailles; a few weeks later, the storming of the Bastille jolted France and, as was to become evident in retrospect, Europe.

The fact is also well known that Germans participated in the American War of Independence – some as volunteers on the American side, and others less voluntarily on the side of the British, a number of whom forthwith switched to the American side. Germany itself, on the other hand, presented an ambivalent picture. In the domain of official German parliamentarianism, no reaction to the events in America were forthcoming – effects only became noticeable much later on. But all the more fervent did an echo resound in the circles of the restless-waxing German literary intellectuals. As early as 1767, two years after the start of the first dissention, Immanuel Kant indignantly wrote in his *Reflections on Anthropology* that England wanted "them ... to become subjects and bear the burden of others on their shoulders". In

Die Stationen der amerikanischen Unabhängigkeitsbewegung sind bekannt: sie beginnt 1765 mit den Rechtsverwahrungen gegen das von London erlassene Stempelsteuergesetz, gewinnt ihren ersten Höhepunkt in der sogenannten „Boston Tea Party" am 16. Dezember 1773 und den daraufhin erlassenen Zwangsgesetzen gegen Stadt und Hafen von Boston und die Kolonie Massachusetts, worauf die Kolonien sich zunächst spontan, später in Form förmlicher Übereinkünfte zusammenschlossen. Nachdem im Frühling 1775 in und um Lexington Blut geflossen war, entbrannte der Unabhängigkeitskrieg, der mit der Unabhängigkeitserklärung vom 4. Juli 1776 eingeläutet wurde und sich bis 1781 hinzog. Da die bestehende Vereinbarung über die sogenannte Konföderation (die „Artikel" von 1777–81) sich als unzulänglich erwiesen hatte, gelang nach zügigen Beratungen im Sommer 1787, die Verfassungsurkunde der Union am 17. September des gleichen Jahres zu beschließen; nach der Ratifikation durch neun Staatsparlamente trat sie am 21. Juni 1788 in Kraft. Im Mai 1789 traten in Versailles die Generalstände des französischen Königreichs zusammen; wenige Wochen später erschütterte der Bastillesturm Frankreich und, wie sich zeigen sollte, Europa.

Bekannt ist ebenso die Teilnahme Deutscher am amerikanischen Unabhängigkeitskrieg – sei es freiwillig auf amerikanischer, sei es unfreiwillig auf britischer Seite, wobei sich viele dieser zu diesem Dienst Gepreßten alsbald auf die amerikanische Seite schlugen. Deutschland selbst bot hingegen ein zwiespältiges Bild: keinerlei Echo haben die amerikanischen Ereignisse in der offiziellen deutschen Verfassungswelt gefunden – diese Wirkung stellte sich erst viel später ein. Um so lebhafter war der Widerhall in Kreisen der unruhig werdenden deutschen literarischen Intelligenz. Schon 1767, zwei Jahre nach Beginn der ersten Mißhelligkeiten, hatte Immanuel Kant in seinen „Reflexionen zur Anthropologie" aufgebracht notiert, England wolle, daß

Die Americaner wiedersetzen sich der
Stempel Acte, und verbrennen das aus
England nach America gesandte Stempel
Papier zu Boston im August 1764.

The Americans protest the Stamp
Act and burn the stamped paper
sent from England in Boston in
August 1764.

Die Einwohner von Boston werfen den
englisch-ostindischen Thee ins Meer
am 18 December 1773.

Inhabitants of Boston throwing
English East Indian tea over-
board on December 18, 1773.

Das erste Bürger-Blut, zu Gründung
der Americanischen Freyheit, vergossen
bey Lexington am 19 ten April 1774.

The first blood is shed for the
cause of American freedom at
Lexington on April 19, 1774.

A series of copperplate engravings by Daniel Chodowiecki (1726 – 1801) illustrating "The History of the American Revolution" by M. C. Sprengel, published in Germany in 1784. The captions read from left to right. (Those who know their history may take umbrage at the fact that some of the dates are incorrect – but in this case, "Art is no respecter of dates").

Die erste förmliche Action zwischen
den Americanern und Engländern bey
Bunkers-Hill am 17 ten Junius 1774.

The first major confrontation be-
tween the Americans and the
British at Bunker's (sic) Hill on
June 17, 1774.

Der Congreß erklärt die 13 vereinigten
Staaten von Nord America für independent am 4 ten July 1776.

Congress declares the independence of the thirteen United States
of North America on July 4, 1776.

Die Hessen, vom General Washington
am 25 ten Dec 1776 zu Trenton überfal-
len, werden als Kriegsgefangne in Philadelphia eingebracht.

The Hessians being taken to Philadelphia as prisoners after being
defeated by General Washington
at Trenton on December 25, 1776.

Die nebenstehende Kupferstichfolge von Daniel Chodowiecki (1726 – 1801) illustrierte „Die Geschichte der Revolution von Nord-Amerika" aus der Feder M. C. Sprengels. Sie erschien im „Historisch-genealogischen Kalender oder Jahrbuch der merkwürdigsten Welt-Begebenheiten für 1784".

The army of General Bourgoyne (sic) being taken prisoner by the Americans at Saratoga on October 16, 1777.

Dr. Franklin is received at his first audience in France as ambassador of the United States of America at Versailles on March 20, 1778.

The landing of a French auxiliary army in America at Rhode Island on July 11, 1780.

The apprehension of Major André by three Americans at Tarrytown on September 23, 1780.

Lord Cornwallis and his army are taken prisoner by the Americans at Yorktown on October 19, 1781.

End of the hostilities. The Americans enter New York as the British depart, 1783.

Kant's eyes, the respect England commanded in the world sank to a low point because of her "subjugation of America".[26] And toward the end of the American rebellion, still before the outbreak of the French Revolution, Friedrich Schiller published his *History of the United Netherlands' Severance from the Spanish Government* in the autumn of 1788. In the introduction to the book, among many other expressions of praise for the adversaries of Spanish absolutism, he particularly glorifies the "cheerful petulance" with which a common people dared to remind the all-powerful monarchs of natural rights – something that was actually far more applicable to the Americans of the 18th century than to the people of the Netherlands of the 16th century. And that is similarly applicable to the sentence: "Every injury suffered at the hand of a tyrant" is what led to the obtaining of human rights in the new country; "people thronged to a country where freedom raised its enthralling banner. ..." That introduction does not contain a single word about America and the events that had so recently taken place there – yet it seems quite evident that the author not only had the 16th century in mind, but also his own century, when he wrote those words.

In the year 1789, the French Revolution caught up with the American Revolution. It is questionable whether the universal historical significance of this coinciding of events can be given its just due by the dictum that the United States thereby won self-control and self-discipline while France, on the contrary, lost both – as Woodrow Wilson maintained a hundred years later[27] when he was still professor of political science and constitutional law. In any case, the American Revolution had pried the idea of basic human rights and civil liberties loose from their roots in English Common Law, laid claim to them for a new nation, and recast them in a generalized universal form. That is why the French revolutionists were able to pick them up,[28] expand and disseminate them in a way that would have been impossible from American shores at the end of the 18th century. This process of broadening and spreading the message was important for Europe outside of France too, especially for Germany. A few explanatory comments are appropriate at this point.

The American revolutionaries built their case of resistance against the government in London on English Common Law. Citing this system of law, they freed themselves from the citizenship which had, up until that point, linked them with the British crown. Now one of the most significant stipulations of British law, in which the achievements of the Glorious Revolution were written down, stated, and states, that "… the laws of England are the birthright of the people thereof".[29] Whatever is the birthright of a person, however, belongs to him and to him alone; other persons, strangers, have no part of it, they are excluded from it. Therefore if the English concept of law is seen as an endowment (from the Creator, or from a Divine Providence) which is a birthright of and indigenous to the English people, then it follows that it is being an Englishman and, expressed in legal terms, an English citizen, which entitles one to participate in the English legal system. The citizens of the state are therefore entitled to individual protection and the liberties which this legal system provides; from this point of view the notions of citizenship, on the one side, and the protection of liberties, on the other side, are indissolubly linked. If the former is omitted, then the latter lacks any intellectual foundation. If, however, the protection of liberties should continue to exist, then another, new foundation must be found for it.

Here we can see the global historic achievement of the American Revolution. Indeed, the Revolution gave those freedoms (under the banners of which they risked the revolution which they brought to a successful conclusion) a new foundation. What had evolved and proven itself as "the good old law of the English" was pried loose from the narrow national island borders of the mother country and altered to apply to the non-English as well, namely to the "Americans", that is, people who had become citizens of a commonwealth which had separated itself from Great Britain and had rendered themselves independent.

The sources make this clear. Without exception, the American petitions of complaints and counter-proposals up until 1774 were based on the assumption that the British government was acting in violation of British, that is, their own constitutional rights. But the first Continental Congress, in its resolution of October 14, 1774,[30] not only refers to that aspect, but also to the "freedom of American legislation" (Article 10) and to "American rights" as well. This freedom of legislation and these rights are not only based on the prin-

Die amerikanischen Revolutionäre beriefen sich bei ihrem Widerstand gegen die Londoner Regierung auf englisches Recht. Unter Berufung auf dieses Recht warfen sie die Staatsbürgerschaft ab, die sie bislang mit der britischen Krone verbunden hatte. Nun hieß und heißt es aber in einer der wichtigsten Bestimmungen des Gesetzes, in dem die Errungenschaften der Glorious Revolution festgeschrieben worden sind, daß „die englische gesetzliche Ordnung dem Volk des Landes angeborene Rechte verleiht".[29] Was aber einem Menschen angeboren ist, gehört ihm als Eigenstes zu; andere, Fremde haben daran keinen Teil, sind davon ausgeschlossen. Wird die englische Rechtsordnung also als eine Gabe (Gottes oder einer gütigen Vorsehung) aufgefaßt, die dem englischen Volk an- und eingeboren ist, so folgt, daß die englische Volkszugehörigkeit und ihr rechtlicher Ausdruck, die Staatsangehörigkeit – und sie ausschließlich und allein – es sind, wodurch die Teilnahme an der englischen Rechtsordnung vermittelt wird. Der Schutz der Person und die Freiheiten, die diese Rechtsordnung gewährleistet, stehen also ausschließlich den Staatsangehörigen zu; aus dieser Sicht besteht eine unauflösliche Begriffsverknüpfung zwischen Staatsangehörigkeit auf der einen und Freiheitsschutz auf der anderen Seite. Fällt jene fort, entfällt für diesen die gedankliche Grundlage. Soll jener Schutz dennoch bestehen bleiben, muß für ihn eine andere, neue Grundlage gefunden werden.

Von hier öffnet sich der Blick auf die weltgeschichtliche Leistung der amerikanischen Revolution: in der Tat hat sie den Freiheiten, in deren Zeichen sie gewagt und zum erfolgreichen Ende gebracht worden ist, eine neue Grundlage gegeben. Was sich zuvor als ‚das gute alte Recht der Engländer' entwickelt und bewährt hatte, wurde vom national-engen Mutterboden gelöst und auf eine andere, neue Ebene gehoben, die auch Nicht-Engländer, nämlich ‚Amerikaner', das heißt Menschen tragen konnte, die Staatsangehörige eines Gemeinwesens geworden waren, das sich von Großbritannien gelöst und verselbständigt hatte.

Die Quellen machen das deutlich. Gehen die amerikanischen Beschwerdeschriften und Gegenvorstellungen bis 1774 durchweg davon aus, daß die britische Regierung gegen britisches, das heißt gegen ihr eigenes Verfassungsrecht handle, so spricht der Erste Kontinentalkongreß in seiner Entschließung vom 14. Oktober dieses Jahres[30] nicht mehr nur hiervon, sondern ebenso von der „Freiheit der amerikanischen Gesetzgebung" (Punkt 10) und von „ameri-

ciples of the English constitution but also – and this most of all – on the "immutable laws of nature" (Preamble). These "laws of nature" are also predominant in the reasoning behind the declaration drafted by the Congress on July 6, 1775[31], on the "necessity of taking up arms", a declaration addressed to the world. One fought – apparently an intentional recourse to the aforementioned English law from 1701 – for a liberty which is "our birth-right". Especially poignant is the position the declaration takes right from the start – words whose meaning were to be repeated a year later in the Declaration of Independence: "But a reference for our great Creator, principles of humanity, and the dictates of common sense, must convince all of those who reflect upon the subject, that government was instituted to promote the welfare of mankind and ought to be administered for the attachment to this end."[32]

From here it is only a small step to go from a specific "law of nature", restricted to a certain time and location, to reach a permanent "law of nature" forming the pivot and starting point of the Declaration of Independence. It appears that Thomas Jefferson was one of the first, if not the first, to have taken this step two years before. In the "Resolutions of Freeholders of Albemarle County, Virginia" of July 26, 1774, written by Thomas Jefferson, is stated that the demands of the "Several States of British America", which are only subject to the laws made "by their respective Legislatures, duly constituted and appointed with their own consent" are based on the "common rights of man".[33]

kanischen Rechten", die nicht nur auf englische Verfassungsgrundsätze, sondern – und zwar in erster Linie – auf „unabänderliches Naturrecht" gegründet seien (Vorspruch). Überwiegend naturrechtlich sind auch die Gedankengänge der an die Welt gerichteten Botschaft des Kongresses „über die Notwendigkeit, zu den Waffen zu greifen" vom 6. Juli 1775.[31] Man kämpfe – offenbar ein bewußter Rückgriff auf das vorerwähnte englische Gesetz von 1701 – für die Freiheit, die „unser angeborenes Recht" sei. Besonders deutlich ist der Ausgangspunkt der Erklärung – in Worten, die ein Jahr später dem Sinn nach in der Unabhängigkeitserklärung wiederholt werden sollten: wer denken könne, müsse aus Ehrfurcht vor Gott, den Grundsätzen der Menschheit und Menschlichkeit und zwingenden Erwägungen des gesunden Menschenverstandes zugeben, daß staatlich-politische Herrschaft dem Wohl der Menschheit zu dienen habe und ihre Ausübung auf dieses Ziel gerichtet sein müsse.[32]

Von hier aus war es nur mehr ein kleiner Schritt, um von einem spezifisch zeit- und ortsgebundenen zu einem allgemeinen, überzeitlich-weltumspannenden Naturrecht zu gelangen – so, wie es den Angel- und Ausgangspunkt der Unabhängigkeitserklärung bildet. Es will scheinen, als sei Thomas Jefferson einer der ersten, wenn nicht der erste gewesen, der zwei Jahre zuvor diesen Schritt getan hat. In der von ihm entworfenen Entschließung einer im virginischen Bezirk Albemarle am 26. Juli 1774 zusammengetretenen Bürgerversammlung heißt es, daß sich der Anspruch der „verschiedenen Staaten Britisch-Amerikas", ausschließlich der Gesetzgebungsgewalt von Bevollmächtigten eigener Wahl unterworfen zu sein, auf „allgemeines Menschheitsrecht" gründe.[33]

On the fourth of July, 1776, the Continental Congress adopted the Declaration of Independence, which, "... appealing to the Supreme Judge of the world for the rectitude of our intentions," declared: "The United Colonies are, and of Right ought to be Free and Independent States ..." By August 2, the engrossed copy of the Declaration had been sent to the legislatures of the States and signed by all but one signer. Our reproduction is based on the copperplate which William J. Stone made in 1823 from a facsimile of the original parchment. Only a few days after the fourth of July, daily newspapers in Pennsylvania published the complete text of the Declaration. It is printed in entirety on pages 159 to 162 of this volume.

Am 4. Juli 1776 verabschiedete der Kontinental-Kongreß die „Declaration of Independence", mit der sich die Vereinigten Kolonien von Amerika „im Angesicht Gottes, des höchsten Weltenrichters über die Ehrsamkeit unserer Absichten", zu „freien und unabhängigen Staaten" erklärten. Der Text der Urkunde war dann auf Pergament übertragen und am 2. August von denjenigen Delegierten, die anwesend waren – später auch von anderen – unterzeichnet worden. Unsere Reproduktion geht zurück auf einen Kupferstich, den William J. Stone 1823 nach einem Abzug vom Original anfertigte. Pennsylvanische Tageszeitungen veröffentlichten wenige Tage nach dem 4. Juli den vollständigen Text der „Declaration". Siehe auch Nachdruck der Originalurkunde Seiten 159 bis 162.

IN CONGRESS, JULY 4, 1776.

The unanimous Declaration of the thirteen united States of America.

When in the Course of human events, it becomes necessary for one people to dissolve the political bands which have connected them with another, and to assume among the powers of the earth, the separate and equal station to which the Laws of Nature and of Nature's God entitle them, a decent respect to the opinions of mankind requires that they should declare the causes which impel them to the separation.

We hold these truths to be self-evident, that all men are created equal, that they are endowed by their Creator with certain unalienable Rights, that among these are Life, Liberty and the pursuit of Happiness.—That to secure these rights, Governments are instituted among Men, deriving their just powers from the consent of the governed,—That whenever any Form of Government becomes destructive of these ends, it is the Right of the People to alter or to abolish it, and to institute new Government, laying its foundation on such principles and organizing its powers in such form, as to them shall seem most likely to effect their Safety and Happiness. Prudence, indeed, will dictate that Governments long established should not be changed for light and transient causes; and accordingly all experience hath shewn, that mankind are more disposed to suffer, while evils are sufferable, than to right themselves by abolishing the forms to which they are accustomed. But when a long train of abuses and usurpations, pursuing invariably the same Object evinces a design to reduce them under absolute Despotism, it is their right, it is their duty, to throw off such Government, and to provide new Guards for their future security.—Such has been the patient sufferance of these Colonies; and such is now the necessity which constrains them to alter their former Systems of Government. The history of the present King of Great Britain is a history of repeated injuries and usurpations, all having in direct object the establishment of an absolute Tyranny over these States. To prove this, let Facts be submitted to a candid world.

He has refused his Assent to Laws, the most wholesome and necessary for the public good.

He has forbidden his Governors to pass Laws of immediate and pressing importance, unless suspended in their operation till his Assent should be obtained; and when so suspended, he has utterly neglected to attend to them.

He has refused to pass other Laws for the accommodation of large districts of people, unless those people would relinquish the right of Representation in the Legislature, a right inestimable to them and formidable to tyrants only.

He has called together legislative bodies at places unusual, uncomfortable, and distant from the depository of their public Records, for the sole purpose of fatiguing them into compliance with his measures.

He has dissolved Representative Houses repeatedly, for opposing with manly firmness his invasions on the rights of the people.

He has refused for a long time, after such dissolutions, to cause others to be elected; whereby the Legislative powers, incapable of Annihilation, have returned to the People at large for their exercise; the State remaining in the mean time exposed to all the dangers of invasion from without, and convulsions within.

He has endeavoured to prevent the population of these States; for that purpose obstructing the Laws for Naturalization of Foreigners; refusing to pass others to encourage their migrations hither, and raising the conditions of new Appropriations of Lands.

He has obstructed the Administration of Justice, by refusing his Assent to Laws for establishing Judiciary powers.

He has made Judges dependent on his Will alone, for the tenure of their offices, and the amount and payment of their salaries.

He has erected a multitude of New Offices, and sent hither swarms of Officers to harrass our people, and eat out their substance.

He has kept among us, in times of peace, Standing Armies without the Consent of our legislatures.

He has affected to render the Military independent of and superior to the Civil power.

He has combined with others to subject us to a jurisdiction foreign to our constitution, and unacknowledged by our laws; giving his Assent to their Acts of pretended Legislation:

For Quartering large bodies of armed troops among us:

For protecting them, by a mock Trial, from punishment for any Murders which they should commit on the Inhabitants of these States:

For cutting off our Trade with all parts of the world:

For imposing Taxes on us without our Consent:

For depriving us in many cases, of the benefits of Trial by Jury:

For transporting us beyond Seas to be tried for pretended offences

For abolishing the free System of English Laws in a neighbouring Province, establishing therein an Arbitrary government, and enlarging its Boundaries so as to render it at once an example and fit instrument for introducing the same absolute rule into these Colonies:

For taking away our Charters, abolishing our most valuable Laws, and altering fundamentally the Forms of our Governments:

For suspending our own Legislatures, and declaring themselves invested with power to legislate for us in all cases whatsoever.

He has abdicated Government here, by declaring us out of his Protection and waging War against us.

He has plundered our seas, ravaged our Coasts, burnt our towns, and destroyed the lives of our people.

He is at this time transporting large Armies of foreign Mercenaries to compleat the works of death, desolation and tyranny, already begun with circumstances of Cruelty & perfidy scarcely paralleled in the most barbarous ages, and totally unworthy the Head of a civilized nation.

He has constrained our fellow Citizens taken Captive on the high Seas to bear Arms against their Country, to become the executioners of their friends and Brethren, or to fall themselves by their Hands.

He has excited domestic insurrections amongst us, and has endeavoured to bring on the inhabitants of our frontiers, the merciless Indian Savages, whose known rule of warfare, is an undistinguished destruction of all ages, sexes and conditions.

In every stage of these Oppressions We have Petitioned for Redress in the most humble terms: Our repeated Petitions have been answered only by repeated injury. A Prince, whose character is thus marked by every act which may define a Tyrant, is unfit to be the ruler of a free people.

Nor have We been wanting in attentions to our British brethren. We have warned them from time to time of attempts by their legislature to extend an unwarrantable jurisdiction over us. We have reminded them of the circumstances of our emigration and settlement here. We have appealed to their native justice and magnanimity, and we have conjured them by the ties of our common kindred to disavow these usurpations, which, would inevitably interrupt our connections and correspondence. They too have been deaf to the voice of justice and of consanguinity. We must, therefore, acquiesce in the necessity, which denounces our Separation, and hold them, as we hold the rest of mankind, Enemies in War, in Peace Friends.

We, therefore, the Representatives of the united States of America, in General Congress, Assembled, appealing to the Supreme Judge of the world for the rectitude of our intentions, do, in the Name, and by Authority of the good People of these Colonies, solemnly publish and declare, That these United Colonies are, and of Right ought to be Free and Independent States; that they are Absolved from all Allegiance to the British Crown, and that all political connection between them and the State of Great Britain, is and ought to be totally dissolved; and that as Free and Independent States, they have full Power to levy War, conclude Peace, contract Alliances, establish Commerce, and to do all other Acts and Things which Independent States may of right do.—And for the support of this Declaration, with a firm reliance on the protection of Divine Providence, we mutually pledge to each other our Lives, our Fortunes and our sacred Honor.

John Hancock

Button Gwinnett
Lyman Hall
Geo Walton.

Wm Hooper
Joseph Hewes,
John Penn

Edward Rutledge.

Thos Heyward Junr.
Thomas Lynch Junr.
Arthur Middleton

Samuel Chase
Wm Paca
Thos Stone
Charles Carroll of Carrollton

George Wythe
Richard Henry Lee
Th Jefferson
Benja Harrison
Thos Nelson jr.
Francis Lightfoot Lee
Carter Braxton

Robt Morris
Benjamin Rush
Benja Franklin
John Morton
Geo Clymer
Jas Smith.
Geo Taylor
James Wilson
Geo Ross
Caesar Rodney
Geo Read
Tho M:Kean

Wm Floyd
Phil. Livingston
Frans Lewis
Lewis Morris
Richd Stockton
Jno Witherspoon
Fras Hopkinson
John Hart
Abra Clark

Josiah Bartlett
Wm Whipple
Saml Adams
John Adams
Robt Treat Paine
Elbridge Gerry
Step Hopkins
William Ellery
Roger Sherman
Sam el Huntington
Wm Williams
Oliver Wolcott
Matthew Thornton

July 4, 1776 – the signing of the Declaration of Independence. John Trumbull's famous painting shows the president of the Congress and first signatory, John Hancock, seated facing the author of the Declaration, Thomas Jefferson, fourth from left in the central group, with his collaborators John Adams and Benjamin Franklin in the extreme left and right of the group.

4. Juli 1776: Die Unterzeichnung der Unabhängigkeitserklärung vor dem Kongreß der 13 Staaten in Philadelphia. Thomas Jefferson, damals 33 Jahre alt, später der dritte Präsident der USA, legt das Dokument John Hancock zur Unterzeichnung vor. Rechts neben ihm Benjamin Franklin, ganz links in der Gruppe John Adams, später zweiter Präsident der USA. Gemälde von John Trumbull (1756 – 1843).

The Declaration of Independence and the Virginia Bill of Rights

Jefferson was also co-author of the American Declaration of Independence of 1776, which begins by referring to the equality of all men and that they are "endow'd by their Creator with certain unalienable rights": life, liberty and – to use a modern expression – unhindered personal development ("pursuit of happiness"). In order to assure these rights there are governments, "deriving their just powers", (following the spirit of the document the word *only* should be added here), "from the consent of the governed". There then follows a justification for revolutionary resistance: should a government try to encroach on these rights with the intention of restricting or removing them, then "It is the Right of the People to alter or to abolish it, and to institute a new Government". After this basic introduction, there is a long list of grievances and the vain attempts to remedy them, and finally there is the international declaration of independence – which we have already cited in another context.[34] Almost at the same time as the Declaration of Independence another political body, namely the Virginia Convention, passed its now famous Bill of Rights, which, following its introduction and the augmenting and supplementing of the three human rights mentioned in the Declaration of Independence, procedes to outline basic principles of the state constitution, guaranteeing these rights not only for its citizens, but also for their descendants as well. The 16 articles comprise a list of rights – a feat which up until then was unsurpassed in its striving for completeness –, a list of rights which are for all men, "by nature equally free and independent", and rights which neither they nor their descendants should have to relinquish: the right "of life and liberty, with the means of acquiring and possessing property, and pursuing and obtaining happiness and safety" (Article 1); and because governmental power is in the hands of and derived from the people, all "magistrates are their trustees and servants, and at all times amenable to them" (Article 2); "That no man, or set of men, are entitled to exclusive or separate privileges from the community, but in consideration of publick services; which, not being descendible, neither ought the offices of magistrate, legislator or judge to be hereditary" (Article 4); "that the legislative and executive powers of the state should be separate and distinct from the judiciary", and that the members of the first two branches mentioned should regularly and at fixed periods have to vacate their positions, with the law providing for the possibility of re-election (Article 5); "that elections of members to serve as representatives of

Die Unabhängigkeitserklärung und die Virginia Bill of Rights

Jefferson ist auch Mitverfasser der amerikanischen Unabhängigkeitserklärung von 1776, die sich eingangs unter Hinweis auf die Gleichheit aller Menschen und auf ihre gottgegeben-unentziehbaren Rechte beruft – Leben, Freiheit und – um es modern auszudrücken – ungehinderte Persönlichkeitsentfaltung („pursuit of Happiness"). Um diese Rechte zu sichern, gebe es Staatsgewalten, die ihre Befugnisse – im Geist der Urkunde ist hier einzufügen: nur – aus der zustimmenden Gesinnung (consent) derer ableiten (können), über die sie gesetzt sind. Es folgt die Rechtfertigung für revolutionären Widerstand: sei eine Staatsgewalt darauf aus, sich an jenen Rechten in Schmälerungs- oder Vernichtungsabsicht zu vergreifen, so habe das bedrohte Volk das Recht, sich dieser Staatsgewalt zu entledigen und eine andere an ihre Stelle zu setzen. Nach diesem grundsätzlichen Eingangsteil folgt eine lange Liste der Beschwernisse und der vergeblichen Versuche, sie abstellen zu lassen und schließlich die – in anderem Zusammenhang bereits angeführte[34] – völkerrechtliche Verselbständigungsformel. Fast gleichzeitig mit der Unabhängigkeitserklärung verabschiedete eine andere Körperschaft, nämlich das virginische Staatsparlament die berühmt gewordene Grundrechtsdeklaration (Bill of Rights), die nach den Worten ihres Vorspruchs und in Ergänzung und Erweiterung der drei in der Unabhängigkeitserklärung genannten Menschenrechte die Grundlage der Staatsverfassung darstellen und nicht nur den Bürgern, sondern ebenso ihren Nachkommen gewährleistet werden sollten.

In 16 Abschnitten wird sodann – was bislang in solchem Streben nach Vollständigkeit noch nicht geschehen war – ein Verzeichnis der Rechte aufgestellt, die allen von Natur aus gleichermaßen freien und von einander unabhängigen Menschen angeboren seien und auf die sie weder für sich selbst noch für ihre Nachkommen sollten verzichten können: auf Leben und Freiheit, die Möglichkeit zum Eigentumserwerb und -besitz und dazu, Glück und Sicherheit zu erstreben und zu erlangen (Abschnitt 1); daß, weil die Staatsgewalt beim Volk liegt und von ihm ausgeht, alle Amtspersonen seine Treuhänder und Diener und ihm allzeit rechenschaftspflichtig sind (Abschnitt 2); daß Zuwendungen und Vergünstigungen seitens der Gemeinschaft ausschließlich im Hinblick auf Dienste gewährt werden dürfen, die der Gemeinschaft geleistet worden sind, weswegen kein öffentliches Amt erblich sein darf (Abschnitt 4); daß die gesetzgebende und ausführende von der richterli-

the people in assembly, ought to be free", and that every man who has a "permanent common interest with, and attachment to the community" has the right to vote (Article 6, first part); "That all power of suspending laws, or the execution of laws, by any authority without consent of the representatives of the people ... ought not to be exercised" (Article 7); "That in all cases the military should be under strict subordination to, and governed by, the civil power" (Article 13, second part). The declaration also contains guarantees for the following fundamental rights: the right to a democratic, orderly trial (Article 8); protection against "cruel or unusual punishments" as well as "excessive bail" (Article 9); the right to a "trial by jury" in matters concerning property (Article 11); the right to not be deprived of property without consent and without compensation (Article 6, second part); and also the right to freedom of the press and religion (Articles 12 and 16). In addition, "general warrants" for searching premises or arresting persons "without evidence of a fact committed" were forbidden (Article 10), as were "standing armies in time of peace" (Article 13, first part). Finally, two stipulations should be mentioned which are uniquely analogically related. Article 3, second part, contains a clause for justifying possible future revolutions, a clause similar to the one found in the Declaration of Independence. But Article 15 praises the blessings of "justice, moderation, temperance, frugality and virtue" and the "frequent recurrence to fundamental principles" as the base for perserving liberty and a good government, which (according to Article 3, first part) is best suited and capable of "producing the greatest degree of happiness and safety, and is most effectually secured against the danger of maladministration".

There he stands in front of us - the American who created this list of rights and for whom it was created: self-confident and ambitious, systematic and devout, inquisitive and ready to help, alert, because he is used to dangers to his health and to his life, cautious and wary of every cluster of public power, at the same time ready and able to be generously active in the community and state, but also in a critical manner, unbending in the defense of his personal and communal rights, as reliable as a friend as he is dangerous as an enemy. Was this the type of citizen who had left Europe to escape the tutelage of the mercantile, absolute state and who, now outfitted with self-sufficient rights, is now ready to take the responsibility, and is capable of doing so, of assuming the task of creating the modern free democratic state of the forthcoming Industrial Age - or better: to re-create this state, after the model had been shown to him?

chen Gewalt zu trennen sei und daß die in einem der erstgenannten Bereiche Tätigen regelmäßig und in feststehenden Zeitabständen ausgetauscht werden müßten, wobei das Gesetz die Möglichkeit der Wiederwahl vorsehen könne (Abschnitt 5); daß die Freiheit der Wahlen zur Gesetzgebenden Versammlung gewährleistet sein und das Wahlrecht jedermann zustehen müßte, der ein dauerndes Interesse an der Gemeinschaft habe und ihr ergeben sei (Abschnitt 6, Teil 1); daß keine Befreiung von Gesetzesvorschriften gewährt werden dürfe (Abschnitt 7) und daß die bewaffnete Macht der Zivilgewalt uneingeschränkt untergeordnet sein müßte (Abschnitt 13, Teil 2). Ebenso enthält die Deklaration Gewährleistungen für folgende Grundrechte: auf ein rechtsstaatlich geordnetes Strafverfahren (Abschnitt 8), auf Schutz vor grausamen oder ungewöhnlichen Strafen sowie übermäßigen Geldbußen (Abschnitt 9), auf ein schöffengerichtliches Verfahren in allen Eigentumsstreitigkeiten (Abschnitt 11) und auf Schutz vor unfreiwilliger und entschädigungsloser Enteignung (Abschnitt 6, Teil 2) sowie endlich auf Bekenntnis- und Pressefreiheit (Abschnitt 12 und 16). Verboten wurden ferner wahllose oder stichprobenweise Festnahmen oder Hausdurchsuchungen (Abschnitt 10) sowie der Unterhalt eines stehenden Heeres in Friedenszeiten (Abschnitt 13, Teil 1). Endlich sind noch zwei Bestimmungen zu erwähnen, die in einem eigenartigen Entsprechungsverhältnis stehen: Enthielt Abschnitt 3, Teil 2 eine ähnliche Rechtfertigungsklausel für etwaige Revolutionen wie die Unabhängigkeitserklärung, so beschwor Abschnitt 15 die Segnungen der Gerechtigkeit, Mäßigkeit, Enthaltsamkeit, Genügsamkeit und Tugend und den häufigen Rückgriff auf bewährte Grundsätze als Unterpfand für die Bewahrung der Freiheit und einer guten Regierungsgewalt, die (nach Abschnitt 3, Teil 1) am besten geeignet sei, das höchstmögliche Maß an Glück und Sicherheit zu gewährleisten und vor der Gefahr der Mißwirtschaft und schlechten Verwaltung wirksam zu schützen.

Er steht vor uns - der Amerikaner, der dieses Rechtsverzeichnis schuf und für den es geschaffen worden ist: selbstbewußt und strebsam, zielbewußt und fromm, wißbegierig und hilfsbereit, wachsam, weil an Leibes- und Lebensgefahren gewöhnt, vorsichtig und mißtrauisch gegenüber jeder Zusammenballung öffentlicher Gewalt, zugleich bereit und fähig, in Gemeinde und Staat freigebig, aber auch kritisch abwägend tätig zu sein, unbeugsam bei der Verfechtung eigener oder gemeinschaftlicher Rechte, als Freund ebenso verläßlich wie als Feind gefährlich. War das der Typus des Bürgers, der sich in Europa den Bevormundungen des merkantilistisch-absolutistischen Staates ent-

At any rate, it was this declaration which the Marquis de Lafayette submitted to the French Estates General three days before the storming of the Bastille, suggesting that they formulate a "Declaration of the Rights of Man and of the Citizen". If one looks over the wording of the declaration passed later by the French National Assembly on August 26, 1789 – which can not and need not be done in detail here –, the similarities, or even better, the harmonies, are easily identified. On the other hand, it is just as easy to recognize the differences which explain why during the subsequent years a much rougher sea lay before France than the sea which the United States was able to sail.

winden und, nunmehr mit jenen Selbständigkeitsrechten ausgestattet, verantwortungsbereit und -fähig die Aufgabe übernehmen sollte, den modernen freiheitlich-demokratischen Staat des heraufkommenden Industriezeitalters zu schaffen – oder besser: nachzuschaffen, nachdem ihm dieses Beispiel vor Augen geführt worden war?

Immerhin – es war diese Deklaration, die der amerikabegeisterte Marquis de Lafayette den französischen Generalständen drei Tage vor dem Bastillesturm mit dem Antrag vorlegte, eine „Erklärung der Menschen und Bürgerrechte" zu beschließen. Prüft man den Wortlaut der Erklärung, die von der revolutionären französischen Nationalversammlung daraufhin am 26. August 1789 verabschiedet worden ist – was hier im einzelnen nicht geschehen kann und auch nicht zu geschehen braucht –, so sind die Ähnlichkeiten, ja: Gleichklänge leicht festzustellen. Andererseits ist aus den Unterschieden ebenso leicht zu erkennen, daß und warum vor Frankreich in den folgenden Jahren ein sehr viel weniger ruhiger und gerader Weg lag als ihn die Vereinigten Staaten einschlagen konnten.

The Constitution and the Bill of Rights

Die Verfassungsurkunde und die Bill of Rights

The Constitution was content with just setting up the organization of the federal state and the duties of the three chief federal governmental bodies, constructed according to the principle of the division of powers – the Congress with its two houses, the presidency and the Supreme Court – and with the establishment of a few basic regulations governing the relationship between the Union and the individual states (Article IV). Regulations concerning the rights of the people and basic liberties, like the ones decided on by the Virginia Convention or other state congresses, are missing. After the Constitution had become valid following the ratification by the individual states, the fairly general demand for constitutional limits also for the Union and its areas of responsibilities and legislation grew in force.[35] James Madison had already presented Congress with an outline of the first ten amendments shortly before the Constitution had become valid. Discussions on this matter did not last long; that same year the ratification process, as prescribed in Article V of the Constitution, was initiated. It went rather quickly, and what has since been called the Bill of Rights entered into force on December 15, 1791.

Die Verfassungsurkunde hatte sich damit begnügt, den Staatsaufbau und die Zuständigkeiten der drei obersten, nach dem Grundsatz der Gewaltenteilung gestalteten Staatsorgane – zweikammriger Kongreß, Präsident, Oberster Gerichtshof – zu regeln und einige wenige Grundvorschriften über das Verhältnis zwischen Bund und Einzelstaaten festzulegen (Artikel IV). Vorschriften über Menschenrechte und Grundfreiheiten von der Art, wie sie das virginische Parlament oder andere Staatsversammlungen beschlossen hatten, fehlten. Nachdem die Verfassungsurkunde nach ihrer Ratifikation durch die einzelnen Staaten in Kraft getreten war, verstärkte sich das fast allgemeine Verlangen, auch für die Union und den ihr zustehenden Gesetzgebungs- und Verantwortungsbereich Grundrechtsschranken zu errichten.[35] Schon kurz vor dem Inkrafttreten der Verfassungsurkunde hatte James Madison dem Kongreß den Entwurf der ersten zehn Zusatzartikel vorgelegt. Die Beratungen darüber dauerten nicht lange; noch im gleichen Jahr wurde das in Artikel V der Verfassungsurkunde vorgeschriebene Ratifikationsverfahren eingeleitet. Es lief recht rasch ab, und die seither sogenannte ‚Bill of Rights' trat bereits am 15. Dezember 1791 in Kraft.

It secured the following as federal rights as well: freedom of religion, freedom of speech, freedom of the press, the rights to assemble peacefully and to petition (Amendments, Article I), personal liberty and security in one's home (Amendments, Article IV), the right of every citizen "to keep and bear arms" (Amendments, Article II), as well as constitutional guarantees for civil law and criminal courts (Amendments, Articles V, VI, VII and VIII). And thus the element of the Constitution which concerned itself with human rights and the right to liberty was consummated in essence. The rest came about principally from Supreme Court practice, as is evident from subsequent evolution.

If one were to glance over American constitutional history during its first two hundred years, the universal historic accomplishment which stems from this development becomes evident. It is to be found in two elements: not only that for the first time, intentionally, the concept of general, model and binding human rights for every class and state was written into the constitution of a government, but also that the number, volume and abundance of the demands, presented in an affirmative light, are striking. What was created here appears as a complete list of every politically thinkable right (for that period in time) citizens could have. A sort of encyclopedic compendium of that which man could demand in freedoms and securities from the state in the waning 18th century, a century which was standing on the brink of the Industrial Age. If what Freiherr vom und zum Stein a century and a half later told his king was true, that "the indispensable demands for justice, as well as the principles of a well-ordered state economy, make it appropriate to remove everything which, up until now, has prevented the individual from obtaining the prosperity which he is capable of achieving according to his abilities",[36] then, with this list of rights, the essential prerequisites for reaching this goal had finally been put into writing.

Sie verbriefte nunmehr auch für das Bundesrecht die Glaubens-, Meinungs-, Presse- und Versammlungsfreiheit und das Petitionsrecht (Zusatz-Artikel I), die persönliche Freiheit und das Hausrecht (Zusatz-Artikel IV) sowie rechtsstaatliche Garantien in bürgerlichen Streit- und in Strafverfahren (Zusatz-Artikel V, VI, VII und VIII). Damit war die menschen- und freiheitsrechtliche Seite der Verfassung im wesentlichen vollendet. Das Weitere hat sich, wie die Entwicklung zeigte, hauptsächlich aus der Rechtsprechung des Obersten Gerichtshofs ergeben.

Überschaut man die amerikanische Verfassungsgeschichte der knapp zwei Jahrhunderte, die vorangegangen waren, so wird die universalgeschichtliche Leistung deutlich, die aus dieser Entwicklung spricht. Sie liegt in Doppeltem: Nicht nur, daß der Gedanke allgemeiner, für alle Gesellschaften und Staaten vorbildlich-verbindlichen Menschenrechte hier zum ersten Mal bewußt in staatliche Verfassungswirklichkeit umgesetzt worden ist, sondern ebenso fällt die Anzahl, Fülle und Reichhaltigkeit der in positivgesetzliche Form gekleideten Ansprüche ins Auge. Was hier geschaffen worden war, stellt sich als eine für die damalige Zeit vollständige Liste aller politisch denkbaren Verbriefungen von Bürgerrechten dar, als eine Art lexikalisch-enzyklopädischen Kompendiums dessen, was der Mensch des ausgehenden 18. Jahrhunderts an Freiheiten und Sicherheiten vom Staat verlangen konnte, der sich an der Schwelle des Industriezeitalters befand. Wenn richtig war, was der Freiherr vom und zum Stein seinen König anderthalb Jahrzehnte später sagen ließ – daß es "sowohl den unerläßlichen Forderungen der Gerechtigkeit, als den Grundsätzen einer wohlgeordneten Staatswirthschaft gemäß sey, Alles zu entfernen, was den Einzelnen bisher hinderte, den Wohlstand zu erlangen, den er nach dem Maaße seiner Kräfte zu erreichen fähig" sei[36] –, dann waren mit dieser Liste von Rechten wichtige Voraussetzungen für die Erreichung dieses Ziels gültig beschrieben.

Throughout the summer of 1787 a convention of delegates appointed by the states met in Philadelphia for the purpose of "revising the Articles of Confederation." Following long debates, the new Constitution was signed on September 17th and submitted to Congress, which sent copies out for ratification by the state legislatures. By June 21, 1788, nine states had ratified the Constitution, which thereby went into effect. The complete text can be found in this volume starting on page 163.

Während des Sommers 1787 tagte in Philadelphia der Verfassungskonvent, um für die Vereinigten Staaten eine neue Regierungsform festzulegen. Nach langen Debatten wurde die Verfassung dann am 17. September 1787 unterzeichnet und an den Kongreß gesandt, der sie zur Vorlage bei den gesetzgebenden Körperschaften der einzelnen Staaten vervielfältigen ließ. Am 21. Juni 1788 hatten neun Staaten den Verfassungsentwurf angenommen, der damals in Kraft trat. Den gedruckten Text finden Sie ab Seite 163.

United States; If he approve he shall sign it, but if not he shall return it, with his Objections to that House in which it shall have originated, who shall enter the Objections at large on their Journal, and proceed to reconsider it. If after such Reconsideration two thirds of that House shall agree to pass the Bill, it shall be sent, together with the Objections, to the other House, by which it shall likewise be reconsidered, and if approved by two thirds of that House, it shall become a Law. But in all such Cases the Votes of both Houses shall be determined by yeas and Nays, and the Names of the Persons voting for and against the Bill shall be entered on the Journal of each House respectively. If any Bill shall not be returned by the President within ten Days (Sundays excepted) after it shall have been presented to him, the Same shall be a Law, in like Manner as if he had signed it, unless the Congress by their Adjournment prevent its Return, in which Case it shall not be a Law.

Every Order, Resolution, or Vote to which the Concurrence of the Senate and House of Representatives may be necessary (except on a question of Adjournment) shall be presented to the President of the United States; and before the Same shall take Effect, shall be approved by him, or being disapproved by him, shall be repassed by two thirds of the Senate and House of Representatives, according to the Rules and Limitations prescribed in the Case of a Bill.

Section. 8. The Congress shall have Power To lay and collect Taxes, Duties, Imposts and Excises, to pay the Debts and provide for the common Defence and general Welfare of the United States; but all Duties, Imposts and Excises shall be uniform throughout the United States;

To borrow Money on the credit of the United States;

To regulate Commerce with foreign Nations, and among the several States, and with the Indian Tribes;

To establish an uniform Rule of Naturalization, and uniform Laws on the subject of Bankruptcies throughout the United States;

To coin Money, regulate the Value thereof, and of foreign Coin, and fix the Standard of Weights and Measures;

To provide for the Punishment of counterfeiting the Securities and current Coin of the United States;

To establish Post Offices and post Roads;

To promote the Progress of Science and useful Arts, by securing for limited Terms to Authors and Inventors the exclusive Right to their respective Writings and Discoveries;

To constitute Tribunals inferior to the supreme Court;

To define and punish Piracies and Felonies committed on the high Seas, and Offences against the Law of Nations;

To declare War, grant Letters of Marque and Reprisal, and make Rules concerning Captures on Land and Water;

To raise and support Armies, but no Appropriation of Money to that Use shall be for a longer Term than two Years;

To provide and maintain a Navy;

To make Rules for the Government and Regulation of the land and naval Forces;

To provide for calling forth the Militia to execute the Laws of the Union, suppress Insurrections and repel Invasions;

To provide for organizing, arming, and disciplining, the Militia, and for governing such Part of them as may be employed in the Service of the United States, reserving to the States respectively, the Appointment of the Officers, and the Authority of training the Militia according to the discipline prescribed by Congress;

To exercise exclusive Legislation in all Cases whatsoever, over such District (not exceeding ten Miles square) as may, by Cession of particular States, and the Acceptance of Congress, become the Seat of the Government of the United States, and to exercise like Authority over all Places purchased by the Consent of the Legislature of the State in which the Same shall be, for the Erection of Forts, Magazines, Arsenals, dock-Yards, and other needful Buildings;—— And

To make all Laws which shall be necessary and proper for carrying into Execution the foregoing Powers, and all other Powers vested by this Constitution in the Government of the United States, or in any Department or Officer thereof.

Section. 9. The Migration or Importation of such Persons as any of the States now existing shall think proper to admit, shall not be prohibited by the Congress prior to the Year one thousand eight hundred and eight, but a Tax or duty may be imposed on such Importation, not exceeding ten dollars for each Person.

The Privilege of the Writ of Habeas Corpus shall not be suspended, unless when in Cases of Rebellion or Invasion the public Safety may require it.

No Bill of Attainder or ex post facto Law shall be passed.

No Capitation, or other direct, Tax shall be laid, unless in Proportion to the Census or Enumeration herein before directed to be taken.

No Tax or Duty shall be laid on Articles exported from any State.

No Preference shall be given by any Regulation of Commerce or Revenue to the Ports of one State over those of another: nor shall Vessels bound to, or from, one State, be obliged to enter, clear, or pay Duties in another.

No Money shall be drawn from the Treasury, but in Consequence of Appropriations made by Law; and a regular Statement and Account of the Receipts and Expenditures of all public Money shall be published from time to time.

No Title of Nobility shall be granted by the United States: And no Person holding any Office of Profit or Trust under them, shall, without the Consent of the Congress, accept of any present, Emolument, Office, or Title, of any kind whatever, from any King, Prince, or foreign State.

Section. 10. No State shall enter into any Treaty, Alliance, or Confederation; grant Letters of Marque and Reprisal; coin Money; emit Bills of Credit; make any Thing but gold and silver Coin a Tender in Payment of Debts; pass any Bill of Attainder, ex post facto Law, or Law impairing the Obligation of Contracts, or grant any Title of Nobility.

No State shall, without the Consent of the Congress, lay any Imposts or Duties on Imports or Exports, except what may be absolutely necessary for executing its inspection Laws: and the net Produce of all Duties and Imposts, laid by any State on Imports or Exports, shall be for the Use of the Treasury of the United States; and all such Laws shall be subject to the Revision and Controul of the Congress.

No State shall, without the Consent of Congress, lay any Duty of Tonnage, keep Troops, or Ships of War in time of Peace, enter into any Agreement or Compact with another State, or with a foreign Power, or engage in War, unless actually invaded, or in such imminent Danger as will not admit of delay.

Article. II.

Section. 1. The executive Power shall be vested in a President of the United States of America. He shall hold his Office during the Term of four Years, and, together with the Vice President, chosen for the same Term, be elected, as follows.

Each State shall appoint, in such Manner as the Legislature thereof may direct, a Number of Electors, equal to the whole Number of Senators and Representatives to which the State may be entitled in the Congress: but no Senator or Representative, or Person holding an Office of Trust or Profit under the United States, shall be appointed an Elector.

The Electors shall meet in their respective States, and vote by Ballot for two Persons, of whom one at least shall not be an Inhabitant of

the same State with themselves. And they shall make a List of all the Persons voted for, and of the Number of Votes for each; which List they shall sign and certify, and transmit sealed to the Seat of the Government of the United States, directed to the President of the Senate. The President of the Senate shall in the Presence of the Senate and House of Representatives, open all the Certificates, and the Votes shall then be counted. The Person having the greatest Number of Votes shall be the President, if such Number be a Majority of the whole Number of Electors appointed; and if there be more than one who have such Majority, and have an equal Number of Votes, then the House of Representatives shall immediately chuse by Ballot one of them for President; and if no Person have a Majority, then from the five highest on the List the said House shall in like Manner chuse the President. But in chusing the President, the Votes shall be taken by States, the Representation from each State having one Vote; A quorum for this Purpose shall consist of a Member or Members from two thirds of the States, and a Majority of all the States shall be necessary to a Choice. In every Case, after the Choice of the President, the Person having the greatest Number of Votes of the Electors shall be the Vice President. But if there should remain two or more who have equal Votes, the Senate shall chuse from them by Ballot the Vice President.

The Congress may determine the Time of chusing the Electors, and the Day on which they shall give their Votes; which Day shall be the same throughout the United States.

No Person except a natural born Citizen, or a Citizen of the United States, at the time of the Adoption of this Constitution, shall be eligible to the Office of President; neither shall any Person be eligible to that Office who shall not have attained to the Age of thirty five Years, and been fourteen Years a Resident within the United States.

In Case of the Removal of the President from Office, or of his Death, Resignation, or Inability to discharge the Powers and Duties of the said Office, the same shall devolve on the Vice President, and the Congress may by Law provide for the Case of Removal, Death, Resignation or Inability, both of the President and Vice President, declaring what Officer shall then act as President, and such Officer shall act accordingly, until the Disability be removed, or a President shall be elected.

The President shall, at stated Times, receive for his Services, a Compensation, which shall neither be encreased nor diminished during the Period for which he shall have been elected, and he shall not receive within that Period any other Emolument from the United States, or any of them.

Before he enter on the Execution of his Office, he shall take the following Oath or Affirmation:— "I do solemnly swear (or affirm) that I will faithfully execute the Office of President of the United States, and will to the best of my Ability, preserve, protect and defend the Constitution of the United States."

Section. 2. The President shall be Commander in Chief of the Army and Navy of the United States, and of the Militia of the several States, when called into the actual Service of the United States; he may require the Opinion, in writing, of the principal Officer in each of the executive Departments, upon any Subject relating to the Duties of their respective Offices, and he shall have Power to grant Reprieves and Pardons for Offences against the United States, except in Cases of Impeachment.

He shall have Power, by and with the Advice and Consent of the Senate, to make Treaties, provided two thirds of the Senators present concur; and he shall nominate, and by and with the Advice and Consent of the Senate, shall appoint Ambassadors, other public Ministers and Consuls, Judges of the supreme Court, and all other Officers of the United States, whose Appointments are not herein otherwise provided for, and which shall be established by Law: but the Congress may by Law vest the Appointment of such inferior Officers, as they think proper, in the President alone, in the Courts of Law, or in the Heads of Departments.

The President shall have Power to fill up all Vacancies that may happen during the Recess of the Senate, by granting Commissions which shall expire at the End of their next Session.

Section. 3. He shall from time to time give to the Congress Information of the State of the Union, and recommend to their Consideration such Measures as he shall judge necessary and expedient; he may, on extraordinary Occasions, convene both Houses, or either of them, and in Case of Disagreement between them, with Respect to the Time of Adjournment, he may adjourn them to such Time as he shall think proper; he shall receive Ambassadors and other public Ministers; he shall take Care that the Laws be faithfully executed, and shall Commission all the Officers of the United States.

Section. 4. The President, Vice President and all civil Officers of the United States, shall be removed from Office on Impeachment for, and Conviction of, Treason, Bribery, or other high Crimes and Misdemeanors.

Article III.

Section. 1. The judicial Power of the United States, shall be vested in one supreme Court, and in such inferior Courts as the Congress may from time to time ordain and establish. The Judges, both of the supreme and inferior Courts, shall hold their Offices during good Behaviour, and shall, at stated Times, receive for their Services, a Compensation, which shall not be diminished during their Continuance in Office.

Section. 2. The judicial Power shall extend to all Cases, in Law and Equity, arising under this Constitution, the Laws of the United States, and Treaties made, or which shall be made, under their Authority;— to all Cases affecting Ambassadors, other public Ministers and Consuls;— to all Cases of admiralty and maritime Jurisdiction;— to Controversies to which the United States shall be a Party;— to Controversies between two or more States;— between a State and Citizens of another State;— between Citizens of different States,— between Citizens of the same State claiming Lands under Grants of different States, and between a State, or the Citizens thereof, and foreign States, Citizens or Subjects.

In all Cases affecting Ambassadors, other public Ministers and Consuls, and those in which a State shall be Party, the supreme Court shall have original Jurisdiction. In all the other Cases before mentioned, the supreme Court shall have appellate Jurisdiction, both as to Law and Fact, with such Exceptions, and under such Regulations as the Congress shall make.

The Trial of all Crimes, except in Cases of Impeachment, shall be by Jury; and such Trial shall be held in the State where the said Crimes shall have been committed; but when not committed within any State, the Trial shall be at such Place or Places as the Congress may by Law have directed.

Section. 3. Treason against the United States, shall consist only in levying War against them, or in adhering to their Enemies, giving them Aid and Comfort. No Person shall be convicted of Treason unless on the Testimony of two Witnesses to the same overt Act, or on Confession in open Court.

The Congress shall have Power to declare the Punishment of Treason, but no Attainder of Treason shall work Corruption of Blood, or Forfeiture except during the Life of the Person attainted.

Article. IV.

Section. 1. Full Faith and Credit shall be given in each State to the public Acts, Records, and judicial Proceedings of every other State. And the

Congress may by general Laws prescribe the Manner in which such Acts, Records and Proceedings shall be proved, and the Effect thereof.

Section. 2. The Citizens of each State shall be entitled to all Privileges and Immunities of Citizens in the several States.

A Person charged in any State with Treason, Felony, or other Crime, who shall flee from Justice, and be found in another State, shall on Demand of the executive Authority of the State from which he fled, be delivered up, to be removed to the State having Jurisdiction of the Crime.

No Person held to Service or Labour in one State, under the Laws thereof, escaping into another, shall, in Consequence of any Law or Regulation therein, be discharged from such Service or Labour, but shall be delivered up on Claim of the Party to whom such Service or Labour may be due.

Section. 3. New States may be admitted by the Congress into this Union; but no new State shall be formed or erected within the Jurisdiction of any other State; nor any State be formed by the Junction of two or more States, or Parts of States, without the Consent of the Legislatures of the States concerned as well as of the Congress.

The Congress shall have Power to dispose of and make all needful Rules and Regulations respecting the Territory or other Property belonging to the United States; and nothing in this Constitution shall be so construed as to Prejudice any Claims of the United States, or of any particular State.

Section. 4. The United States shall guarantee to every State in this Union a Republican Form of Government, and shall protect each of them against Invasion; and on Application of the Legislature, or of the Executive (when the Legislature cannot be convened) against domestic Violence.

Article. V.

The Congress, whenever two thirds of both Houses shall deem it necessary, shall propose Amendments to this Constitution, or, on the Application of the Legislatures of two thirds of the several States, shall call a Convention for proposing Amendments, which, in either Case, shall be valid to all Intents and Purposes, as Part of this Constitution, when ratified by the Legislatures of three fourths of the several States, or by Conventions in three fourths thereof, as the one or the other Mode of Ratification may be proposed by the Congress; Provided that no Amendment which may be made prior to the Year one thousand eight hundred and eight shall in any Manner affect the first and fourth Clauses in the Ninth Section of the first Article; and that no State, without its Consent, shall be deprived of its equal Suffrage in the Senate.

Article. VI.

All Debts contracted and Engagements entered into, before the Adoption of this Constitution, shall be as valid against the United States under this Constitution, as under the Confederation.

This Constitution, and the Laws of the United States which shall be made in Pursuance thereof; and all Treaties made, or which shall be made, under the Authority of the United States, shall be the supreme Law of the Land; and the Judges in every State shall be bound thereby, any Thing in the Constitution or Laws of any State to the Contrary notwithstanding.

The Senators and Representatives before mentioned, and the Members of the several State Legislatures, and all executive and judicial Officers, both of the United States and of the several States, shall be bound by Oath or Affirmation, to support this Constitution; but no religious Test shall ever be required as a Qualification to any Office or public Trust under the United States.

Article. VII.

The Ratification of the Conventions of nine States, shall be sufficient for the Establishment of this Constitution between the States so ratifying the Same.

done in Convention by the Unanimous Consent of the States present the Seventeenth Day of September in the Year of our Lord one thousand seven hundred and Eighty seven and of the Independance of the United States of America the Twelfth In witness whereof We have hereunto subscribed our Names,

G⁰. Washington Presidt and deputy from Virginia

Attest William Jackson Secretary

Delaware: Geo: Read, Gunning Bedford jun, John Dickinson, Richard Bassett, Jaco: Broom

Maryland: James McHenry, Dan of St Thos Jenifer, Danl Carroll

Virginia: John Blair, James Madison Jr.

North Carolina: Wm Blount, Richd Dobbs Spaight, Hu Williamson

South Carolina: J. Rutledge, Charles Cotesworth Pinckney, Charles Pinckney, Pierce Butler

Georgia: William Few, Abr Baldwin

New Hampshire: John Langdon, Nicholas Gilman

Massachusetts: Nathaniel Gorham, Rufus King

Connecticut: Wm Saml Johnson, Roger Sherman

New York: Alexander Hamilton

New Jersey: Wil: Livingston, David Brearley, Wm Paterson, Jona: Dayton

Pennsylvania: B Franklin, Thomas Mifflin, Robt Morris, Geo. Clymer, Thos FitzSimons, Jared Ingersoll, James Wilson, Gouv Morris

The three great documents of United States history, the Declaration of Independence, the Constitution, and the Bill of Rights, wandered from place to place before ending up in Washington, where they can be seen today on display in the National Archives. At night, the precious documents in their air-tight, helium-filled glass cases are lowered into a vault.

Originally the documents were kept in the Department of State, but just before the British invaded Washington during the War of 1812, they were taken out of the city for safety's sake. For the same reason, they were stored at Fort Knox during World War II. After the war, they were on display at the Library of Congress until 1952, when they were moved to the National Archives.

Die drei großen Dokumente der nordamerikanischen Geschichte, die „Declaration of Independence", die „Constitution" und die „Bill of Rights" gelangten nach längerer Irrfahrt nach Washington, wo sie heute in der Ausstellungshalle der National Archives zu sehen sind.

Nachts werden die wertvollen Schriftstücke in ihren luftdichten, mit Helium gefüllten gläsernen Schreinen in einer Stahlkammer versenkt.

Ursprünglich bewahrte das Außenministerium die Dokumente auf; während des Krieges von 1812 wurden sie kurz vor dem Einmarsch der Briten in Washington sicherheitshalber aus der Stadt gebracht. Im II. Weltkrieg lagerte man die Urkunden in Fort Knox. Danach waren sie in der Library of Congress ausgestellt, bis sie 1952 an die National Archives übergingen.

The United States as a Federal State   Die USA als Bundesstaat

The United States had formed itself into a union, after the Articles of Confederation had not worked out. In so doing it could not avoid stepping onto virgin soil, historically and constitutionally speaking, because neither the German realm, nor the Netherlands, nor the Swiss Confederation – to name just a few – had yet obtained the constitutional structure of a union. Three regulations contained in the new Constitution particularly characterized the advance into new domains.

First of all, it was a matter of hindering the heavily populated states (such as New York, Pennsylvania, or Virginia) from overpowering the smaller states (such as Rhode Island, Delaware, or New Hampshire) when it came to voting – something that would be legitimate if majority rule alone applied. The second point concerned institutional conformity among the individual states. Finally, the spheres of competence applicable to the federal and state legislature had to be defined.

The first question was solved – patterned after the former colonial constitutions of some of the thirteen states – by allotting the states representation in the two houses of Congress according to two quite different principles, yet requiring a majority vote in both houses for the passage of congressional measures. The members of the House of Representatives were to be elected by majority in districts of approximately equal population. In that way, the national population as a whole is equally represented. The Senate, on the other hand, is composed of two senators from each state, independent of that state's total population. Thus New York, for example, has a larger number of Representatives in the House than does, say, Delaware; yet both states are equally represented in the Senate. The Articles of Confederation of 1777 had attempted, in Article V, to protect the smaller states from being outvoted by numerical majorities by giv-

Die Vereinigten Staaten haben sich, nachdem ihre Staatenbundverfassung von 1778 sich nicht bewährt hatte, als Bundesstaat konstituiert. Unvermeidlicherweise haben sie damit verfassungsgeschichtliches Neuland betreten, denn weder das Deutsche Reich, noch die Niederlande oder die Eidgenossenschaft – um nur sie zu nennen – waren bislang zu bundesstaatlichen Verfassungsformen vorgedrungen. Drei Regelungen, die die neue Verfassungsurkunde enthielt, kennzeichnen den verfassungspolitischen Vorstoß in neue Bezirke.

Einmal ging es darum, zu verhindern, daß die zahlenmäßige Ungleichheit der Bevölkerungen der dreizehn Staaten – man denke einerseits an New York, Pennsylvanien oder Virginien, andererseits etwa an Rhode Island, Delaware oder New Hampshire – bei der gesamtstaatlichen Willensbildung zur Überwältigung der kleinen Staaten führte, was im Zeichen des an sich legitimen Mehrheitsgrundsatzes hätte naheliegen können. Zweitens war die institutionelle Einheitlichkeit der Bundesglieder zu sichern. Endlich ging es um die Aufteilung der gesetzgeberischen Zuständigkeiten zwischen Bund und Einzelstaaten.

Die erste Frage wurde dadurch gelöst, daß das Bundesparlament – in Rückbesinnung auf überkommene Verfassungsformen in einigen der dreizehn Staaten – in zwei, nach grundsätzlich verschiedenen Gesichtspunkten zusammengesetzte Häuser geteilt wurde, zugleich jedoch für das Zustandekommen jedes Gesetzes die Mehrheit in beiden Häusern erforderlich sein sollte. Die Mitglieder des Abgeordnetenhauses (House of Representatives), in zahlenmäßig etwa gleich großen Bezirken jeweils mehrheitlich gewählt, sollten die Bevölkerung in ihrer Gesamtheit vertreten, während der Senat aus je zwei Mitgliedern eines jeden Einzelstaates ungeachtet seiner jeweiligen Bevölkerungszahl bestehen sollte. Während also z. B. New York im Abgeordnetenhaus über mehr Vertreter verfügen sollte als etwa Delaware, waren im Senat beide Staaten gleichgewichtig vertreten. Die Staatenbundverfassung von 1777 hatte den Schutz der kleinen Staaten vor Majorisierung

On September 25, 1791, Congress proposed twelve articles in addition to, and in amendment of the Constitution of the United States. With the exception of the first two articles, they were ratified by the necessary majority of the states and went into effect December 15, 1791. These first ten amendments became known as the Bill of Rights.

Am 25. September 1791 stellte der Kongreß den Antrag, 12 Zusatz-Artikel in die Verfassung der Vereinigten Staaten mit aufzunehmen. Die beiden ersten Artikel ausgenommen, wurden sie von der erforderlichen Mehrheit der Staaten am 15. Dezember 1791 ratifiziert. Diese 10 Artikel wurden unter dem Namen „Bill of Rights" bekannt.

ing the states one vote each. But this "liberum veto" proved to have a laming effect on decision-making during the Revolutionary War. The new method of apportionment was meant to assure that the smaller members of the Union had a say that was not automatically overriden by the majorities represented or influenced by the larger states. The political-historical effectiveness of this idea has passed the test of time – not only in the United States themselves, but also, for example, as practiced in the two houses of the Swiss Parliament.

The American Constitution, in Article IV, turned its attention to the governments of the states themselves. Section 4 of Article IV, according to which the Union guarantees every individual state "a Republican Form of Government", is very important. With the constitutional judicial rule applying to the individual states that their constitutions should not stray too far from the constitution of the union, came the introduction of a standard constitutional principle for the development of the states' constitutions. (The same principle was to reappear, albeit in an altered form, in Article 13 of the *Deutsche Bundesakte* of 1815, according to which "in all states there shall be constitutions formed by a representative body".) Supplementary to that, Article X of the Amendments stated that "The powers not delegated to the United States by the Constitution, nor prohibited by it to the States, are reserved to the States respectively, or to the people". One thought[37] to explain this regulation as an attempt to avoid any conflict as to whether, as Bodin formulated it, the "undividable", esteemed "sovereignty" was in the hands of the Union or that of the individual states: it lay in the hands, exclusively, of the people, who, due to their affirmative constitutional rights, had divided these powers between the federal and state governments. The wording of Article X does not, however, make that clear beyond a doubt. On the contrary, one could interpret this to read that the individual states should be autonomous of the Union in regard to constitutional issues. As we know, this led to a bitter constitutional battle in the mid-19th century during the conflict on the issue of the emancipation of the Blacks. The solution to that problem will not be discussed here. It is enough to say that Madison, who wrote the majority of the Bill of Rights, seems to have foreseen the problem, but could not succeed in having his suggestion on this matter accepted. Indeed, it was the federalist question which later kept the United

durch den in ihrem Artikel X festgeschriebenen Einstimmigkeitsgrundsatz zu gewährleisten gesucht. Dieses ‚liberum veto' hatte sich während des Unabhängigkeitskrieges als entscheidungslähmend erwiesen. Kraft der neuen Regelung gedachte man zu sichern, daß kleine Bundesglieder nicht zu bloßen Entscheidungsobjekten der von größeren Staaten gestellten oder beeinflußten Mehrheiten zu werden brauchten. Die politisch-historische Tragfähigkeit dieser Idee hat sich erwiesen – was man unter anderem noch heute nicht nur in den Vereinigten Staaten selbst, sondern auch am Beispiel des Zusammenwirkens von National- und Ständerat in der Schweiz sehen kann.

Zum zweiten wurde in Artikel IV § 4 der Verfassungsurkunde angeordnet, daß der Bund jedem Einzelstaat „eine republikanische Regierungsform gewährleistet". Mit dem verfassungsgesetzlichen Gebot an die Einzelstaaten, ihre Verfassungen von derjenigen des Bundes nicht grundsätzlich abweichen zu lassen, war ein für Bundesstaaten hinfort maßgebender Verfassungsgrundsatz in die Entwicklung eingeführt worden. (Der gleiche Grundsatz sollte, wenn auch in abgeschwächter, nämlich den Bund selbst nicht mitumfassender Weise im Artikel 13 der Deutschen Bundesakte von 1815 wiederkehren, wonach „in allen Bundesstaaten landständische Verfassungen stattfinden" sollten.) Endlich wurde im Zusatz-Artikel X zur amerikanischen Verfassungsurkunde bestimmt, daß alle, kraft Verfassungsrechts dem Bund nicht ausdrücklich zugesprochenen oder den Einzelstaaten nicht ausdrücklich verwehrten Befugnisse den Einzelstaaten oder dem Volk vorbehalten bleiben sollten. Man[37] hat gemeint, diese Bestimmung mit dem Bestreben erklären zu sollen, jede Auseinandersetzung darüber zu vermeiden, ob die seit Bodin als ‚unteilbar' angesehene ‚Souveränität' beim Bund oder bei den Einzelstaaten liege: sie liege vielmehr ausschließlich beim Volk selbst, das sie kraft positiven Verfassungsrechts auf Bundes- und Einzelstaatsorgane aufgeteilt habe. Der Wortlaut des Artikels X läßt das jedoch nicht eindeutig erkennen. Vielmehr konnte die Auslegung vertreten werden, daß die Einzelstaaten in Grundrechtsfragen dem Bund gegenüber Autonomie genießen sollten. Wie man weiß, hat das um die Mitte des 19. Jahrhunderts anläßlich der Auseinandersetzung über die Frage der Sklavenemanzipation zu einem bitteren Verfassungsstreit geführt. Über seine Lösung ist hier nicht zu handeln – genug: Madison, der Hauptverfasser der „Bill of Rights", scheint das Problem vorausschauend erkannt zu haben, ist aber mit einem diesbezüglichen Vorschlag nicht durchgedrungen. In der Tat ist es dann die Föderalismusfrage gewesen, die Verfassungsrecht und -leben der Vereinigten Staaten in der Folgezeit auf ähnliche

States in a situation of wariness in the constitutional conception and thinking during the subsequent years, similar to the situation within the *Deutscher Bund,* particularily after 1837, and which lasted for the duration of the *Bund.*

This is – along with the conception and the formulation of human rights – the second achievement which penetrated beyond their own borders and with which the United States contributed to the universal historic development of governmental and constitutional structures. Together they can be seen as a type of constitutional definition of that "greater freedom" which the immigrants of the 17th century were seeking and which their descendants at the end of the 18th century passed on as a concept and an ideal to the European populations. That both of these elements could, and must, be of importance especially for Germany is quite obvious.

Weise in Atem gehalten hat, wie dies insbesondere seit 1837 innerhalb des Deutschen Bundes der Fall war, solange er bestand.

Dies ist – neben Konzeption und Formulierung der Menschenrechte – die zweite, über den eigenen Staat hinausweisende Leistung, mit der die Vereinigten Staaten zur universalgeschichtlichen Entwicklung der Regierungsordnungen und Verfassungsformen beigetragen haben. Beides zusammen kann als eine Art rechtsstaatlicher Definition jener „größeren Freiheit" verstanden werden, die die Einwanderer des 17. Jahrhunderts suchten und die ihre Nachkommen um die Wende des 18. zum 19. Jahrhundert den europäischen Völkern als Idee und Vorbild zurückgegeben haben. Daß beides insbesondere auch für Deutschland von Wichtigkeit sein konnte und mußte, ist mit Händen zu greifen.

Three of the most important delegates to the Constitutional Convention of 1787: (from right to left), James Madison at the age of 36; Benjamin Franklin, at 81 the most elderly of the participants; Alexander Hamilton, 32 years old at the time (although he claimed to be two years younger). Detail from the illustration on page 9.
Madison not only recorded the proceedings of the Convention, but had drafted the Virginia Resolves with their bold proposal of a national executive, a national judiciary, and a national legislature of two houses, that became an integral part of the U.S. Constitution. Today Madison is still often spoken of as the "Father of the Constitution". In his later career, Madison served as secretary of state under President Jefferson before being elected U.S. president himself in 1808 and reelected for a second term of office in 1812. Madison died in 1836 at the age of 85. Madison and Hamilton were the main authors of "The Federalist", a collection of essays originally published in the New York press in 1787/88 – essays which exerted a decisive influence on the outcome of the fight for ratification. Hamilton, who has been called the "greatest administrative genius in America", established the U.S. Treasury Department. In 1804, Aaron Burr, former classmate of Madison at Princeton, and at the time, Jefferson's vice-president, ran for election as governor of New York. It was Hamilton's bitter public opposition to Burr which led to the famous duel between the two men in which Hamilton was killed.

Die wahrscheinlich wichtigsten Persönlichkeiten unter den Verfassungsvätern von 1787 waren, von rechts nach links, James Madison, damals 36 Jahre alt, Benjamin Franklin, mit 81 Jahren der Senior, sowie Alexander Hamilton. Letzterer, der sich um zwei Jahre jünger ausgab, war zum Zeitpunkt der Unterzeichnung 32 Jahre alt. Detail aus dem Bild von Seite 9
Madison war nicht nur Protokollant der Verfassungsversammlung, sondern auch der Schöpfer des „Virginia Plan", dessen weitreichende Vorschläge einer nationalen Exekutive, einer nationalen Justizgewalt und einer nationalen Legislative durch zwei Häuser zu einem wesentlichen Bestandteil der US-Verfassung wurden. Daher wird Madison heute volkstümlich „Vater der Verfassung" genannt. Unter Präsident Jefferson war Madison Außenminister, bevor man ihn im Jahre 1808 zum Präsidenten wählte. Für eine zweite Amtsperiode wurde er 1812 wiedergewählt. 1836 starb Madison im Alter von 85 Jahren.
Madison und Hamilton waren die Hauptautoren von „The Federalist", einer Essay-Sammlung, die ursprünglich in der New Yorker Presse 1787/88 erschien. Diese Essays hatten entscheidenden Einfluß auf die heftigen Debatten um die Ratifikation der Verfassung. Hamilton, den man als das „größte administrative Talent in Amerika" bezeichnete, gründete das US-Finanzministerium. Aaron Burr, einstiger Kommilitone Madisons in Princeton und 1804 Vizepräsident Jeffersons, stellte sich in diesem Jahr zur Wahl für das Amt des Gouverneurs von New York. Die erbitterte, öffentliche Gegnerschaft Hamiltons zu Burr führte zu jenem verhängnisvollen Duell der beiden Politiker, in dem Hamilton getötet wurde.

Notes Anmerkungen

[1] siehe H. Kohn, Die Idee des Nationalismus, deutsche Ausgabe, Heidelberg 1950, Seite 372.

[2] ebenda

[3] vergleiche die Freibriefe für Virginien vom 10. April 1606 und vom 23. Mai 1609 sowie den Freibrief für Massachusetts vom 4. März 1629 – Wortlaut siehe H. St. Commager, Documents of American History, 6. Auflage, New York 1958, Seite 8 fortfolgend und 16 fortfolgend.

[4] siehe Abschnitt VII des Freibriefs vom 20. Juni 1632 – ebenda Seite 21 folgend.

[5] siehe Abschnitt IV der königlichen Verordnung („Ordinance") vom 24. Juli 1621 – ebenda Seite 13 folgend.

[6] vom 11. November 1620 – Wortlaut ebenda Seite 15 folgend.

[7] vom 11. Juli 1681 – Wortlaut ebenda Seite 35 folgend.

[8] siehe Ziffer I, XVI und VIII des Konzessionsbriefs.

[9] siehe Abschnitt II des Freibriefs vom 28. Oktober 1701 – Wortlaut ebenda Seite 40 fortfolgend.

[10] ausführlich dazu Kelly-Harbison-Belz, The American Constitution - its origins and development, 6. Auflage, New York 1983, Seite 26 fortfolgend, 29 fortfolgend.

[11] vergleiche Bill of Rights (1689) für die Parlamentarisierung der (Steuer-)Gesetzgebung und des Dispensverbots; Artikel IV der Act of Settlement (1701) für die Bindung der königlichen Gewalt ans geltende Recht.

[12] „Throughout their writings, American patriot leaders insisted they were rebelling not against the principles of the English constitution, but on behalf of them" – so B. Bailyn, The Great Republic, 2. Auflage, Lexington 1977, Seite 203.

[13] so Kelly-Harbison-Belz am angegebenen Ort Seite 51.

[14] siehe Samuel von Pufendorf, De statu imperii Germanici, Genf 1667, deutsche Ausgabe herausgegeben von H. Breßlau, Berlin 1922; Gottfried Wilhelm Leibniz, De iure suprematus ac legationum principum Germaniae, 1677 - zu beiden Werken vergleiche O. Kimminich, Deutsche Verfassungsgeschichte, Frankfurt am Main 1970, Seite 223 folgend.

[15] vergleiche Stephen Hopkins, The Rights of Colonies Examined, Providence 1765, abgedruckt in: Bailyn-Garrett (Hrsg.), Pamphlets of the American Revolution 1750 – 76, Band 1, Cambridge, Massachusetts 1965, Seite 499 fortfolgend (Seite 519).

[16] siehe Ziffer VIII §§ 1 und 2 des Instrumentum Pacis Caesareo-Suecicum Osnabrugensis.

[17] zum Folgenden Jerome R. Reich, Leisler's Rebellion - a study of democracy in New York, Chicago 1953.

[18] Einzelheiten (Getreideausfuhrverbote, New Yorker Vermahlungsmonopol, Konzentration des Pelzhandels in Albany, Verbot der Errichtung von Ledergerbereien, also Exportzwang des Rohleders nach England, von wo die gegerbte Ware zurückverschifft wurde, um alsdann von heimischen Schuhmachern verarbeitet zu werden, wobei deren Fertigwarenpreis oftmals höher war als die Einfuhr von Fertigware usw.) vergleiche Reich am angegebenen Ort Seite 22 fortfolgend.

[19] vollständiger Wortlaut der Erklärung vom 18. Februar 1688 siehe Commager am angegebenen Ort Seite 37 folgend.

[20] siehe Artikel 6 der Northwest Ordinance vom 13. Juli 1787 – vollständiger Wortlaut siehe Commager am angegebenen Ort Seite 128 fortfolgend.

[21] zum Folgenden Irving G. Cheslaw, John Peter Zenger and the New York Weekly Journal - a historical study, New York 1952; James Alexander, A brief narrative of the case and trial of John Peter Zenger, Printer of the New York Weekly Journal, Neudruck herausgegeben von St. N. Katz, Cambridge Massachusetts 1963.

[22] John Trenchard & William Gordon („Cato'), On Freedom of Speech: That the same is inseparable from Publick Liberty - auszugsweiser Nachdruck bei L. W. Levy, Legacy of Suppression - freedom of speech and press in early American history, Cambridge Massachusetts 1960, Seite 116 fortfolgend.

[23] vollständiger Wortlaut siehe L. W. Levy, Freedom of the Press - from Zenger to Jefferson: early American libertarian theories, Indianapolis 1966, Seite 26 fortfolgend.

[24] Das Plädoyer ist in der ‚Brief narrative' (siehe oben Anmerkung [21]) vollständig abgedruckt - am angegebenen Ort Seite 65 fortfolgend.

[25] John Fiske - Nachweis siehe Katz, am angegebenen Ort (siehe oben Anmerkung 21) Seite 22.

[26] Nachweis bei K. Borries, Kant als Politiker - zur Staats- und Gesellschaftlehre des Kritizismus, Leipzig 1928, Seite 198. (Wegen der Datierung der Kant'schen Niederschrift wird am angegebenen Ort auf den Herausgeber des Kant-Nachlasses, Erich Adickes, verwiesen.)

[27] vergleiche seine Rede vom 20. April 1889 – vollständiger Wortlaut siehe Dodd-Baker (Hrsg.), The public papers of Woodrow Wilson, Band 1 Seite 185.

[28] „Liberty will have another feather in her cap. The seraphic contagion was caught from Britain. It crossed the Atlantic to North America from whence the flame has been communicated to France" – so die Boston Gazette vom 7. November 1789 (Nachweis vergleiche N. Schachner, The founding fathers, New York 1954, Seite 132 Anmerkung 26).

[29] „... the laws of England are the birthright of the people thereof ..." – so Artikel IV der Act of Settlement von 1701 (siehe oben Anmerkung 11).

[30] vollständiger Wortlaut siehe Commager am angegebenen Ort Seite 82 fortfolgend.

[31] vollständiger Wortlaut siehe Commager am angegebenen Ort Seite 92 fortfolgend.

[32] Die obige deutsche Fassung bemüht sich, unter Abstandnahme wörtlicher Übersetzungen den politisch-ethischen Sinn des betreffenden Passus möglichst genau wiederzugeben; der Originalwortlaut heißt: „... a reference for our great Creator, principles of humanity, and the dictates of common sense, must convince all those who reflect upon the subject, that government was instituted to promote the welfare of mankind and ought to be administered for the attachment of this end".

[33] wörtlich: „... these principles they (scil. the Several States of British America) hold as common rights of mankind ..." – vollständiger Wortlaut siehe Commager am angegebenen Ort Seite 77 folgend.

[34] siehe oben, Text nach Anmerkung 16.

[35] vergleiche Schachner am angegebenen Ort Seite 51 fortfolgend.

[36] siehe Edikt über die Bauernbefreiung vom 9. Oktober 1807 - vollständiger Wortlaut vergleiche E. R. Huber, Dokumente zur deutschen Verfassungsgeschichte, Band 1, Stuttgart 1961, Seite 38 folgend.

[37] dazu ausführlich Kelly-Harbison-Belz am angegebenen Ort Seite 107 fortfolgend.

A Plan of the City and Environs of Philadelphia with a view of the Pennsylvania State House, 1777.

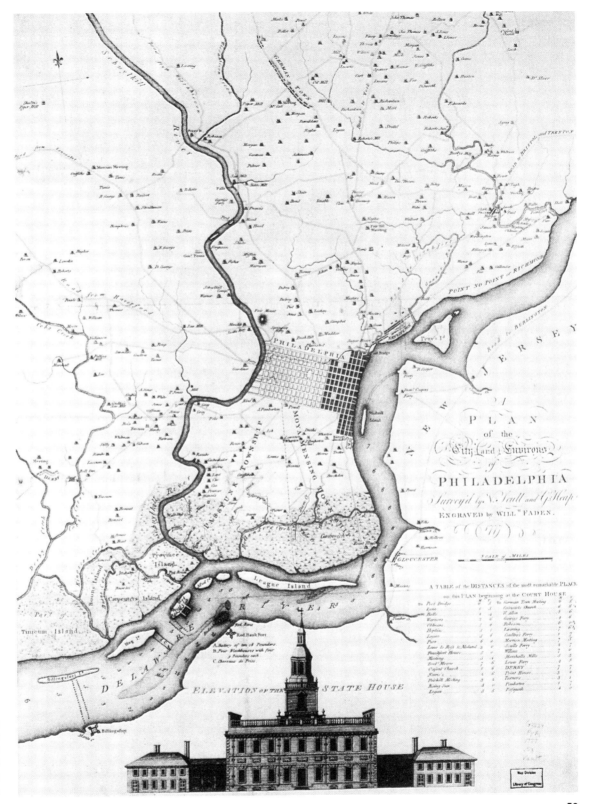

Plan der Umgebung und der Stadt Philadelphia mit einer Ansicht des Pennsylvania State House, 1777.

The Oath to Suppport the American Constitution

Der Eid auf die amerikanische Verfassung

The oath that immigrants to the United States are required to take if they want to become American citizens goes back a long way. Under the confederation from 1778 to 1789, the individual states retained a great deal of their sovereignty and each had its own law governing immigration. The American Constitution went into effect in 1788 and just a year later the First Congress considered which conditions would be stipulated for immigrants aspiring to obtain American citizenship.

In the law of March 26, 1790, the prescribed text of the oath – a solemn pledge was also permissible – was still rather laconically limited to a declaration of the immigrant's willingness "to support the Constitution of the United States". However, this first "Law for Drawing up a Uniform Procedure for Acquiring Citizenship" was only in effect for just under 5 years. On January 29, 1795, it was repealed and replaced by a new regulation. According to the new rules, the prescribed text of the oath again included the vow to support the Constitution. In addition, however, the immigrant had to affirm by oath that he had been residing in the United States for at least 5 years, of which at least 1 year had to have been spent in the state in which the oath was being taken, and he had to also swear "that he renounced and abjured absolutely and entirely all allegiance and fidelity to any foreign prince, potentate, state, or sovereignty of whom or which he was before a subject or citizen". When taking the oath, the name of the respective prince, potentate, state, or sovereignty had to be specifically mentioned.

In 1802, the wording of the oath was again changed slightly. From then on, instead of swearing that he had resided in the United States for 5 years, the petitioner had to take an oath 3 years prior to naturalization declaring his intent to acquire American citizenship. Otherwise, the wording of the oath remained unchanged for the next 104 years during the period of heavy immigration. It was not until 1906 that the oath was reworded. The text of the oath remained the same regarding loyalty to the Constitution and renouncing allegiance to foreign powers. However, a new phrase was added in which the petitioner swore "to support and defend the Constitution and the laws of the United States against all enemies, foreign and domestic, and to bear true faith and allegiance to the same".

Die Eidesleistung des Einwanderers in den Vereinigten Staaten, der amerikanischer Staatsbürger werden will, hat eine lange Tradition. In der Zeit der Konföderation von 1778 bis 1789 hatte noch jeder einzelne der weitgehend unabhängigen Staaten ein eigenes Einwanderungsrecht. 1788 trat die amerikanische Verfassung in Kraft. Schon ein Jahr danach beschäftigte sich der erste Kongreß mit der Frage, unter welchen Bedingungen ein Einwanderer die amerikanische Staatsangehörigkeit erwerben konnte.

Im Gesetz vom 26. März 1790 beschränkte sich der vorgeschriebene Eidesinhalt - zulässig war auch eine eidesgleiche Formel - noch lapidar darauf, daß der Einwanderungsbürger seine Bereitschaft erklärte, „die Verfassung der Vereinigten Staaten zu unterstützen".

Freilich galt dieses erste „Gesetz zur Erstellung eines einheitlichen Verfahrens zum Erwerb der Staatsangehörigkeit" nur knappe fünf Jahre.

Schon am 29. Januar 1795 wurde es außer Kraft gesetzt und durch eine Neuregelung ersetzt, die primär ebenfalls die Unterstützung der Verfassung forderte. Darüber hinaus aber mußte der Einwanderer nun beeiden, daß er sich schon mindestens fünf Jahre in den Vereinigten Staaten aufhielt, davon mindestens ein Jahr in jenem Staat, in dem er den Eid ableistete; weiter mußte er schwören, „daß er absolut und vollständig jegliche Verbundenheit und Treue widerruft und ablegt im Verhältnis zu jedem ausländischen Fürsten, Potentaten, Staat oder Souverän, dessen Staatsangehöriger oder Untergebener er zuvor gewesen war." Dabei mußte der Name des in Frage kommenden Fürsten, Potentaten, Staats oder Souveräns ausdrücklich während der Eidesleistung genannt werden.

Im Jahre 1802 änderte sich die Eidesformel abermals ein wenig. Nunmehr trat anstelle der Beeidigung des fünfjährigen Aufenthalts bei der Einbürgerung ein Eid, mit dem drei Jahre vor der Einbürgerung die Absicht zum Erwerb der Staatsangehörigkeit bekundet wurde. Im übrigen blieb die Eidesformel während der großen Einwanderungszeit nunmehr 104 Jahre lang unverändert. Erst im Jahre 1906 wurde ihr Inhalt wieder neu gefaßt. Der Text des Schwurs auf die Treue zur Verfassung und den Treueverzicht gegenüber fremden Autoritäten blieb auch jetzt unverändert. Hinzugefügt wurde nun jedoch, daß der Betreffende „die Ver-

An immigrant acquires American citizenship: Albert Einstein, born in 1879 in Ulm, Germany, fled to the United States in 1933; together with his stepdaughter Margot, he took the oath to uphold the American Constitution on October 1, 1940, in Trenton, New Jersey.

Einstein is not only a symbolic figure for the many millions of German emigrants who became naturalized U.S. citizens in the course of the past two centuries, but his oath especially calls to mind the hundreds of scientists, scholars, artists and politicians who were expelled by Hitler and who found refuge in America in the 1930s.

Ein Einwanderer wird amerikanischer Staatsbürger: Albert Einstein, 1879 in Ulm geboren, 1933 in die USA geflüchtet, leistet mit seiner Stieftochter Margot am 1. Oktober 1940 in Trenton, New Jersey, den Eid auf die amerikanische Verfassung.

Einstein steht hier nicht nur als Symbolfigur für die vielen Millionen deutscher Auswanderer, die im Laufe der Jahrhunderte den Eid auf die amerikanische Verfassung leisteten. Diese Eidesleistung erinnert vor allem an Hunderte von Hitler vertriebene Wissenschaftler, Politiker und Künstler, denen Amerika ab 1933 zur Fluchtburg wurde.

An oath which no immigrant may ever take: the oath of office as president of the United States, a position which, according to the Constitution, may only be held by native-born citizens. Dwight D. Eisenhower, shown here in 1956, being sworn in by Chief Justice Earl Warren for his second term, was the descendent of German Mennonite immigrants both on his mother's and his father's side. Ironically, his 18th-century ancestor Hans Nikolaus Eisenhauer's religious conviction was the reason for leaving Europe: to avoid compulsory military service.

Ein Eid, den kein Einwanderer in die USA je leisten kann: der Amtseid als Präsident, den die Verfassung gebürtigen Amerikanern vorbehält. Dwight D. Eisenhower, der ihn hier vor dem obersten Bundesrichter, Earl Warren, für seine zweite Amtszeit (1957–61) ablegt, stammte väterlicherseits von dem 1741 aus dem Odenwald ausgewanderten Hans Nikolaus Eisenhauer und mütterlicherseits von einer deutschen Mennonitenfamilie ab, die Europa verlassen hatte, um Zwangsverpflichtungen zum Militärdienst zu entgehen...

The new law of 1940 governing naturalization did not change the oath itself in any way.

The current oath was determined by a law passed in 1952. The previous text was maintained but expanded to include the following promise:

a) to bear arms on behalf of the United States when required by the law or

b) to perform noncombatant service in the armed forces of the United States when required by law or

c) to perform work of national importance under civilian direction when required by law.

The oath was in force at all times for all immigrants in the same manner. People of African descent have only been able to take the oath since 1870; before that they could not become citizens of the United States. The setting for the oath has remained unchanged since 1789: it must always be taken in open court before a judge.

fassung der Vereinigten Staaten und ihre Gesetzte gegen alle Gegner, seien sie im Inland oder Ausland, verteidigen wird und ihnen gegenüber wahre Treue und Verbundenheit bekennen wird."

Durch die Neuregelung des Einbürgerungsrechts im Jahre 1940 änderte sich an dieser Formel nichts.

Der derzeit zu leistende Eid wird bestimmt durch ein Gesetz aus dem Jahre 1952. Der früher geltende Eid blieb auch jetzt inhaltlich unverändert, wurde aber weiter ergänzt durch ein Versprechen

a) zum Tragen von Waffen für die Vereinigten Staaten im gesetzlich vorgeschriebenen Fall

b) zum Dienst in den Streitkräften der Vereinigten Staaten im gesetzlich vorgeschriebenen Fall und

c) zum Zivildienst im gesetzlich vorgeschriebenen Fall.

Der Eid galt zu allen Zeiten für alle Einwanderer in gleicher Weise. Personen afrikanischer Herkunft können ihn freilich erst seit 1870 leisten; zuvor konnten sie nicht Bürger der Vereinigten Staaten werden. Unverändert blieb seit 1789 der äußere Rahmen: Der Eid muß seit jeher öffentlich vor einem Richter abgelegt werden.

The oath of office: left, the one signed by the emigrant 48er Carl Schurz on his appointment to the rank of major general in the Union Army on 4 April 1863.

Der Diensteid: links der von dem ausgewanderten Achtundvierziger Carl Schurz am 4. April 1863 nach seiner Ernennung zum General-major der Unionstruppen im Bürgerkrieg unterzeichnete.

La constitution française. An allegory of the 1791 constitution. Paris, Bibliothèque Nationale.

La constitution française. Allegorie auf die Verfassung von 1791. Paris, Bibliothèque Nationale.

LA CONSTITUTION FRANÇAISE.

The "Oath of the Tennis Court," July 20, 1789, in Versailles.

Der Ballhausschwur am 20. Juni 1789 in Versailles.

Storming of the Bastille, July 14, 1789.

Der Sturm auf die Bastille vom 14. Juli 1789.

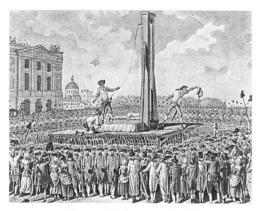

Execution of Louis XVI, January 21, 1793.

Die Hinrichtung Ludwigs XVI. am 21. Januar 1793.

Maximilien de Robespierre   Jean Paul Marat   George Jacques Danton

Robespierre's arrest, July 27, 1794.

The coronation of Napoleon and his wife, December 2, 1804.

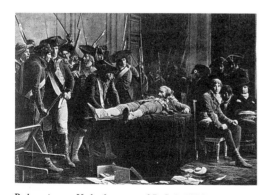

Robespierres Verhaftung am 27. Juli 1794.

Krönung Napoleons und seiner Frau am 2. Dezember 1804.

Chronology: The French Revolution

1774   May 10: Death of Louis XV; succession by Louis XVI (1754–1793). Finance Ministers Turgot and Necker attempt necessary reforms, which fail.

1776   December 7: Marquis de Lafayette (1757–1834) joins the Americans to take part in their War of Independence against the will of his king.

1778   February 6: Benjamin Franklin (1706–1790), American envoy to Versailles 1776–1785, manages to win over Louis XVI to an alliance between France and the U.S. France, under command of Lafayette, enters the American War of Independence.

1783   September 3: After the war Lafayette returns to France as a celebrated general.

1788   August 8: Financial crisis forces Louis XVI to call the May 1 assembly of the new Estates General, which had not met since 1614.

1789   May 5: The new Estates General convene. The aristocracy and clergy (comprising the first and second estates) fail to agree with the representatives of the third estate on the number of votes of each.

June 17: Representatives of the third estate declare themselves the National Assembly (Assemblée Nationale).

June 20: The "Oath of the Tennis Court": In a great public building in the vicinity of the Versailles Palace, variously used as a riding-hall or a tennis court, members of the National Assembly pledge to remain there until a constitution is created.

July 7: The National Assembly declares itself the national legislative body (Constituante).

July 14: The Bastille is stormed; in the countryside people revolt against aristocratic landowners.

August 4: Abolition of all feudal rights and privileges.

August 26: Declaration of the Rights of Man (Déclaration des droits de l'homme et du citoyen) espousing the motto Freedom, Equality and Brotherhood (Liberté, Egalité, Fraternité). The Marquis de Lafayette contributed to the first draft of this document. It was read by Thomas Jefferson (1743–1826), author of the Declaration of Independence, and American envoy to Paris from 1784–1789. John Adams (1735–1826) was also in Paris for negotiations.

October 5: Under pressure from the sansculottes, the King and National Assembly move from Versailles to Paris.

1791   June 21: King Louis XVI's attempt to flee fails. On his return to Paris he is forced to acknowledge the National Assembly's constitutional blueprint.

September 14: Proclamation of the French Constitution.

Exkurs über die Französische Revolution

1774   10. Mai: Tod Ludwigs XV.; Nachfolger wird Ludwig XVI. (1754–1793). Notwendige Reformversuche seiner Finanzminister Turgot und Necker scheitern.

1776   7. Dezember: Marquis de La Fayette (1757–1834) begibt sich gegen den erklärten Willen seines Königs in amerikanische Dienste, um am Unabhängigkeitskrieg teilzunehmen.

1778   6. Februar: Benjamin Franklin (1706–1790), von 1776 bis 1785 Gesandter der USA in Versailles, kann Ludwig XVI. für ein Bündnis zwischen den Vereinigten Staaten und Frankreich gewinnen. Unter La Fayette beteiligt sich Frankreich am Unabhängigkeitskrieg.

1783   3. September: Mit dem Ende des Freiheitskrieges kehrt La Fayette als gefeierter General nach Frankreich zurück.

1788   8. August: Die finanzielle Krisensituation zwingt Ludwig XVI., die seit 1614 nicht mehr zusammengekommenen Generalstände auf den 1. Mai 1789 einzuberufen.

1789   5. Mai: Eröffnung der Generalstände; Adel und Klerus als erster und zweiter Stand können sich mit den Vertretern des dritten Standes nicht auf einen Beratungsmodus einigen.

17. Juni: Die Vertreter des dritten Standes erklären sich zur Nationalversammlung ("Assemblée Nationale").

20. Juni: Ballhausschwur: Im Ballsaal des Schlosses von Versailles schwören die Mitglieder dieser Nationalversammlung, sich so lange nicht zu trennen, bis eine Verfassung geschaffen sei.

7. Juli: Die Nationalversammlung erklärt sich zur verfassunggebenden Nationalversammlung ("Constituante").

14. Juli: Sturm auf die Bastille; auf dem Land Erhebung der Bevölkerung gegen die Feudalherren.

4. August: Aufhebung aller Privilegien und Feudalrechte.

26. August: „Erklärung der Menschen- und Bürgerrechte" („Déclaration des droits de l'homme et du citoyen") unter der Devise „Liberté, Egalité, Fraternité". Der erste Entwurf dieses Dokuments war unter Mitarbeit von Marquis de La Fayette entstanden und von Thomas Jefferson (1743–1826), dem Verfasser der „Declaration of Independence", durchgesehen worden, der von 1784–1789 als Gesandter in Paris tätig war. Auch John Adams (1735–1826) war zu Verhandlungen in Paris.

5. Oktober: Unter dem Druck der Sansculotten ziehen König und Nationalversammlung von Versailles nach Paris um.

1791   21. Juni: Der Fluchtversuch König Ludwigs XVI. scheitert: Nach seiner Rückkehr nach Paris muß der König den Verfassungsentwurf der Nationalversammlung anerkennen.

14. September: Verkündung der französischen Verfassung.

Die
Französische
Constitution
oder
Urkunde

der Französischen Reichsverfassung,

so wie sie von der Nation beschlossen, vom Könige der Franken angenommen und in allen 83 Departementern, und ihren untergeordneten 544 Districten, 4658 Cantonen und unzähligen Municipalitäten feierlich proclamirt und beschworen worden ist.

Im September und October 1791.

Strasburg,

bei J. G. Treuttel, Buchhändler und Buchdruker.

Register.

Urkunde
der
Französischen Reichsverfassung.

Erklärung der Rechte des Menschen und des Bürgers.

Nachdem die Stellvertreter der französischen Nation, welche die Nationalversamlung ausmachen, in Erwägung gezogen, daß Unwissenheit, Vergessenheit oder Verachtung der Rechte des Menschen die einzigen Ursachen des algemeinen Unglüks, und des Verderbnisses der Regierungen sind; so haben sie beschlossen, die natürlichen, unveräusserlichen und heiligen Rechte des Menschen in einer feierlichen Erklärung darzustellen, damit solche jedem Gliede des Staatskörpers stets vor Augen liege, und es immer an seine Rechte und Pflichten erinnere; damit man die verschiedenen Handlungen der gesezgebenden und der volstrekenden Gewalt mit dem Zweke aller und jeder politischen Einrichtungen stets vergleichen könne, und daher desto mehr Ehrfurcht für sie hege; damit endlich die Forderungen der Bürger, welche künftig auf einfache und unumstößliche Grundsäze sich stüzen, stets zur Erhaltung der Constitution und zum algemeinen Glük gereichen.

Zufolge dessen erkent und erklärt die Nationalversamlung in Gegenwart und unter der Obhut des Allerhöchsten folgende Rechte des Menschen und des Bürgers.

* * *

Art. I. Menschen sind und bleiben von ihrer Geburt an frei, und einander an Rechten gleich. Gesellschaftliche Unterscheidungen können nur auf den gemeinen Nuzen gegründet seyn.

II. Jede politische Gesellschaft hat die Erhaltung der natürlichen und unveräußerlichen Rechte des Menschen zum Zwek. Diese Rechte sind Freiheit, Eigenthum, Sicherheit und Widerstand gegen Unterdrükung.

A

III. Der Ursprung der höchsten Macht liegt wesentlich in der Nation. Weder einzelne Personen, noch Körperschaften können je eine Gewalt ausüben, die nicht ausdrücklich aus dieser Quelle fließt.

IV. Die Freiheit besteht darin, daß jeder alles thun darf, was keinem andern schadet: die Ausübung der natürlichen Rechte eines jeden Menschen hat daher keine andere Grenzen, als die, welche andern Gliedern der Gesellschaft den Genuß gleicher Rechte sichern. Diese Grenzen können nur durch das Gesez bestimt werden.

V. Das Gesez kan Handlungen nur insofern verbieten, als sie der Gesellschaft schädlich sind. Was das Gesez nicht verbietet, kan von Niemanden verhindert, und Niemand darf gezwungen werden, etwas zu thun, was das Gesez nicht befiehlt.

VI. Das Gesez ist der Ausdruk des algemeinen Willens. Alle Bürger haben das Recht, an Bildung desselben persönlich oder durch Stellvertreter Theil zu nehmen. Das Gesez muß für alle und jede, es sei zum Schuz oder zur Strafe, Ein und dasselbe Gesez seyn. Vor allen sind alle Bürger gleich, haben alle zu öffentlichen Würden, Stellen und Aemtern, nach Maßgabe ihrer Fähigkeiten, gleiche Ansprüche; es läßt keinen andern Unterschied zu, als den ihrer Tugenden und ihrer Talente.

VII. Kein Mensch darf gerichtlich angeklagt, in Verhaft genommen, oder sonst in persönlicher Freiheit gestört werden; es sei dann in Fällen, die das Gesez bestimt, und nach der Form, die es vorschreibt. Alle die, welche um wilkürliche Befehle anhalten, sie ausfertigen, ausüben, oder volstreken lassen, sind der Strafe unterworfen: hingegen jeder Bürger, der in Kraft des Gesezes vorgeladen oder gegriffen, augenbliklichen Gehorsam schuldig; durch Widerstand wird er straffällig.

VIII. Das Gesez soll nur Strafen verordnen, die unumgänglich und augenscheinlich nothwendig sind. Niemand kan gestraft werden, als kraft eines verordneten Gesezes; welches vorher bekant gemacht, und nachher auf das Verbrechen geszmäßig angewendet worden.

IX. Da jeder Mensch so lange für unschuldig zu halten, bis er für schuldig erklärt worden; so soll, wenn es unumgänglich nöthig erachtet wird, ihn anzuhalten, aller Strenge, die nicht erforderlich ist, sich seiner Person zu versichern, aufs nachdrücklichste durch das Gesez gesteuret werden.

X. Niemand darf wegen seiner Meinungen, selbst in Religionssachen, wenn nur ihre Aeußerung die öffentliche, durch das Gesez festgesezte Ordnung nicht störet, beunruhiget werden.

XI. Die freie Mittheilung der Gedanken und Meinungen ist eines der schäzbarsten Rechte des Menschen; jeder Bürger kan also frei sprechen, schreiben, druken, unter keiner andern Bedingung, als für den Misbrauch dieser Freiheit in den durch das Gesez bestimten Fällen verantwortlich zu seyn.

XII. Zur Sicherstellung der Rechte des Menschen und des Bürgers wird eine öffentliche Gewalt erfordert; diese Gewalt ist also zu gemeiner Wohlfahrt eingesezt; und nicht zum besondern Vortheil derjenigen, welchen man selbige anvertraut hat.

XIII. Zum Unterhalt öffentlicher Gewalt und zu Bestreitung der Verwaltungskosten ist ein algemeiner Beitrag unumgänglich; er muß unter alle Bürger nach Maßgabe ihres Vermögens gleich vertheilt werden.

XIV. Alle Bürger haben das Recht, entweder selbst oder durch ihre Stellvertreter sich von der Nothwendigkeit des öffentlichen Beitrags zu überzeugen, frei darein zu willigen, auf dessen Anwendung zu wachen, und die Summe, ihre Anlage und ihre Dauer zu bestimmen.

XV. Die Gesellschaft hat das Recht, von jedem öffentlichen Beamten Rechenschaft von seiner Verwaltung zu fordern.

XVI. Jede Gesellschaft, in der weder die Rechte gesichert, noch die Grenzen der verschiedenen Zweige der Gewalt bestimt sind, hat keine Constitution.

XVII. Da das Eigenthum ein unverlezliches und heiliges Recht ist; so kan niemand desselben beraubt werden, es sei dann, daß öffentliche Nothdurft, die geszmäßig erwiesen seyn muß, es augenscheinlich erfor-

A 2

LA CONSTITUTION FRANÇOISE,

Proclamée le 18 Septembre 1791.
& jours suivans.

Avec un Récit de ce qui s'est passé à l'occasion de cet acte solemnel.

.

Réimprimé

à STRASBOURG

chez J. G. Treuttel Libraire - Imprimeur.

CONSTITUTION FRANÇOISE.

Proclamée dans le Royaume en Septembre 1791.

DÉCLARATION des Droits de l'Homme et du Citoyen.

Les Représentans du peuple françois, constitués en Assemblée Nationale, considérant que l'ignorance, l'oubli ou le mépris des droits de l'homme sont les seules causes des malheurs publics & de la corruption des gouvernemens, ont résolu d'exposer, dans une déclaration solemnelle, les droits naturels, inaliénables & sacrés de l'homme, afin que cette déclaration, constamment présente à tous les membres du corps social, leur rappelle sans cesse leurs droits & leurs devoirs; afin que les actes du pouvoir législatif, & ceux du pouvoir exécutif pouvant être à chaque instant comparés avec le but de toute institution politique, en soient plus respectés; afin que les réclamations des citoyens fur des principes simples & incontestables, tournent toujours au maintien de la constitution, & au bonheur de tous.

En conséquence l'Assemblée Nationale reconnoit & déclare, en présence & fous les auspices de l'Etre suprême, les droits suivans de l'homme & du citoyen:

ART. I. Les hommes naissent & demeurent libres & égaux en droits. Les distinctions sociales ne peuvent être fondées que fur l'utilité commune.

II. Le but de toute association politique est la conservation des droits naturels & imprescriptibles de l'homme. Ces droits sont la liberté, la propriété, la sûreté & la résistance à l'oppression.

III. Le principe de toute souveraineté réside essentiellement dans la Nation. Nul corps, nul individu ne peut exercer d'autorité qui n'en émane expressément.

IV. La liberté consiste à pouvoir faire tout ce qui ne nuit pas à autrui: ainsi l'exercice des droits naturels de chaque homme n'a de bornes, que celles qui assurent aux autres membres de la société la jouissance de ces mêmes droits. Ces bornes ne peuvent être déterminées que par la loi.

V. La loi n'a le droit de défendre que les actions nuisibles à la société. Tout ce qui n'est pas défendu par la loi, ne peut être empêché, & nul ne peut être contraint à faire ce qu'elle n'ordonne pas.

VI. La loi est l'expression de la volonté générale. Tous les citoyens ont droit de concourir personnellement, ou par leurs représentans, à sa formation. Elle doit être la même pour tous, soit qu'elle protège, soit qu'elle punisse. Tous les citoyens étant égaux à ses yeux, sont également admissibles à toutes dignités, places & emplois publics, selon leur capacité & sans autre distinction que celle de leurs vertus & de leurs talens.

VII. Nul homme ne peut être accusé, arrêté, ni détenu que dans les cas determinés par la loi, & selon les formes qu'elle a prescrites. Ceux qui sollicitent, expédient, exécutent ou font exécuter des ordres arbitraires, doivent être punis; mais tout citoyen appellé ou saisi en vertu de la loi, doit obéir à l'instant: il se rend coupable par la résistance.

VIII. La loi ne doit établir que des peines strictement & évidemment nécessaires, & nul ne peut être puni qu'en vertu d'une loi établie & promulguée antérieurement au délit, & légalement appliquée.

IX. Tout homme étant présumé innocent jusqu'à ce qu'il ait été déclaré coupable, s'il est jugé indispensable de l'arrêter, toute rigueur qui ne seroit pas nécessaire pour s'assurer de sa personne, doit être sévèrement réprimée par la loi.

X. Nul ne doit être inquiété pour ses opinions, même religieuses, pourvu que leur manifestation ne trouble pas l'ordre public établi par la loi.

XI. La libre communication des pensées & des opinions est un des droits les plus précieux de l'homme: tout citoyen peut donc parler, écrire, imprimer librement, sauf à répondre de l'abus de cette liberté dans les cas déterminés par la loi.

XII. La garantie des droits de l'homme & du citoyen nécessite une force publique: cette force est donc instituée pour l'avantage de tous, & non pour l'utilité particulière de ceux auxquels elle est confiée.

XIII. Pour l'entretien de la force publique, & pour les dépenses d'administration, une contribution commune est indispensable; elle doit être également répartie entre tous les citoyens, en raison de leurs facultés.

XIV. Tous les citoyens ont le droit de constater, par eux-mêmes ou par leurs représentans, la nécessité de la contribution publique, de la consentir librement, d'en suivre l'emploi, & d'en déterminer la quotité, l'assiette, le recouvrement & la durée.

XV. La Société a le droit de demander compte à tout agent public de son administration.

XVI. Toute société dans laquelle la garantie des droits n'est pas assurée ni la séparation des pouvoirs déterminée, n'a point de constitution.

XVII. La propriété étant un droit inviolable & sacré, nul ne peut en être privé, si ce n'est lorsque la nécessité publique, légalement constatée, l'exige évidemment, & fous la condition d'une juste & préalable indemnité.

L'Assemblée Nationale, voulant établir la Constitution françoise fur les principes qu'elle vient de reconnoître & de déclarer, abolit irrévocablement les institutions qui blessoient la liberté & l'égalité des droits.

Il n'y a plus ni noblesse, ni pairie, ni distinctions

dert, und auch dann nur unter der Bedingung einer gerechten und vorher zu bestimmenden Schadloshaltung.

* * *

Da die Nationalversammlung zur Absicht hat, die französische Constitution nach denjenigen Grundsäzen, die sie so eben anerkant und erklärt hat, festzusezen: so hebt sie alle jene Einrichtungen, welche die Freiheit und die Gleichheit der Rechte verlezen, unwiderruflich auf.

Es giebt keinen Adel mehr, noch Pairschaft, noch erbliche Unterscheidungen, noch Unterscheidungen eines Ordens, noch Lehnssystem, noch Patrimonial-Gerichtsbarkeiten, noch irgend Titel, Benennungen und Vorzüge, die daraus herflossen, noch irgend einen Ritterorden, noch irgend eine der Corporationen, oder Ehrenzeichen, wozu Proben von Adel erfordert wurden, oder die Geburtsunterscheidung voraussezten; noch Hoheit und Obergewalt, als diejenige der öffentlichen Beamten bei Verrichtung ihrer Amtspflichten.

Kein öffentliches Amt kan mehr gekauft oder geerbt werden.

Für keinen Theil der Nation, noch für irgend ein einzelnes Mitglied giebt es mehr irgend ein Vorrecht noch Ausnahme von dem gemeinen Rechte aller Franken.

Es giebt keine Innungen noch Handwerkszünfte mehr, weder für Künstler noch Handwerker.

Das Gesez erkent keine geistliche Gelübde mehr, noch irgend eine andere Verpflichtung, die den natürlichen Rechten, oder der Constitution zuwider wäre.

Erster Titel.
Grundsäze, die durch die Constitution gesichert sind.

Die Constitution sichert als natürliche und bürgerliche Rechte:

1) Daß alle Bürger zu den Stellen und Bedienungen ohne allen Unterschied, ausser den ihrer Tugenden und Talente, zugelassen werden sollen.

2) Daß alle Abgaben unter alle Bürger nach Maßgabe ihres Vermögens vertheilt werden sollen.

3) Daß eben dieselben Verbrechen mit den nämli-

chen Strafen ohne Ansehen der Personen belegt werden sollen.

Die Constitution garantirt auf gleiche Art als natürliche und bürgerliche Rechte:

Die Freiheit, daß jeder hingehen, bleiben und reisen kan, wohin er wolle, ohne daß es erlaubt sei, ihn anzuhalten, oder gefangen zu nehmen, ausser nach den in der Constitution vorgeschriebenen Formen;

Die Freiheit, daß jeder seine Gedanken mündlich, schriftlich oder gedruckt offenbaren darf, ohne daß die Schriften vor der Bekantmachung einer Censur oder Aufsicht unterworfen sind; und den Gottesdienst ausüben kan, zu dem er sich bekennt;

Die Freiheit, daß Bürger sich ruhig und ohne Waffen versammeln können, wenn sie dabei die Polizeigeseze beobachten;

Die Freiheit, den gesezlich errichteten Gewalten einzeln unterschriebene Bittschriften zu überreichen.

Die gesezgebende Macht kan kein Gesez machen, welches die Ausübung der natürlichen und bürgerlichen Rechte eines Bürgers, die in gegenwärtigem Titel beschrieben, und von der Constitution gesichert sind, verlezen, oder derselben Hindernisse sezen könte. Und da die Freiheit nur in dem Vermögen besteht, alles zu thun, was weder den Rechten eines andern, noch der öffentlichen Sicherheit schadet: so kan das Gesez wider alle Handlungen, die, indem sie entweder die öffentliche Sicherheit oder die Rechte eines andern angreifen, der Gesellschaft nachtheilig seyn werden, Strafen bestimmen.

Die Constitution sichert die Unverlezlichkeit des Eigenthums, oder eine gerechte und vorgängige Schadloshaltung desjenigen, dessen Aufopferung die öffentliche gesezmäßig erwiesene Nothdurft erfordern wird.

Die Güter, welche zum öffentlichen Gottesdienst und alle, die zum gemeinen Besten bestimmt sind, gehören der Nation, und sind jederzeit zu ihrer Disposition. Die Constitution sichert die Veräusserungen, die in der durch das Gesez vorgeschriebenen Form geschehen sind oder künftig geschehen werden.

Die Bürger haben das Recht, die Diener ihrer Kirche zu ernennen oder zu erwählen.

Es soll eine algemeine Einrichtung von öffentlicher Hülfe veranstaltet werden, zur Erziehung verlassener Kinder, zur Unterstüzung gebrechlicher Armen, und denen, die arbeitslos sind, Arbeit zu verschaffen.

Es sollen öffentliche Unterrichtsanstalten gestiftet werden, die für alle Bürger gemeinschaftlich und was die allen Menschen unentbehrlichen Theile des Unterrichts betrift, unentgeldlich seyn sollen. Diese Anstalten sollen stuffenweise und nach einem der Eintheilung des Königreichs angemessenen Verhältniß vertheilt werden.

Es sollen Nationalfeste gestiftet werden, das Andenken an die französische Revolution zu erhalten, die brüderliche Liebe unter den Bürgern fortzupflanzen, und ihre Ergebenheit an die Constitution, das Vaterland, und die Geseze zu bewirken.

Es soll ein Civil-Gesezbuch, das dem ganzen Königreich gemein ist, gemacht werden.

Zweiter Titel.
Von der Eintheilung des Königreichs und dem Stande der Bürger.

Art. 1. Frankreich ist eins, und untheilbar; dessen Umfang ist in 83 Departementer, jedes Departement in Districte, und jeder District in Kantone abgetheilt.

Art. 2. Französische Bürger sind:

Alle diejenige, welche in Frankreich von einem französischen Vater erzeugt worden; alle diejenige, welche in Frankreich von Ausländern geboren, ihren Aufenthalt im Königreiche festgesezt haben; alle diejenige, welche von einem französischen Vater in einem fremden Lande erzeugt, nach Frankreich, sich alda niederzulassen, gekommen sind, und den Bürgereid abgelegt haben; endlich alle diejenige, die in einem fremden Lande geboren, von einem französischen Vater, oder einer französischen Mutter, die der Religion wegen aus Frankreich vertrieben worden, in irgend einem Grad abstammen, sich in Frankreich niederlassen, und den Bürgereid leisten.

Art. 3. Alle diejenige, welche ausser dem Königreiche

von fremden Eltern geboren, in Frankreich wohnen, nach einem ununterbrochenen 5 jährigen Aufenthalt im Königreiche Bürger werden, wenn sie überdies unbewegliche Güter erworben, oder eine Französin geheirathet, oder eine Handlungs- oder Oekonomische Anstalt errichtet, und den Bürgereid abgelegt haben.

Art. 4. Die gesezgebende Macht kan, wegen wichtiger Bewegungsgründe, einem Fremden die Naturalisationsurkunde, ohne alle andere Bedingungen, als seinen Wohnsiz in Frankreich festzusezen, und den Bürgereid zu leisten, ertheilen.

Art. 5. Der Bürgereid ist folgender: „Ich schwöre, „der Nation, dem Gesez und dem Könige treu zu seyn, „und die in den Jahren 1789, 1790 und 1791 von „der constituirenden Nationalversammlung decretirte „Constitution des Königreichs nach allen meinen Kräf-„ten aufrecht zu erhalten.„

Art. 6. Die Eigenschaft eines französischen Bürgers geht verloren:

1) Durch die Naturalisirung in einem fremden Lande.

2) Durch die Verurtheilung zu Strafen, welche den Verlust des Bürgerrechts mit sich führen, so lange, als der Verurtheilte nicht wieder in den vorigen Stand gesezt worden ist.

3) Durch ein Contumaz-Urtheil (wegen Ungehorsams) so lange das Urtheil noch nicht aufgehoben worden.

4) Durch Verbindung mit irgend einem fremden Ritterorden, oder fremden Corps, welche eine Adels-Probe oder Geburtsunterschied und geistliche Gelübde erforderten.

Art. 7. Das Gesez betrachtet den Ehestand blos als einen bürgerlichen Vertrag. Die gesezgebende Macht wird für alle Einwohner ohne Unterschied der Religion bestimmen, auf welche Geburten, Heirathen und Todesfälle zu bewähren sind; sie wird auch die öffentlichen Beamten bestimmen, die davon die Scheine aufzunehmen und zu verwahren haben.

Art. 8. Die französische Bürger, betrachtet in Rüksicht auf ihre Localverhältnisse, die aus ihrer Vereinigung in den Städten und gewissen Bezirken des ländlichen Bodens entstehen, bilden die Gemeinen.

Die gesezgebende Macht kan die Grösse des Bezirks einer jeden Gemeine bestimmen.

Art. 9. Die Bürger, welche eine Gemeine ausmachen, haben das Recht, zur bestimten Zeit nach den vom Gesez festgesezten Formen, diejenigen aus ihren Mitteln zu erwählen, welchen, unter dem Titel von Municipalbeamten, aufgetragen wird, die besondern Geschäfte der Gemeine zu besorgen.

Den Municipalbeamten können einige Verrichtungen, die sich auf das algemeine Wohl des Staats beziehen, aufgetragen werden.

Art. 10. Die Regeln, welche die Municipalbeamte bei Ausübung sowohl ihrer Municipalverrichtungen, als derjenigen, welche das algemeine Wohl des Staats betreffen, zu beobachten verbunden sind, sollen durch die Geseze bestimt werden.

Dritter Titel.
Von den verschiedenen Zweigen der öffentlichen Macht.

Art. 1. Die Oberherrschaft ist eins, untheilbar, unveräusserlich und unverjährlich, und gehört der Nation; kein Theil des Volks, keine einzelne Person kan sich die Ausübung derselben zueignen.

Art. 2. Die Nation, aus der alle Mächte entspringen, kan sie nur durch Uebertragung (an Stellvertreter) ausüben.

Die französische Constitution ist repräsentativ; die Stellvertreter sind das gesezgebende Corps und der König.

Art. 3. Die gesezgebende Macht ist einer Nationalversammlung übertragen, die aus Stellvertretern besteht, welche für eine gewisse Zeit vom Volk frei erwählt worden, um diese Macht unter Bestätigung des Königs auszuüben, auf die Art, welche hiernach bestimt wird.

Art. 4. Die Regierungsform ist monarchisch; die vollziehende Macht, Königen übertragen, um unter seinem Ansehen durch Minister und andere verantwortliche Agenten ausübt zu werden, auf die Art, welche hiernach soll bestimmt werden.

On September 3, 1791, three years after the American Constitution, the French Constitution went into effect, turning France – at least temporarily – into a constitutional monarchy. A year later, at the very first meeting of the National Convention on September 21, 1792, the constituitional monarchy was abolished and the Republic was proclaimed. Shortly after the Constitution of 1791 had been completed, a bilingual edition in French and German was published in Strasbourg, excerpts of which are reproduced here.

héréditaires, ni distinction d'ordres, ni régime féodal, ni justices patrimoniales, ni aucun des titres, dénomination & prérogatives qui en dérivoient, ni aucun ordre de chevalerie, ni aucune des corporations, ou décorations, pour lesquelles on exigeoit des preuves de noblesse, ou qui supposoient des distinctions de naissance ; ni aucune autre supériorité, que celle des fonctionnaires publics dans l'exercice de leurs fonctions.

Il n'y a plus ni vénalité ni hérédité d'aucun office public.

Il n'y a plus, pour aucune partie de la nation, ni pour aucun individu, aucun privilège ni exception au droit commun de tous les François.

Il n'y a plus ni jurandes, ni corporations de professions, arts & métiers.

La loi ne reconnoît plus ni vœux religieux, ni aucun autre engagement qui seroit contraire aux droits naturels, ou à la constitution.

TITRE PREMIER.

Dispositions fondamentales garanties par la constitution.

La Constitution garantit, comme droits naturels & civils :

1°. Que tous les citoyens sont admissibles aux places & emplois, sans autre distinction que celle des vertus & des talens.

2°. Que toutes les contributions seront réparties entre tous les citoyens, également, en proportion de leurs facultés.

3°. Que les mêmes délits seront punis des mêmes peines, sans aucune distinction des personnes.

La Constitution garantit pareillement, comme droits naturels & civils :

La liberté à tout homme d'aller, de rester, de partir, sans pouvoir être arrêté, ni détenu, que selon les formes déterminées par la Constitution ;

La liberté à tout homme de parler, d'écrire, d'imprimer & publier ses pensées, sans que les écrits puissent être soumis à aucune censure, ni inspection, avant leur publication, & d'exercer le culte religieux auquel il est attaché ;

La liberté aux citoyens de s'assembler paisiblement & sans armes, en satisfaisant aux loix de police ;

La liberté d'adresser aux autorités constituées des pétitions signées individuellement.

Le pouvoir législatif ne pourra faire aucune loi qui porte atteinte, & mette obstacle à l'exercice des droits naturels & civils, consignés dans le présent titre, & garantis par la Constitution ; mais comme la liberté ne consiste qu'à pouvoir faire tout ce qui ne nuit ni aux droits d'autrui ni à la sûreté publique, la loi peut établir des peines contre les actes qui, attaquant ou la sûreté publique ou les droits d'autrui, seroient nuisibles à la société.

La Constitution garantit l'inviolabilité des propriétés, ou la juste & préalable indemnité de celles dont la nécessité publique, légalement constatée, exigeroit le sacrifice.

Les biens destinés aux dépenses du culte, & à tous services d'utilité publique, appartiennent à la nation, & sont dans tous les temps à sa disposition. La Constitution garantit les aliénations qui ont été ou qui seront faites, suivant les formes établies par la loi.

Les citoyens ont le droit d'élire ou choisir les ministres de leurs cultes.

Il sera créé & organisé un établissement général de *secours publics*, pour élever les enfans abandonnés, soulager les pauvres infirmes, & fournir du travail aux pauvres valides qui n'auroient pas pu s'en procurer.

Il sera créé & organisé une *instruction publique*, commune à tous les citoyens, gratuite à l'égard des parties d'enseignement indispensables pour tous les hommes & dont les établissemens seront distri-

bué graduellement, dans un rapport combiné avec la division du royaume.

Il sera établi des fêtes nationales pour conserver le souvenir de la révolution françoise, entretenir la fraternité entre les citoyens, & les attacher à la Constitution, à la patrie & aux loix.

Il sera fait un code de loix civiles, communes à tout le royaume.

TITRE II.

De la division du Royaume & de l'état des citoyens.

Art. I. Le Royaume est un & indivisible ; son territoire est distribué en quatrevingt-trois Départemens, chaque Département en Districts, chaque District en Cantons.

II. Sont citoyens françois :

Ceux qui sont nés en France d'un pere françois ;

Ceux qui, nés en France d'un pere étranger, ont fixé leur résidence dans le royaume ;

Ceux qui, nés en pays étranger d'un pere françois, sont venus s'établir en France & ont prêté le serment civique ;

Enfin ceux qui, nés en pays étranger, & descendant, à quelque degré que ce soit d'un françois ou d'une françoise expatriés pour cause de religion, viennent demeurer en France & prêtent le serment civique.

III. Ceux qui, nés hors du royaume de parens étrangers, résident en France, deviennent citoyens françois après cinq ans de domicile continu dans le royaume, s'ils y ont en outre acquis des immeubles ou épousé une françoise, ou formé un établissement d'agriculture ou de commerce, & s'ils ont prêté le serment civique.

IV. Le pouvoir législatif pourra, pour des considérations importantes, donner à un étranger un acte de naturalisation, sans autres conditions que de fixer son domicile en France, & d'y prêter le serment civique.

V. Le serment civique est : *je jure d'être fidele à la Nation, à la Loi, & au Roi, & de maintenir de tout mon pouvoir la constitution du royaume, décrétée par l'assemblée nationale constituante aux années* 1789, 1790 & 1791.

VI. La qualité de citoyen françois se perd :

1°. Par la naturalisation en pays étranger ;

2°. Par la condamnation aux peines qui emportent la dégradation civique, tant que le condamné n'est pas réhabilité ;

3°. Par un jugement de contumace, tant que le jugement n'est pas anéanti ;

4°. Par l'affiliation à tout ordre de chevalerie étranger ou à toute corporation étrangere qui supposeroit, soit des preuves de noblesse, soit des distinctions de naissance, ou qui exigeroit des vœux religieux.

VII. La loi ne considere le mariage que comme contrat civil.

Le pouvoir législatif établira pour tous les habitans sans distinction, le mode par lequel les naissances, mariages & décès seront constatés & il désignera les officiers publics qui en recevront & conserveront les actes.

VIII. Les citoyens françois considérés sous le rapport des relations locales, qui naissent de leur réunion dans les villes & dans de certains arrondissemens du territoire des campagnes, forment les *Communes*.

Le pouvoir législatif pourra fixer l'étendue de l'arrondissement de chaque commune.

IX. Les citoyens qui composent chaque commune, ont le droit d'élire à temps, suivant les formes déterminées par la loi, ceux d'entr'eux qui, sous le titre d'officiers municipaux, sont chargés de gérer les affaires particulieres de la commune.

Il pourra être délégué aux officiers municipaux quelques fonctions relatives à l'intérêt général de l'Etat.

X. Les regles que les officiers municipaux seront tenus de suivre dans l'exercice, tant des fonctions municipales que de celles qui leur auront été délé-

guées pour l'intérêt général, seront fixées par les loix.

TITRE III.

Des pouvoirs publics.

Art. I. La souveraineté est une, indivisible, inaliénable & imprescriptible ; elle appartient à la nation ; aucune section du peuple ni aucun individu ne peut s'en attribuer l'exercice.

II. La nation, de qui seule émanent tous les pouvoirs, ne peut les exercer que par délégation.

La Constitution françoise est représentative : les représentans sont le corps législatif & le roi.

III. Le pouvoir législatif est délégué à une assemblée nationale composée de représentans temporaires, librement élus par le peuple, pour être exercé par elle, avec la sanction du roi, de la maniere qui sera déterminée ci-après.

IV. Le gouvernement est monarchique : le pouvoir exécutif est délégué au roi, pour être exercé sous son autorité, par des ministres & autres agens responsables, de la maniere qui sera déterminée ci-après.

V. Le pouvoir judiciaire est délégué à des juges élus à tems par le peuple.

CHAPITRE PREMIER.

De l'assemblée nationale législative.

Art. I. L'assemblée nationale, formant le corps législatif, est permanente, & n'est composée que d'une chambre.

II. Elle sera formée tous les deux ans par de nouvelles élections.

Chaque période de deux années formera une législature.

Am 3. September 1791, drei Jahre nach der amerikanischen Verfassung, trat die „Französische Constitution" in Kraft, durch die Frankreich – wenn auch nur vorläufig – zur konstitutionellen Monarchie wurde. Der Nationalkonvent, nach Abschaffung des Zensuswahlrechts im September 1792 aus allgemeinen indirekten Wahlen hervorgegangen, hob noch am Tag seiner ersten Zusammenkunft, am 21. September 1792, die neugeschaffene konstitutionelle Monarchie wieder auf und rief die Republik aus. Der auszugsweise abgedruckte Text erschien in französischer und deutscher Sprache in einer zusammengebundenen Ausgabe kurz nach der Verkündung der Verfassung in Straßburg.

1792 August 10: The sansculottes take the Tuilleries and imprison Louis XVI. Under the leadership of Saint Just (1767–1794), Danton (1759–1794), Marat (1743–1793) and Robespierre (1758–1794), the radical Mountain group becomes the pacesetter of the revolution.

September 20: The Mountainists win the elections in the National Assembly.

September 21: The monarchy is abolished. France is proclaimed a republic.

1793 January 21: Execution of Louis XVI.

May 31 – June 2: Jacobins, under the leadership of Robespierre overthrow the parliamentary republic and establish a dictatorship. The Jacobin Reign of Terror begins under the public welfare committee, controlled by Robespierre.

1794 July 28: Robespierre and his followers are deposed and executed.

1795 October 26: France receives a new constitution. Its executive branch is to consist of a board of five directors (Directoire).

1799 November 9: Coup d'état of the 18th Brumaire: Napoleon Bonaparte (1769–1821) as commander-in-chief of the army replaces the Directoire's constitution with a consular constitution.

December 15: First consul Napoleon declares the French Revolution to be over.

1792 10. August: Gefangensetzung Ludwigs XVI. nach der Erstürmung der Tuilerien durch die Sansculotten. Die radikale Gruppe der „Bergpartei" unter Saint-Just (1767–1794), Danton (1759–1794), Marat (1743–1793) und Robespierre (1758–1794) wird zum Schrittmacher der Revolution.

20. September: Sieg der „Bergpartei" bei den Wahlen zum Nationalkonvent.

21. September: Abschaffung des Königtums und Ausrufung der I. Republik.

1793 21. Januar: Hinrichtung Ludwigs XVI.

31. Mai – 2. Juni: Die Jakobiner unter Führung Robespierres stürzen die parlamentarische Republik und errichten eine Diktatur; es beginnt die jakobinische Schreckensherrschaft unter dem von Robespierre beherrschten Wohlfahrtsausschuß.

1794 28. Juli: Robespierre und seine Anhänger werden entmachtet und hingerichtet.

1795 26. Oktober: Frankreich erhält eine neue Verfassung, deren Exekutive ein Direktorium von fünf Männern bildet („Directoire").

1799 9. November: Staatsstreich vom 18. Brumaire: Der zum Befehlshaber der Armee aufgestiegene Napoleon Bonaparte (1769–1821) ersetzt die Directoire-Verfassung durch eine Konsularverfassung.

15. Dezember: Als Erster Konsul erklärt Napoleon die Französische Revolution für beendet.

Appeal to the German people to support the French Revolution – handbill dating from 1791, printed at Strasbourg.

Appell an die Deutschen zum Anschluß an die Französische Revolution, Flugblatt aus dem Jahr 1791, gedruckt in Straßburg.

At the congress of princes held from late September to early October 1808 at Erfurt, then under French dominion, Napoleon – then at the apogee of his power – met with Czar Alexander I and princes from practically all the states of the Confederation of the Rhine. The Czar and Napoleon attempted mutually to delineate their spheres of interest. As a sidelight to the negotiations at the congress, it was there that Goethe was awarded the Cross of the Legion of Honor by Napoleon on October 2.

Auf dem Ende September, Anfang Oktober 1808 abgehaltenen Fürstentag in dem damals französischen Erfurt traf sich Napoleon – damals auf dem Höhepunkt seiner Macht – mit Zar Alexander I. und Fürsten aus nahezu allen Rheinbundstaaten. Der Zar und Napoleon versuchten dabei, ihre beiderseitigen Interessensphären abzugrenzen. Bei dieser Gelegenheit erhielt übrigens Goethe am 2. Oktober von Napoleon das Kreuz der Ehrenlegion.

65

The Congress of Vienna met from 1814 to 1815: here, an illustration of a conference of delegates. The chief negotiators were Clemens von Metternich and Charles Maurice de Talleyrand-Perigord.

Der Wiener Kongreß tagte in den Jahren 1814 und 1815; hier eine Sitzung der Bevollmächtigten. Die herausragenden Verhandlungsführer waren Clemens von Metternich und Charles Maurice de Talleyrand-Périgord.

German broadsheet of a drawing by E.T.A. Hoffman (1814).

Deutscher Bilderbogen nach einer Zeichnung von E.T.A. Hoffmann aus dem Jahr 1814.

Feyerliche Leichenbestattung der Universal-Monarchie

The Exequies of the Universal Monarchy.

I

The Development of a Constitution in the German Confederation through 1848

Die Verfassungsentwicklung im Deutschen Bund bis 1848.

The German Confederation – Austria and Prussia

Der Deutsche Bund – Österreich und Preußen

After the turmoil of the French Revolution and the Napoleonic Wars, after the fall of the old Holy Roman Empire in 1806, after the Wars of Liberation (whose peak in October 1813 at the Battle of Leipzig brought an end to Napoleon's reign in Germany), all those who had been expecting a new order in the relation between unity and freedom were to face bitter disappointment. Through the Congress of Vienna 1814/15, Europe, and Germany in particular, received an order which was founded almost entirely upon the conceptions of the pre-revolution era's ancien régime. It was ruled for many years by the major powers in the Holy Alliance: Russia, Austria and Prussia. Made up of 41 members, the German Confederation was founded for the "maintenance of the external and internal security of Germany and the independence and inviolability of the individual German States" (Act of the German Confederation, Article 2, Bundesakte, Artikel 2)[1]. Besides the great powers Austria and Prussia, there were four kingdoms, one electorate, seven grand duchies, ten dukedoms, twelve principalities, one earldom and four self-governing cities. The representative body of this confederation, which existed until 1866, was the Federal Assembly (Bundesversammlung or Bundestag), located in Frankfurt. It was not, by any means, a representation of the people, but rather only a congress of appointed envoys, meeting under Austrian chairmanship. Its formation and agenda were spelled out in the general terms of the Act of the German Confederation, approved on June 8, 1815, at the Congress of Vienna. Under the special provisions in Article 13 it was lent particular significance: "In every state, a constituent Assembly will be held."[2]

In the so-called Final Act of Vienna on May 15, 1820, whereby the German Confederation's Constitution should have taken on its final form, Article 54 emphasized: "Since Article 13 of the Act of the German Confederation and its explanations state that a constituent assembly is to be held in all states, the Federal Assembly is responsible for enforc-

Nach den Wirren der Französischen Revolution und den Napoleonischen Kriegen, nach dem Ende des alten „Heiligen Römischen Reiches Deutscher Nation" 1806 und den Befreiungskriegen, die im Oktober 1813 in der Völkerschlacht bei Leipzig gipfelten und den Zusammenbruch der Napoleonischen Herrschaft in Deutschland mit sich brachten, machte sich bei all' jenen, die sich von der Neuordnung der Verhältnisse Einheit und Freiheit für Deutschland versprochen hatten, herbe Enttäuschung breit. Durch den Wiener Kongreß von 1814/15 erhielten Europa und namentlich Deutschland eine Ordnung, die nahezu vollständig auf den Anschauungen des „Ancien régime", der vorrevolutionären Zeit, errichtet war und unter der Vorherrschaft der führenden Mächte Rußland, Österreich und Preußen, der „Heiligen Allianz", über lange Jahre hin aufrechterhalten wurde. Dem „Deutschen Bund", damals gegründet zur „Erhaltung der äußeren und inneren Sicherheit Deutschlands und der Unabhängigkeit und Unverletzbarkeit der einzelnen deutschen Staaten" (Bundesakte Artikel 2)[1], gehörten 41 Mitglieder an: neben den Großmächten Österreich und Preußen vier Königreiche, ein Kurfürstentum, sieben Großherzogtümer, zehn Herzogtümer, zwölf Fürstentümer, eine Landgrafschaft und vier freie Städte. Ständiges Organ dieses bis 1866 bestehenden Bundes war die „Bundesversammlung" oder der „Bundestag" mit Sitz in Frankfurt am Main – nicht etwa eine Vertretung des Volkes, sondern lediglich ein Gesandtenkongreß, der unter dem Vorsitz Österreichs tagte. Seine Zusammensetzung und seine Geschäftsordnung regelten die „Allgemeinen Bestimmungen" der auf dem Wiener Kongreß am 8. Juni 1815 vereinbarten „Deutschen Bundesakte", unter deren „Besonderen Bestimmungen" dem oben bereits erwähnten Artikel 13 eine herausragende Bedeutung zukam: „In allen Bundesstaaten wird eine landständische Verfassung stattfinden."[2] In der sogenannten Wiener Schlußakte vom 15. Mai 1820, mit der die Verfassung des

ing this stipulation so it does not remain unfulfilled in any state."[3] How did the single member states comply with this unequivocable order, in this unanimously recognized constitutional law?

The two great powers, Austria and Prussia, did not consider themselves bound by this order. Out of regard for the heterogeneous society of the Habsburger Monarchy, the chancellor, Prince Clemens von Metternich, refused to issue a universal Austrian constitution and convene a national parliament. His attempts at creating a Reichstag composed of representatives from the restored provincial state parliaments were thwarted by resistance from Emperor Franz II. Metternich's Austria missed the Era of Reforms.[4]

In contrast, the Era of Reforms in Prussia, inextricably associated with such names as Heinrich Friedrich Karl Reichsfreiherr vom und zum Stein and Karl August Fürst von Hardenberg, had already begun during the Napoleonic Era. Shortly before Stein was appointed Prussian Secretary of State (1807), he outlined the goal of reforms he had initiated: "The revival of communal spirit and a sense of public identity, employing dormant or misguided energy and scattered knowledge; unity between the spirit of the nation, their opinions and needs and those of the authorities; the revival of the sense of independence and national identity."[5] In addition to fundamental modernizations in ministerial administration, he introduced community self-government with the municipal statute of November 19, 1808. In the October Edict he guaranteed the abolition of serfdom (1807), the personal freedom of peasants, as well as abolition of the previously stringent class structure. Stein's successor, Hardenberg, continued with the reforms. His maxim was "democratic principles in a monarchistic government." He introduced freedom of trade (Edict of November 2, 1810), civil equality for Jews (Emancipation Edict of March 11, 1812), the armed forces regulations, which brought with it conscription (Military Code of September 3, 1814) as well as reform of the entire education system with intentions similar to those of Wilhelm von Humboldt.

The completion of the reforms should have culminated, as envisaged by their founders, in a reform of the constitution. Prussia would receive an elected National Assembly.

Deutschen Bundes ihre endgültige Gestalt erhalten sollte, hieß es bekräftigend in Artikel 54: „Da nach dem Sinne des dreizehnten Artikels der Bundes-Akte und den darüber erfolgten späteren Erklärungen in allen Bundesstaaten landständische Verfassungen statt finden sollen, so hat die Bundesversammlung darüber zu wachen, daß diese Bestimmung in keinem Bundesstaate unerfüllt bleibe."[3] Wie sind die einzelnen Mitgliedsstaaten dieser unmißverständlichen Aufforderung eines allseits anerkannten Bundesgrundgesetzes nachgekommen?

Die beiden Großmächte Österreich und Preußen fühlten sich an diesen Auftrag nicht gebunden. Mit Rücksicht auf den heterogenen Vielvölkerstaat der Habsburger Monarchie lehnte es der österreichische Staatskanzler Fürst Klemens von Metternich ab, für Österreich eine Gesamtstaatsverfassung zu erlassen und ein Nationalparlament einzuberufen. Sein Versuch, aus Vertretern der einzelnen wiederhergestellten Provinziallandtage einen Reichstag zu bilden, scheiterte am Widerstand Kaiser Franz' II. „Das Österreich Metternichs verpaßte die Zeit der Reformen."[4]

In Preußen dagegen war die Zeit der Reformen, die untrennbar mit den Namen Heinrich Friedrich Karl Reichsfreiherr vom und zum Stein und Karl August Fürst von Hardenberg verbunden sind, bereits in der Napoleonischen Ära angebrochen. Kurz vor seiner Berufung zum leitenden preußischen Staatsminister umriß Stein 1807 das Ziel der von ihm eingeleiteten Reformen: „Die Belebung des Gemeingeistes und Bürgersinns, die Benutzung der schlafenden oder falsch geleiteten Kräfte und der zerstreut liegenden Kenntnisse, der Einklang zwischen dem Geist der Nation, ihrer Ansichten und Bedürfnisse, und denen der Staatsbehörde, die Wiederbelebung der Gefühle für Selbständigkeit und Nationalehre."[5] Außer einer grundlegenden Modernisierung der Ministerialverwaltung führte er mit der Städteordnung vom 19. November 1808 die kommunale Selbstverwaltung ein und garantierte mit dem Oktoberedikt über die Aufhebung der Erbuntertänigkeit von 1807 die persönliche Freiheit der Bauern sowie die Aufhebung der bisherigen strengen ständischen Gliederung. Fortgesetzt wurden die Reformen durch Steins Nachfolger Hardenberg - dessen Maxime dabei lautete: „demokratische Grundsätze in einer monarchischen Regierung" - mit der Einführung der Gewerbefreiheit (Edikt vom 2. November 1810), mit der bürgerlichen Gleichberechtigung der Juden (Emanzipationsedikt vom 11. März 1812), der Heeresverfassung, die die allgemeine Wehrpflicht mit sich brachte (Wehrgesetz vom 3. September 1814), sowie mit einer Neugestaltung des gesamten Bildungswesens im Sinne Wilhelm von Humboldts. Ihre Vollendung sollten die

Bundes-Akte.

Im Namen der allerheiligsten und untheilbaren Dreieinigkeit.

Die souverainen Fürsten und freien Städte Deutschlands, den gemeinsamen Wunsch hegend, den sechsten Artikel des
pariser Friedens vom 30. Mai 1814 in Erfüllung zu setzen, und von
den Vortheilen überzeugt, welche aus ihrer festen und dauerhaften
Verbindung für die Sicherheit und Unabhängigkeit Deutschlands, und
die Ruhe und das Gleichgewicht Europa's hervorgehen würden, sind
übereingekommen, sich zu einem beständigen Bunde zu vereinigen, und
haben zu diesem Behuf ihre Gesandten und Abgeordneten am Con-
gresse in Wien mit Vollmachten versehen, nämlich:

(Folgen die Namen und Titel der Bevollmächtigten.)

In Gemäßheit dieses Beschlusses haben die vorstehenden Bevollmächtigten, nach geschehener Auswechslung ihrer richtig befundenen
Vollmachten, folgende Artikel verabredet:

I.

Allgemeine Bestimmungen.

Artikel 1.
Stiftung des Bundes.

Die souverainen Fürsten und freien Städte Deutschlands mit
Einschluß Ihrer Majestäten des Kaisers von Oesterreich, und der Könige von Preußen, von Dänemark und der Niederlande, und zwar der
Kaiser von Oesterreich und der König von Preußen, beide
für ihre gesammten, vormals zum deutschen Reich gehörigen Besitzun-
gen¹), der König von Dänemark für Holstein²), der König der
Niederlande für das Großherzogthum Luxemburg³), vereinigen sich
zu einem beständigen Bunde, welcher der Deutsche Bund heißen soll.

Art. 2.
Zweck des Bundes.

Der Zweck desselben ist: Erhaltung der äußeren und inneren
Sicherheit Deutschlands, und der Unabhängigkeit und Unverletzbarkeit
der einzelnen deutschen Staaten.

Die Wiener Schlußakte von 1820.

Die Bewegungen und Ereignisse nach dem Jahre der Hun-
gersnoth 1817 veranlaßten die größeren deutschen Höfe im
Jahre 1819 zur Veranstaltung des Carlsbader Congresses.
Das Ergebniß desselben war der Beschluß der Bundesversamm-
lung wegen Bestellung einer außerordentlichen Central-Unter-
suchungs-Commission zu Mainz, wegen Maßregeln in
Ansehung der Universitäten und das provisorische Preß-
(Censur-) Gesetz, sämmtlich vom 20. Sept. 1819.

Der darauf folgende Congreß deutscher Minister zu Wien
brachte die sogenannte „Wiener-Schlußakte" vom 15. Mai
1820 zu Stande, welche durch Beschluß der Bundesversammlung vom 8. Juni 1820

„zu einem der Bundesakte an Kraft und Gültigkeit gleichen Grundgesetze des Bundes"

erhoben wurde.

Dieselbe lautet, wie folgt:

Die souverainen Fürsten und freien Städte

Deutschlands, eingedenk ihrer bei Stiftung des deutschen Bundes über-
nommenen Verpflichtung, den Bestimmungen der Bundesakte durch
ergänzende und erläuternde Grundgesetze eine zweckgemäße
Entwickelung und hiemit dem Bundesverein selbst die erforderliche
Vollendung zu sichern, überzeugt, daß sie, um das Band, welches
das gesammte Deutschland in Friede und Eintracht verbindet, unauf-
löslich zu befestigen, nicht länger anstehen durften, jener Verpflichtung und einem allgemein gefühlten Bedürfnisse durch gemeinschaftliche
Berathung Genüge zu leisten, haben zu diesem Ende nachstehende
Bevollmächtigte ernannt, nämlich:

(Folgen die Namen und Titel der Bevollmächtigten.)

---

*The Federal Act of the Congress of Vienna of June 8, 1815, signed by thir-
ty-nine German governments, was the temporary constitution of the
German Confederation. Its completion was the so-called Final Act of
Vienna of May 15, 1820. It was developed during the Vienna Conference
of Ministers (1819/20) and unanimously adopted by the Bundestag in
Frankfurt as federal constitutional law on July 8, 1820.*

*Die auf dem Wiener Kongreß am 8. Juni 1815 von 39 deutschen Regie-
rungen unterzeichnete Bundesakte war die vorläufige Verfassung des
Deutschen Bundes. Ihre Ergänzung fand sie in der sogenannten Wiener
Schlußakte vom 15. Mai 1820, die auf den Wiener Ministerialkonferen-
zen 1819/20 erarbeitet und am 8. Juli 1820 vom Bundestag in Frankfurt
am Main als Bundesgrundgesetz einstimmig angenommen wurde.*

Contemporary testimony of the feudalistic social structure around the middle of the 18th century: above, an advertisement from the "Königsberger Intelligenzwerk" (1744), offering serfs for sale; on the right, a lord of the manor exercising his privileges of corporal punishment.

Zeitgenössische Zeugnisse der feudalistischen Gesellschaftsstruktur um die Mitte des 18. Jahrhunderts: Oben eine Anzeige aus dem „Königsberger Intelligenzwerk" von 1744, in der leibeigene Untertanen zum Verkauf angeboten werden; rechts ein Gutsherr bei der Ausübung des ihm zustehenden Züchtigungsrechts.

Humboldt University, Berlin   Humboldt-Universität, Berlin

Wilhelm von Humboldt
(1769–1859)

Freiherr von Stein's original copy of page 1 of the 1807 Nassauer Denkschrift that led to the reforms of the following year.

Eigenhändige Niederschrift von Seite 1 der Nassauer Denkschrift des Freiherrn vom und zum Stein aus dem Jahr 1807, die zu den Reformen im Jahr 1808 führte.

70

Despite the repeated promises of King Friedrich Wilhelm III, "to allow the nation to have appropriate representation in the provinces as well as for the whole, whose advice we will gladly use,"[6] these things did not come about. This announcement in the Financial Edict of October 27, 1810, initiated by Hardenberg, was more precisely set forth in the eight paragraphs of the "Decree of the Creation of a People's Representation"[7] (May 22, 1815). However, like the liberation of the peasants and administrative reforms, the constitution and parliament were hindered by the resistance from the still dominant, traditional feudal powers. Also in Prussia, after 1823, nothing more than eight provincial state parliaments came about. They were controlled by members of the aristocracy, and had extremely limited jurisdiction. "The failure of Prussian constitutional politics is, without a doubt, one of the gravest events in recent German history. With it, the liberal movement of the future lost the potential support of the most powerful German state. Prussia forfeited a large part of the idealistic political authority which had given it the reforms."[8] The parliament (Vereinigter Landtag), which was called by King Friedrich Wilhelm IV under the pressure of public opinion, remained sporadic. It consisted of all the members of the provincial state parliaments, lasted barely five months and was virtually powerless. In the North-German mid-sized and small states, as well, only the usual traditional corporate constitutions existed up until the June Revolution of 1830.

Reformen nach der Vorstellung ihrer Väter in einer Verfassungsreform finden, Preußen sollte eine gewählte Nationalversammlung erhalten.

Dazu kam es nicht – und das trotz wiederholter Versprechungen König Friedrich Wilhelms III., „der Nation eine zweckmäßig eingerichtete Repräsentation, sowohl in den Provinzen als für das Ganze zu geben, deren Rat Wir gerne benutzen."[6] Diese Ankündigung im Finanzedikt vom 27. Oktober 1810 - von Hardenberg veranlaßt - wurde in der „Verordnung über die zu bildende Repräsentation des Volks" vom 22. Mai 1815 in acht Paragraphen präzisiert.[7] Doch wie das Wirksamwerden der Bauernbefreiung und der Verwaltungsreform, so scheiterten auch Verfassung und Parlament am Widerstand der weiterhin tonangebenden altständisch-feudalen Kräfte. Auch in Preußen kam es – nach 1823 – lediglich zur Bildung von acht vom Adel beherrschten Provinziallandtagen mit äußerst beschränkten Kompetenzen. „Das Scheitern der preußischen Verfassungspolitik ist zweifellos eines der folgenschwersten Ereignisse der neueren deutschen Geschichte: Mit ihm verlor die liberale Bewegung für die Zukunft einen möglichen Rückhalt am stärksten deutschen Staat, und Preußen büßte einen großen Teil der ideellen politischen Autorität ein, die ihm die Reformen gegeben hatten."[8] Der im Jahre 1847 unter dem Druck der öffentlichen Meinung von König Friedrich Wilhelm IV. für knapp fünf Monate einberufene, weitgehend rechtlose „Vereinigte Landtag", eine Versammlung sämtlicher Mitglieder der Provinziallandtage, blieb Episode. In den norddeutschen Mittel- und Kleinstaaten gab es bis zur Juli-Revolution 1830 ebenfalls nur die gewohnten altständisch-korporativen Verfassungen.

The developments in those southern German states under Napoleon's "protecteur" patronage from 1806–1813, and belonging to the Rhine Confederation (Rheinbund), took an entirely different course. Since this time these states had to concern themselves largely with the integration of their rather variegated patch-work of territories. Taking an example from Louis XVIII's Charte constitutionelle of June 4, 1814, (where the monarch as sovereign had certain limitations imposed on him by the constitution), the constitutions thereafter were enacted almost entirely without the participation of the people. In the Duchy of Nassau, this was done as early as September 1814; in Saxe-Weimar in 1816. In 1818 the Kingdom of Bavaria and the Grand Duchy of Baden followed suit (the latter instituting a progressive election law not based on social class). In 1819, in the Kingdom of Württemberg, in contrast to all other states during the early German Constitutionalism, a constitution was formally agreed upon by King Wilhelm I and the newly-elected parliament in 1819. This was "the first real constitutional contract between a ruler and the people in the development of German constitutionalism."[9] The last state came around in 1820: the Grand Duchy of Hesse, which came into existence in 1806. In the constitutions mentioned, whose importance lay mainly in the completion of the "administrative integration" in each state through "parliamentary representative integration",[10] numerous basic rights had already been laid down: personal inviolability, equality before the law, freedom of religion and freedom of conscience. There were two ruling chambers (Zweikammersystem): in the first chamber sat the princes of the ruling dynasty, the higher nobility and the local dignitaries. In the second chamber sat the representatives of the various other groups in society, who were elected according to differing laws and proportional representation.

Joseph Görres, one of the most vehement critics of the "miserable awkward, misbegotten, misshapened constitution" of the German Confederation, and one-time Jacobin, later became a good Catholic history professor in Munich. As publisher of the Rheinischer Merkur (1814–15) the fifth column attacking Napoleonic rule, he put out the impassioned militaristic piece "Teutschland und die Revolution". In one historical-critical part, he undertook a caustic analysis of the resolutions of the Congress of Vienna and the constitutions of the individual German states. Considering the constitutional guarantee in the Act of the German Confed-

Völlig anders verlief die Entwicklung in jenen süddeutschen Staaten, die von 1806 bis 1813 unter ihrem „Protecteur" Napoleon dem „Rheinbund" angehört und seitdem um die Integration ihrer zum Teil bunt zusammengestükkelten Territorien besorgt zu sein hatten. Nach dem Vorbild der „Charte constitutionelle" Ludwigs XVIII. vom 4. Juni 1814, nach der dem Monarchen als dem Souverän durch die Verfassung gewisse Beschränkungen auferlegt waren, wurden von 1814 an – fast durchweg ohne Mitwirkung des Volkes – Verfassungen erlassen, im Herzogtum Nassau bereits im September 1814, 1816 in Sachsen-Weimar. 1818 folgten das Königreich Bayern und das Großherzogtum Baden, wo ein fortschrittliches Wahlrecht ohne ständische Gliederung eingeführt wurde, 1819 das Königreich Württemberg; dort kam es im Gegensatz zu allen anderen Ländern des deutschen Frühkonstitutionalismus zu einer von König Wilhelm I. mit den 1819 neugewählten Ständen förmlich vereinbarten Verfassung – „der erste echte Verfassungsvertrag zwischen Fürst und Volk in der Entwicklung des deutschen Konstitutionalismus."[9] Das Schlußlicht bildete 1820 das 1806 erst geschaffene Großherzogtum Hessen.

In den genannten Verfassungen, deren Bedeutung hauptsächlich in der Vervollständigung der „administrativen Integration" in jenen Staaten durch die „parlamentarisch-repräsentative Integration"[10] lag, waren bereits zahlreiche Grundrechte wie Unverletzlichkeit der Person, Gleichheit vor dem Gesetz und Glaubens- und Gewissensfreiheit festgelegt. Es herrschte das Zweikammersystem: in der ersten Kammer saßen die Prinzen des Herrscherhauses, der Hochadel sowie die Honoratioren, in der zweiten die Vertreter verschiedener anderer Gruppen der Gesellschaft, die nach unterschiedlichem Recht und Proporz gewählt wurden.

Einer der vehementesten Kritiker der „jämmerlichen, unförmlichen, mißgeborenen, ungestalteten Verfassung" des Deutschen Bundes, der ehemalige Jakobiner und spätere gutkatholische Münchener Geschichtsprofessor Joseph Görres, als Herausgeber des „Rheinischen Merkur" 1814/15 „la cinquième puissance" im Kampf gegen die Napoleonische Herrschaft, veröffentlichte 1819 in Koblenz die leidenschaftliche Kampfschrift „Teutschland und die Revolution." In einem historisch-kritischen Teil unterzog er darin die Beschlüsse des Wiener Kongresses und die Verfassungen der deutschen Einzelstaaten einer ätzenden Analyse. Im Hinblick auf die Verfassungsgarantie der Bundes-

eration of 1815, he noted, in his own picturesque language: "Article 13 was, in the beginning, a fairly proper currency. However, it was then through daily 'wear and tear' cut, scraped out and gnawed at until it was finally released into circulation in its present, featureless form. It was then so insignificant and worn out, that later, one could dare for a while to reinterpret its legend as the 'the peoples' right of expectation."[11] In the more positive part of his treatise, Görres presented an idea, which in connection with the topic of this book takes on importance: already in 1819 he suggested that Germany organize itself into a federal republic in the form of present-day America.[12]

Because of his revolutionary book, Görres (like his successors Ernst Moritz Arndt, Jahn, the father of German gymnastics, and many others) was to become one of the first victims of the so-called Demagogue Persecution which started in 1819. He was able to evade one arrest warrant, issued in Prussia, by fleeing to Strassburg. There he lived in exile until 1827.

akte von 1815 merkte er in seiner bildhaften Sprache an: „Der dreizehnte Artikel, anfangs in ziemlicher Währung ausgeprägt, dann täglich durch Kipper- und Wipperkünste beschnitten, ausgeschabt und abgenagt, war endlich in seiner gegenwärtigen Gestalt ohne Präge in den Umlauf eingetreten, so unscheinbar und abgegriffen, daß man später seine Legende in ein Erwartungsrecht der Völker eine Zeitlang umzudeuten wagen durfte."[11] Im positiven Teil seiner Abhandlung gab Görres übrigens eine Anregung, die im Zusammenhang mit dem Thema dieses Buches von besonderer Bedeutung ist: er schlägt – bereits 1819! – vor, Deutschland als einen „Bundesstaat in den Formen des amerikanischen der Gegenwart" zu organisieren.[12]

Wegen seines Revolutionsbuches wurde Görres – wie nach ihm Ernst Moritz Arndt, der „Turnvater" Jahn und viele andere – eines der ersten Opfer der sogenannten Demagogenverfolgung, die 1819 einsetzte. Einem von Preußen erlassenen Haftbefehl konnte er sich durch die Flucht nach Straßburg entziehen, wo er bis 1827 im Exil lebte.

Joseph von Görres (1776–1848)

Outstanding members of the Paulskirche Parliament: from left to right, Friedrich Ludwig Jahn (1778–1852), Ludwig Uhland (1787–1862) and Ernst Moritz Arndt (1769–1860).

Herausragende Mitglieder des Paulskirchen-Parlaments: von links nach rechts Friedrich Ludwig Jahn (1778–1852), Ludwig Uhland (1787–1862) und Ernst Moritz Arndt (1769–1860).

The "fête at the Wartburg", organized by liberal student associations in October 1817, was the first great demonstration of the national movement against Metternich's restoration politics. A small group of students built a bonfire in the inner courtyard of the Wartburg and threw the Prussian military codex into the flames, as well as such hated absolutist symbols as a plaited pigtail, a lancer's corset and a military thrashing cudgel (below).

Das „Wartburgfest" liberaler Burschenschafler im Oktober 1817 war die erste große Demonstration der nationalen Bewegung gegen die Metternichsche Restaurationspolitik. Eine kleine Gruppe von Studenten errichtete im Innenhof der Wartburg einen Scheiterhaufen und verbrannte den Codex der preußischen Gendarmerie, Zopf, Schnürleib und Korporalstock als verhaßte Symbole (Bild unten).

The first banner of the Patriotic Students, the Burschenschaft, which was also the first German flag in black, red, and gold.

Die erste Fahne der Deutschen Burschenschaft, zugleich die erste schwarz-rot-goldene Fahne Deutschlands.

Discontent with the reactionary political circumstances in the German Confederation was widespread; particularly so among students returning from the German Wars of Liberation. From 1814 on, instead of maintaining their membership in separate associatons of students coming from the same country or region, they organized themselves into affiliated student associations and thereby documented their struggle toward German unity. This national movement spread rapidly through the German universities. The public – and therefore the government as well – took notice of this movement on the occasion of the fête at the Wartburg of October 18, 1817. The Wartburg fête commemorated the 300-year anniversary of the Reformation and the anniversary of the Battle of Leipzig. It was organized by the student associations and took place in Wartburg near Eisenach (made famous by the fact that Luther had stayed there). Four hundred and sixty-eight students from upstanding Protestant universities took part in this very first political festival, organized from the ground up. Its nocturnal, unofficial part became spectacular, and was to evoke mistrust on the part of the authorities. One small group of gymnastic students burned twenty-five to thirty books of a reactionary nature (including the Code Napoleon and the German History by August von Kotzebue), as well as the hated symbols of the absolutist system: a plaited pig-tail, a Prussian lancer's corset, and an Austrian corporal's staff. This was all done in imitation of Luther's burning of a pontifical bull of excommunication in 1520.

Die Unzufriedenheit mit den reaktionären politischen Verhältnissen im Deutschen Bund war weit verbreitet, vor allem bei den aus den Befreiungskriegen zurückgekehrten Studenten, die sich von 1814 an anstelle der vormaligen studentischen Landsmannschaften als übergreifende Burschenschaften konstituierten und damit ihr Streben nach deutscher Einheit dokumentierten. Diese nationale Bewegung breitete sich an den deutschen Universitäten rasch aus. Die Öffentlichkeit – und damit auch die Regierungen – wurde auf sie aufmerksam aus Anlaß des „Wartburgfestes" vom 18. Oktober 1817, einer von den Burschenschaften veranstalteten Gedenkfeier zur 300jährigen Wiederkehr der Reformation und zum Jahrestag der Völkerschlacht bei Leipzig auf der durch Luthers Aufenthalt berühmt gewordenen Wartburg bei Eisenach. 468 Studenten aus vornehmlich protestantischen Universitätsstädten nahmen an diesem ersten „von unten" organisierten politischen Fest teil, dessen nächtlicher inoffizieller Teil spektakulär werden und obrigkeitliches Mißtrauen hervorrufen sollte: eine kleine Gruppe von Turner-Studenten verbrannte in Nachahmung von Luthers Verbrennung der päpstlichen Bannbulle im Jahre 1520 etwa 25 bis 30 als reaktionär geltende Bücher, darunter den „Code Napoléon" und eine „Deutsche Geschichte" von August von Kotzebue, dazu die verhaßten Symbole des absolutistischen Systems: einen Zopf, einen preußischen Ulanenschnürleib und einen österreichischen Korporalstock.

Die Ermordung des erfolgreichen Lustspieldichters und russischen Agenten Kotzebue durch den Theologiestudenten Karl Ludwig Sand, der dem radikalen Kreis der Bur-

The murder of the dramatist August von Kotzebue (1761–1819), who had published poetry ridiculing the liberal movement, by the radical Karl Ludwig Sand, member of a student "Burschenschaft", provided the pretext for to the so-called "suppression of demagogues" (the Carlsbad decrees against liberalism), which deprived the unification movement of any legal basis and caused the emigration of many of its adherents. Kotzebue's plays, today all but forgotten, once enjoyed immense popularity in post-revolutionary America.

Die Ermordung des Dramatikers August von Kotzebue (1761–1819), der Spottgedichte auf die liberale Bewegung veröffentlicht hatte, durch den radikalen Burschenschaftler Karl Ludwig Sand war der äußere Anlaß für die sogenannte „Demagogenverfolgung", die der Einigungsbewegung die legale Basis entzog und viele ihrer Anhänger zur Auswanderung veranlaßte. Kotzebue, der heute fast Vergessene, war übrigens einer der meistgespielten Autoren auf den deutschamerikanischen Bühnen des 19. Jahrhunderts.

The theology student Karl Ludwig Sand (who had close ties to the radical council of student associations and the Jena lawyer Karl Follen) murdered the successful comedy playwrighter and Russian agent Kotzebue.

This provided Prince Metternich the admittedly welcome excuse for imposing extensive repressive measures against national, liberal, and democratic opposition. Authored by the governments of Austria, Prussia, Hanover, Saxony, Mecklenburg, Nassau, Bavaria, Baden and Württemberg, the infamous Carlsbad Decrees of November 20, 1819 meant: a preventive censorship of the press for all publications of less than three hundred and twenty pages, restrictions on the freedom of opinion, a ban on the student associations and the suspension of politically "unreliable" academics. A special Central Investigations Commission in Mainz had the job of making inquiries into "revolutionary activities and demagogic associations." This agency worked until 1828 with great success. The demagogic persecution was truly underway. "Here, with drastic and long-lasting effect, there unfolded the dialectics of violence and counterviolence." [13] Not only representatives of the national movement became victims of the demagogic persecution, but also leading liberals, the likes of the famous Heidelberg lawyer Karl Theodor Welker (in 1848, an outstanding member of the National Assembly). Together with Karl von Rotteck, he was one of the leaders of the liberal opposition in the second chamber in Baden. Together they published the newspaper Der Freisinnige (The Freethinker), and between 1834 and 1843, in 15 volumes, the famous Staats-Lexicon oder Enzyklopädie der Staatswissenschaften – the standard work on German liberalism of the time. The model for the constitutional ideas of the liberals of the Vormärz (the time period between 1815 and the March 1848 revolution in Germany) came from French political theorist Charles de Secondat Montesquieu's teachings on the separtion of powers. Much different from the slowly emerging democratic-republican powers, the idea of sovereignty of the people, and free general elections was still foreign to the older liberalism.

schenschaften um den Jenenser Juristen Karl Follen nahestand, lieferte Fürst Metternich den eingestandenermaßen willkommenen Vorwand zu umfangreichen Repressivmaßnahmen gegen nationale, liberale und demokratische Oppositionelle. Die berüchtigten „Karlsbader Beschlüsse" vom 20. September 1819, gefaßt von den Regierungen Österreichs, Preußens, Hannovers, Sachsens, Mecklenburgs, Nassaus, Bayerns, Badens und Württembergs, verordneten eine präventive Pressezensur für alle Druckerzeugnisse von weniger als 320 Seiten, Einschränkungen der Meinungsfreiheit, ein Verbot der Burschenschaften und die Suspendierung politisch „unzuverlässiger" Akademiker vom Amt. Eine außerordentliche Zentral-Untersuchungskommission in Mainz hatte „revolutionären Umtrieben und demagogischen Verbindungen" nachzuforschen – eine Behörde, die bis 1828 äußerst erfolgreich arbeitete. Die Demagogenverfolgung war voll im Gang. „Mit durchgreifender und langanhaltender Wirkung bis 1848 entfaltete sich hier die Dialektik von Gewalt und Gegengewalt."[13]

Opfer der Demagogenverfolgung wurden nicht nur Vertreter der nationalen Bewegung, sondern auch führende Liberale wie etwa der bekannte Heidelberger Jurist Karl Theodor Welcker – 1848 dann ein herausragendes Mitglied der Nationalversammlung. Mit Karl von Rotteck war er einer der Führer der liberalen Opposition in der zweiten badischen Kammer; zusammen gaben sie die Zeitung „Der Freisinnige" und von 1834 bis 1843 in 15 Bänden das berühmte „Staats-Lexikon oder Encyklopädie der Staatswissenschaften" heraus – das Standardwerk des damaligen deutschen Liberalismus. Vorbild für die verfassungspolitischen Ideen der Liberalen des Vormärz war der französische Staatstheoretiker Charles de Secondat Montesquieu mit seiner Lehre von der Gewaltenteilung. Anders als den langsam erstarkenden demokratisch-republikanischen Kräften war dem älteren Liberalismus der Gedanke an Volkssouveränität und allgemeine und freie Wahlen noch fremd.

The July Revolution and its Implications

The opposition movement was given fresh impetus by the July 1830 revolution in France, where Charles X, with the abolition of freedom of press, the dissolution of the chambers, and the changing of election laws, violated the 1814 charter. This provoked the revolution and his abdication. The unrest spread quickly throughout all of Europe. Belgium was particularly affected. It was struggling toward independence from the Netherlands and for its own constitution with a proclamation of sovereignty of the people and basic rights. Poland (where the uprising of 1830/31 had been squashed, the constitution abolished and the country brutally Russified), Portugal, Spain and Italy were also strongly affected. All freedom-lovers sympathized with the fate of Poland, particularly the German liberals. Their friendship with Poland should have become a similarly impelling element of the opposition, as did Philhellenism during and after the Greek War of Independence (1821–29). As a consequence of the July Revolution, unrest broke out in Germany. This was particularly so in the northern German states, where the constitutionalism of 1814–1820, where forms of parliamentary life which had been gradually taking shape, slipped away without a trace. In Braunschweig, Duke Karl II had, for years, already led a scandalous absolutist government, which ended abruptly with his expulsion, and the appointment of his brother Wilhelm as Duke and the establishment of a constitution in 1832.

Die Juli-Revolution und ihre Auswirkungen

Neuen Auftrieb erhielten die oppositionellen Bewegungen 1830 von der Juli-Revolution in Frankreich, wo Karl X. mit der Aufhebung der Pressefreiheit, der Auflösung der Kammer und der Änderung des Wahlgesetzes die Charte von 1814 verletzt und so die Revolution und damit seine Abdankung provoziert hatte. Die Unruhe griff rasch auf ganz Europa über. Namentlich betroffen waren Belgien, das sich seine Unabhängigkeit von den Niederlanden und eine eigene Verfassung mit der Proklamation von Volkssouveränität und Grundrechten erkämpfte, Portugal, Spanien, Italien und Polen, wo der Aufstand von 1830/31 von Rußland niedergeworfen, die Verfassung aufgehoben und das Land brutal russifiziert wurde. Am Schicksal Polens nahmen alle Freiheitsliebenden, besonders auch die deutschen Liberalen teil, deren Polenfreundschaft ein ähnlich treibendes Element der Opposition werden sollte wie der Philhellenismus während und nach dem griechischen Unabhängigkeitskampf 1821-29.
Als Folge der Juli-Revolution brachen in Deutschland vor allem in den norddeutschen Ländern, an denen der Konstitutionalismus der Jahre 1814-20 mit seinen sich allmählich ausprägenden Formen parlamentarischen Lebens spurlos vorübergegangen war, Unruhen aus: In Braunschweig führte Herzog Karl II. seit Jahren schon ein skandalöses absolutistisches Regiment, das dann 1830 abrupt mit seiner Vertreibung, der Einsetzung seines Bruders Wilhelm als

Contemporary handbill about the Polish fight for liberty.

Zeitgenössisches Flugblatt zum polnischen Freiheitskampf.

In the Electorate of Hessen, Elector Wilhelm II and the parliament agreed in 1831 upon what was "relatively the most progressive variety of early German constitutionalism yet".[14] It was heavily influenced by Sylvester Jordan, also a victim of the demagogue persecution and later a Frankfurt parliamentarian. Somewhat less progressive was the constitution of September, 1831, in the Kingdom of Saxony. The same is true for Hanover, where in 1833 the king signed a state constitutional law, developed mostly by Friedrich Christoph Dahlmann, who was later also a leading Forty-Eighter (a revolutionary of the year 1848). In 1837, when the sixty-six year old Ernst August became King of Hanover (which ended the 123-year-long personal union between England and Hanover), a blatant breach of the constitution occurred. The king illegally abolished the established constitution. The famed Göttingen Seven courageously protested against this action. This group consisted of lawyer Wilhelm Eduard Albrecht, historians Dahlmann and Georg Gottfried Gervinus, orientalist Heinrich Ewald, German philologists Jacob and Wilhelm Grimm and physicist Wilhelm Eduard Weber. They declared to the university that the 1833 constitution, by which they took their oath, was still valid for them. This was the cause for their dismissal in December of 1837. It was only after many years that they were able to find new positions in other states in the German Confederation.

Herzog und der Gewährung einer konstitutionellen Verfassung (1832) endete. In Kurhessen vereinbarte Kurfürst Wilhelm II. mit dem Landtag 1831 eine stark von Sylvester Jordan – auch er ein Opfer der Demagogenverfolgung, später Frankfurter Parlamentarier – beeinflußte Verfassung, „die relativ fortschrittlichste des deutschen Frühkonstitutionalismus überhaupt."[14] Weniger fortschrittlich fiel die Verfassung vom September 1831 im Königreich Sachsen aus, was auch für Hannover gilt, wo der König erst 1833 ein weitgehend von Friedrich Christoph Dahlmann – auch er später ein führender Achtundvierziger – erarbeitetes Staatsgrundgesetz unterzeichnete. Als im Jahre 1837 der 66-jährige Ernst August König von Hannover wurde und damit die 123 Jahre während Personalunion zwischen England und Hannover beendete, kam es zum eklatanten Verfassungsbruch: der König hob die 1833 geschaffene Verfassung rechtswidrig auf, ein Schritt, gegen den die dadurch berühmt gewordenen „Göttinger Sieben" couragiert protestierten: der Jurist Wilhelm Eduard Albrecht, die Historiker Dahlmann und Georg Gottfried Gervinus, der Orientalist Heinrich Ewald, die Germanistenbrüder Jacob und Wilhelm Grimm und der Physiker Wilhelm Eduard Weber gaben universitätsintern die Erklärung ab, daß für sie die Verfassung von 1833, auf die sie vereidigt worden waren, nach wie vor gültig sei – worauf sie im Dezember 1837 entlassen wurden. Erst nach Jahren fanden sie fast alle in anderen Ländern des Deutschen Bundes wieder eine Anstellung.

The "Göttingen Seven"

Die Göttinger Sieben

At the right: The July Revolution of 1830 in Paris, which deposed Charles X and led to the accession of the "citizen king" Louis Philippe, sparked a resurgence of nationalistic and liberal movements on the entire continent. There was rioting in several German cities, and a formidable popular insurrection in Warsaw. Many European countries proclaimed sympathy with the Polish cause but none came to its aid, enabling Russia to crush the uprising in the following year. The 1830 revolution at Brussels, however, succeeded in winning independence for Belgium from the Netherlands and the pig-headed Dutch king, William I.

Rechts: Die Pariser Juli-Revolution des Jahres 1830, durch die Karl X. vertrieben wurde und der „Bürgerkönig" Louis Philippe an die Macht kam, führte in ganz Europa zu einer Wiederbelebung der nationalen und liberalen Ideen. In mehreren deutschen Städten kam es zu Unruhen, in Warschau zu einer Volkserhebung. Die übrigen europäischen Länder ergriffen für die polnische Sache Partei, leisteten jedoch keine Hilfe, so daß der Aufstand im folgenden Jahr von Rußland niedergeschlagen werden konnte. Erfolgreich verlief die Revolution in Belgien, das seine Unabhängigkeit von den Niederlanden errang.

Landung in Algier d. 14. Juni.

Einzug des Herzog von Orleans als General-Verweser v. Frankreich in d. Stadthaus. d. 31. Juli.

Abreise Karl X. v. Rambouillet den 3. Aug.

Aufstandt in Brüssel den 28. Septem.

Die denkwürdigsten Tage
des Jahres 1830.
GEDÄCHTNISSTAFEL
in 12. Tableaux.
Nürnberg in der J. A. Endterischen Handlung.

Vertheidigung des Parks in Brüssel, den 23.–27. Sept.

Aufstandt in Leipzig d. 4. Septemb.

Zerstörung d. Polizeyhauses z. Dresden d. 9. Sept.

Ruinen d. Schlosses v. Braunschweig d. 8. Sept.

Scene in der grossen Woche in Paris den 29. Juli.

Demolirung d. Licentamts in Hanau 22. Sept.

Bombardement von Antwerpen, den 27. October.

Aufstand in Warschau, den 26. November.

Zug auf das Schloß Hambach am 27ten May 1832.

The Hambach Celebration and its Consequences

Das Hambacher Fest und die Folgen

While the northern German states were still occupied with their constitutional reforms, a grandiose demonstration of the German opposition was taking place in the much more liberal south: "the first public political meeting in recent German history" (Theodor Heuss).[15] At the end of May of 1832, more than 30,000 participants came together at the ruins of Hambach Castle near Neustadt an der Haardt, in those days an astronomical number. It was an "all-German celebration" – simply called the Hambach Celebration – and was attended by democrats, liberals, and members of the forbidden student associations. The celebration took place at the invitation of the German Press and Fatherland Association (Deutscher Press- und Vaterlandsverein), which was founded by journalists Johann Jacob Siebenpfeiffer and Johann August Wirth for encouragement of German unity under a democratic-republican constitution. As one of the keynote speakers, Wirth toasted, among other things, the "united free states of Germany" and "confederated republican Europe". Siebenpfeiffer, who, like Wirth, was brought to court in Landau as one of the initiators, prophesied during his defense speech: "The future will show that Europe is as suitable as America to be a true republican community."[16] Such revolutionary noises immediately resulted in the police-state-like repressive measures of the German Confederation. In June and July of the same year, it responded with the "six", or rather "ten" articles, through which the already meager freedom of the press, freedom of association and freedom of demonstration were fully supressed. The Central Investigations Commisson of 1819 experienced a gleeful revival. It became especially active after an attack against the Federal Assembly in April of 1833, which went down in German history as the "storming of the guard" (Frankfurter Wachensturm). Students, mostly from the student associations, stormed the Frankfurt main guard with the intent of taking the Federal Assembly members prisoner. The putsch failed when the expected solidarity of the Frankfurt citizenry did not materialize. Many of the participants received what were, in part, Draconian punishments. The Confederation responded with new repressive measures, which this time were laid down in sixty articles during the Conferences of Vienna of June 1834.

Noch während die norddeutschen Staaten mit ihrer Verfassungsreform beschäftigt waren, fand im weitaus liberaleren Süden eine großartige Kundgebung der deutschen Opposition, „die erste politische Volksversammlung der neueren deutschen Geschichte" (Theodor Heuss)[15] statt: das „Allerdeutschenfest" auf der Ruine des Hambacher Schlosses bei Neustadt an der Haardt, kurz „Hambacher Fest" genannt, zu dem sich Ende Mai 1832 mehr als 30 000 Teilnehmer, Demokraten, Liberale und Mitglieder der verbotenen Burschenschaften, zusammenfanden – eine für damalige Verhältnisse riesige Anzahl von Teilnehmern. Das Fest kam auf Einladung des „Deutschen Preß- und Vaterlandsvereines" zustande, einer von den Journalisten Johann Jacob Siebenpfeiffer und Johann August Wirth gegründeten Vereinigung zur Förderung der deutschen Nationaleinheit unter einer demokratisch-republikanischen Verfassung. Als einer der Hauptredner ließ Wirth unter anderem die „vereinigten Freistaaten Deutschlands" und das „konföderierte republikanische Europa" hochleben. Und Siebenpfeiffer, wie Wirth als einer der Initiatoren in Landau vor Gericht gestellt, prophezeite in seiner Verteidigungsrede: „Die Zukunft wird zeigen, daß Europa so geeignet wie Amerika für echt republikanische Gemeinwesen" sei.[16] Solche revolutionäre Töne riefen umgehend die polizeistaatlichen Repressivmaßnahmen des Deutschen Bundes hervor. Im Juni und Juli noch des gleichen Jahres reagierte er mit den „sechs" bzw. „zehn" Artikeln, durch die die ohnedies nicht üppige Presse-, Vereins- und Versammlungsfreiheit gänzlich unterdrückt wurde. Die Zentral-Untersuchungskommission von 1819 erlebte fröhliche Urständ; sie wurde besonders aktiv nach einer als „Frankfurter Wachensturm" in die deutsche Geschichte eingegangenen Aktion gegen den Bundestag im April 1833: Studenten vornehmlich aus den Burschenschaften stürmten die Frankfurter Hauptwache in der Absicht, die Bundestagsgesandten festzunehmen. Der Putsch scheiterte, da es zur erwarteten Solidarisierung der Frankfurter Bevölkerung nicht kam. Viele der Beteiligten erhielten zum Teil drakonische Strafen. Der Bund reagierte mit neuen Unterdrückungsmaßnahmen, die auf den Wiener Konferenzen vom Juni 1834 in diesmal 60 Artikeln niedergelegt wurden.

View of the Paulskirche at Frankfurt am Main during a session of the first German parliament, the Frankfurt National Assembly, in 1848.

Innenansicht der Paulskirche zu Frankfurt am Main während einer Sitzung des ersten deutschen Parlaments, der sogenannten Frankfurter Nationalversammlung im Jahre 1848.

II

The Reichsverfassung (Imperial Constitution) of 1849 and its American "Model"

Die Reichsverfassung von 1849 und ihr amerikanisches „Vorbild"

The 1848 Revolution

Die Revolution von 1848

In the course of the 1830s, alongside the dominant governing conservatism and the oppositional liberalism, a democratic republican movement came into being. Its representatives had been forced to flee to other countries (to avoid the persecutions of the Metternich era), and operate in exile. One example of this is the "Bund der Geächteten" (Federation of Outlaws) in Paris, which was a secret association of German trade apprentices, students, clerks and journalists. One of its members, Jakob Venedey, took part in the "Hambach Celebration", and later became one of the leftist leaders in the Frankfurt Parliament. Naturally, with the dawning of the 1848 revolution, they were able to become active in their homeland as well. An example of this activity was the Offenbach assembly of radical democrats in September 1847, under the leadership of Baden lawyers Friedrich Hecker and Gustav von Struve. There they demanded, among other things, the nullification of the reactionary Carlsbad, Frankfurt and Vienna resolutions of, respectively, 1819, 1831 / 32 and 1834, the reinstitution of freedom of the press and freedom of instruction, abolition of privileges and, "representation of the people in the German Confederation". On February 12, 1848, Friedrich Daniel Bassermann (prominent member of the second chamber in Baden) submitted his famed "Petition for a Representation of the People in the Confederation." Therein he referred to the development of North America, "whose form, in so many ways, can be compared to ours."[17] Likewise in February, a massive people's assembly took place in Bassermann's home city of Mannheim, during which Struve called for "the long awaited fulfillment of the just demands of the people." After the February-Revolution in France, the insecure German rulers were, for the time being, more than willing to fulfill the "March demands"; particularly so in view of the ever increasing frequency of people's assemblies and demonstrations in March, and the veritable outbreak of the revolution in Berlin and Vienna.

Im Lauf der dreißiger Jahre bildete sich allmählich neben dem staatstragenden Konservativismus und dem oppositionellen Liberalismus eine demokratische und republikanische Bewegung heraus, deren Vertreter vor den Verfolgungen der Metternichschen Ära häufig ins Ausland auswichen und von dort aus agierten, wie etwa der „Bund der Geächteten" in Paris, ein Geheimbund deutscher Handwerksgesellen, Studenten, Kaufmannsgehilfen und Journalisten. Eines seiner Mitglieder, Jakob Venedey, war Teilnehmer des Hambacher Festes und später einer der Führer der Linken im Frankfurter Parlament. Im Vorfeld der Februar-Revolution von 1848 konnten sie freilich dann auch schon in der Heimat aktiv werden, so im September 1847 auf der Offenburger Versammlung radikaler Demokraten unter Führung von Friedrich Hecker und Gustav von Struve, zwei badischen Anwälten. Dort forderten sie u.a. die Aufhebung der reaktionären Karlsbader, Frankfurter und Wiener Beschlüsse von 1819, 1831/32 und 1834, die Wiederherstellung der Presse- und Lehrfreiheit, die Abschaffung von Privilegien und eine „Vertretung des Volks beim deutschen Bunde". Am 12. Februar 1848 stellte auch Friedrich Daniel Bassermann, prominentes Mitglied der zweiten badischen Kammer, dort seinen berühmt gewordenen „Antrag auf Volksvertretung am Bunde". Dabei verwies der Redner auf die Entwicklung Nordamerikas, „dessen Gestaltung mit der unsrigen so vielfach verglichen werden kann".[17] Ebenfalls im Februar fand in Bassermanns Wohnort Mannheim eine große Volksversammlung statt, auf der Struve „die endliche Erfüllung der gerechten Forderungen des Volkes" reklamierte.

Nach der französischen Februar-Revolution waren die total verunsicherten deutschen Fürsten zunächst nur zu bereit, angesichts der im März nunmehr sich häufenden Volksversammlungen und Demonstrationen und des förmlichen Ausbruchs der Revolution in Berlin und Wien diese „Märzforderungen" zu erfüllen: die Einführung konstitutioneller

The March Demands called for the establishment of a constitutional system of government, the summoning of a National Assembly, the right to bear arms, trial by jury, and the appointment of liberal "March Ministers". At this time the events followed hot on the heels of one another: In Heidelberg, 51 members of the individual chambers, liberals and democrats alike, came together at the beginning of March to discuss the institution of a German National Parliament. They named a seven-member commission to make arrangements for a preliminary parliament. The latter met from March 31 until April 5 in the Paulskirche (St. Paul's Church) in Frankfurt, under the chairmanship of Heidelberg law professor Carl Mittermaier. On May 18, 1848, the Convention of the German National Assembly met. It was chosen through a general election by secret ballot. The nation rejoiced. Its main purpose, as seen by the parliamentarians, was to develop and pass a constitution for the Deutsches Reich (German Empire) being contemplated.

The Constitutional Accomplishments at the Paulskirche

It is no coincidence that this Imperial Constitution had, in structure and content, so many characteristics similar to those of the American model (the Constitution of the Union of September 17, 1787). It is still considered to be exemplary. In the Frankfurt Parliament, there were many prominent lawyers and historians who were very familiar with American constitutional realities. Nassau diplomat Hans Christoph von Gagern (father of the president of the National Assembly, Heinrich von Gagern), was one of the first in Germany to call attention to the Federal Constitution of the North American Republic in 1813. Baden politician Robert von Mohl, a respected liberal lawyer, was a member of the Paulskirche Assembly in 1848/49 and imperial Minister of Justice. He took a precise look at the legal foundation of the American government in his unfinished work of 1824 "Das Bundes-Staatsrecht der Vereinigten Staaten von Nord-Amerika" (The Federal Constitutional Laws of the United States of America). Ten years later, Georg Heinrich Engelhard published "the Constitutions of the United States of North America", in two parts. With this, the "sources" were now accessible in the German language.

At the beginning of the thirties, Baden liberal Rotteck (one of the publishers of the Staats-Lexikon, and in 1832, one of the many victims of the Demagogue Persecutions) praised

Regierungssysteme, die Einberufung einer Nationalversammlung, Pressefreiheit, Volksbewaffnung, Schwurgerichte und die Berufung liberaler „Märzminister". Die Ereignisse überschlugen sich nun: in Heidelberg kamen Anfang März 51 Mitglieder einzelner Ständekammern, Liberale und Demokraten, zusammen, um über die Schaffung eines Deutschen Nationalparlamentes zu beraten. Sie beriefen einen Siebener-Ausschuß zur Vorbereitung eines „Vorparlamentes", das dann schließlich vom 31. März bis zum 5. April in der Frankfurter Paulskirche unter dem Vorsitz des Heidelberger Juraprofessors Carl Mittermaier tagte. Am 18. Mai 1848 trat dort dann unter dem Jubel der Nation die aus allgemeinen und geheimen Wahlen hervorgegangene „Konstituierende Deutsche Nationalversammlung", das Frankfurter Parlament, zusammen. Als eine ihrer Hauptaufgaben betrachteten die Parlamentarier die Beratung und Verabschiedung einer Verfassung für das in Aussicht genommene Deutsche Reich.

Die Verfassungsarbeit der Paulskirche

Daß diese bis heute beispielhafte Reichsverfassung in Aufbau und Inhalt auf weite Strecken von ihrem amerikanischen Vorbild, der Unionsverfassung vom 17. September 1787, geprägt war, kam nicht von ungefähr. Gehörten doch dem Frankfurter Parlament zahlreiche prominente Juristen und Historiker an, die seit langem schon mit der amerikanischen Verfassungswirklichkeit vertraut waren. Als einer der ersten in Deutschland wies vor ihnen der nassauische Diplomat Hans Christoph von Gagern, der Vater des Präsidenten der Nationalversammlung, Heinrich von Gagerns, bereits 1813 auf die Bundesverfassung der nordamerikanischen Freistaaten hin. Der hochangesehene liberale Jurist und badische Politiker Robert von Mohl, 1848/49 Mitglied der Paulskirchenversammlung und Reichsjustizminister, gab dann 1824 in seinem unvollendeten Werk „Das Bundes-Staatsrecht der Vereinigten Staaten von Nord-Amerika" einen präzisen Überblick über die gesetzlichen Grundlagen des amerikanischen Staatswesens. Zehn Jahre später legte Georg Heinrich Engelhard „Die Verfassungen der Vereinigten Staaten Nordamerikas" in zwei Teilen vor - damit waren die Quellen auch in deutscher Sprache zugänglich. Der badische Liberale Rotteck - einer der Herausgeber des „Staats-Lexikons" und 1832 eines der vielen Opfer der Demagogenverfolgung - pries zu Beginn der

the United States as "The noblest, the most wonderfully flourishing, the most hopeful and most well-endowed polity in the world". "Spread by the writings of Rotteck, this ideal of American freedom made an impression all the way into the radical circles of the March Revolution."[18] Rotteck's colleague in parliament, Welcker, wrote enthusiastically: "Of all the Federal Constitutions in the world, there has never been one more perfect, nor better thought out, nor more precisely in accordance with the highest principles and needs than that of North America."[19]

Along with an abundance of travel reports and emigré literature[20], Alexis de Tocqueville's fundamental work De la Democratie en Amerique (volume one, published in 1835; volume two, in 1840) had the greatest effect on the German public. It was written after his travels in America, was translated into German as early as 1836 by Friedrich August Rüder and was reviewed several times by Robert von Mohl. The book was responsible for the author's reputation as a classical, political scholar, and for his later membership of the Academie Francaise. It offered a clear-sighted analysis of the governmental-legal structure of the United States, its principles of sovereignty of the people and equal opportunity, as well as their advantages and dangers.

De Tocqueville was also one of the authorities referred to, in addition to Jefferson, Hamilton, Joseph Story, James Kent and others, during the conferences on the Frankfurt Constitution. They began in July 1848. "The negotiations ... demonstrated in many instances, that for the first time a feeling of a community destiny had developed between the Germans and the people of the North American Union."[21] It is, however, clear that the North American was not the only model used. Much more, the constitutional provisions of Belgium, England, Norway and Switzerland were discussed. Members of the constitutional commission, such as Mohl, Welcker, and most of all Mittermaier and Johann Ludwig Tellkampf, were bona fide experts on American constitutional law (Tellkampf had been a professor of political science from 1834 – 46 in New York), and used their expertise to pointedly debate during commission meetings. This is valid as well for the longtime Prussian envoy to Washington, Friedrich Ludwig von Rönne. He demanded that: "during the development of the German Federal Constitution" one must "allow the American Federal Constitution to serve as ideal and example."[22] It was, however, perfectly clear to all the eulogists of this "example" – with the exception of those radical democrats who uncompromisingly voted for a German Republic – that, in view of the entirely different political situation in Germany, a direct adoption of the American Constitution was out of the question.

dreißiger Jahre die Vereinigten Staaten als „das edelste, herrlichst aufblühende, hoffnungs- und segensreichste Gemeinwesen der Welt". „Von den Schriften Rottecks verbreitet, wirkte dieses Wunschbild amerikanischer Freiheit weiter bis in die radikalen Kreise der Märzrevolution."[18] 1834 schwärmte Rottecks Parlamentskollege Welcker: „Von allen Bundesverfassungen der Welt aber war wohl nie irgendeine vollkommener, naturgemäßer besser abgewogen, genauer den höchsten Grundsätzen und Bedürfnissen entsprechend als die nordamerikanische."[19]

Neben einer Fülle von populären Reiseberichten und der umfangreichen Auswandererliteratur[20] wirkte auf die deutsche Öffentlichkeit vor allem Alexis de Tocquevilles 1835 nach einer Amerikareise erschienenes grundlegendes Werk „De la Démocratie en Amérique" (Band 1; Band 2 erschien 1840), das schon 1836 von Friedrich August Rüder ins Deutsche übersetzt und von Robert von Mohl mehrfach rezensiert wurde. Das Buch, das seinem Autor sogleich den Ruf eines klassischen politischen Schriftstellers und später die Mitgliedschaft in der Académie Française eintrug, bietet eine hellsichtige Analyse der staatlich-rechtlichen Struktur der Vereinigten Staaten mit ihren Prinzipien der Volkssouveränität und Chancengleichheit sowie ihrer Vorzüge und Gefahren.

Tocqueville gehörte denn auch – neben Jefferson, Hamilton, Joseph Story, James Kent und vielen anderen – zu den Autoritäten, auf die man sich während der Beratungen der Verfassung in Frankfurt berief. Sie begannen im Juli 1848. „Die Verhandlungen ... zeigen an vielen Stellen, daß damals zuerst das Gefühl einer Lebens- und Schicksalsgemeinschaft zwischen dem deutschen und dem Volke der nordamerikanischen Union entstand."[21] Dabei versteht es sich von selbst, daß nordamerikanische Verhältnisse nicht ausschließlich als Vorbild dienten. Vielmehr waren auch belgische, englische, norwegische und schweizerische Verfassungsbestimmungen im Gespräch. Kompetente Mitglieder des Verfassungsausschusses wie Mohl, Welcker und vor allem Mittermaier und Johann Ludwig Tellkampf, der von 1834 bis 1846 als Professor für Staatswissenschaften in New York gewirkt hatte, waren ausgewiesene Kenner des amerikanischen Verfassungsrechtes; sie brachten ihre Kenntnisse gezielt in die Ausschußsitzungen und Debatten ein. Das gilt auch für Friedrich Ludwig von Rönne, den langjährigen preußischen Gesandten in Washington; er forderte, man müsse „bei der Bildung der deutschen Bundesverfassung die amerikanische Bundeskonstitution als Muster und Vorbild dienen lassen".[22] Dabei war allen Lobrednern dieses „Vorbildes" - mit Ausnahme jener radikalen Demokraten, die kompromißlos für eine deutsche

"The basic rights of the German people" of December 1848.

„Die Grundrechte des deutschen Volkes" vom Dezember 1848.

Just how widespread the interest in the American "model" was, outside of parliament, can be seen in two examples: in the year of the revolution of 1848/49 alone, there were at least ten German editions of the American Federal Constitution on the market; Also, during the democratic assemblies, the "Old Glory" justifiably shared equal status with the German "Tricolor".

Republik votierten – durchaus klar, daß eine direkte Übernahme angesichts der völlig verschiedenen politischen Situation in Deutschland ausgeschlossen war. Wie sehr aber der Gedanke an das „Beispiel" Amerika auch außerhalb des Parlamentes verbreitet war, mag ein Hinweis darauf verdeutlichen, daß allein im Revolutionsjahr 1848/49 mindestens zehn deutsche Ausgaben der nordamerikanischen Bundesverfassung auf den Markt kamen – so wie, nota bene, auch das Sternenbanner bei den Versammlungen der Demokraten neben der Trikolore einen durchaus gleichberechtigten Platz einnahm.

A number of the 19th-century books mentioned in the text were among the almost 500,000 volumes destroyed during the war when the State Library in Munich was bombed. Tocqueville's "On Democracy in America" survived the conflagration.

Unter den annähernd 500.000 Büchern, die im Krieg in der bayerischen Staatsbibliothek in München verbrannten, waren auch einige der im Text erwähnten Titel aus dem vergangenen Jahrhundert. Tocquevilles „De la Démocratie en Amérique" überstand jene Jahre.

The American Constitution was to be both "a model for the German Federal State aspired to, and, at the same time an example for the constituent structure of the future German Federal Constitution".[23] Even in the "Constitutional Rights of the German People," of December 1848, which received preliminary approval, it is not difficult to recognize, beside the Belgian, also American influences. The American realization of the separation of church and state was specifically referred to in the discourse on freedom of religion (Articles III and V of the Constitutional rights). This was accepted both on the side of the extreme leftist and by the "ultramontanists". These constitutional rights, summarized in 14 Articles, were later inserted in the Imperial Constitution as Section VI. They guaranteed, in exemplary manner, the Imperial civil rights. The provisions and their corresponding articles are as follows: freedom of movement and freedom of emigration (Article I); abolition of the aristocracy, class equality and universal male conscription (Article II); personal inviolability, abolition of the death sentence and privacy of letters (Article III); freedom of the press (Article IV); full freedom of religion and freedom of conscience (Article V); freedom of scientific study and instruction as well as choice of profession (Article VI); the right to petition (Article VII); freedom of assembly and association (Article VIII); the right to own property (Article IX); state jurisdiction (Article X); community self-government (Article XI); constitutions with people's representatives in each individual state (Article XII); the rights of non-German minorities to use their own language in church, school and administration of justice (Article XIII); as well as the protection of Germans in foreign countries (Article XIV). "These constitutional rights reflect the bitter experiences of the age of reaction with a clarity which still shines today."[24]

In the Imperial Constitution, at long last signed, the unmistakable imprints of the American model are particularly visible in the provisions on the Empire and the Imperial Government, in the article on the individual states, and the article on the legislative rights of the Empire. It was signed on March 28, 1849, after months of tedious negotiations. It dealt in seven lengthy chapters with: "The Empire", "The Imperial Government", "The Imperial Leader", "The Reichstag" (Imperial Diet), "The Imperial Court", "The Constitutional Rights of the German People" and the "Granting of a Constitution".

Die amerikanische Verfassung wurde sowohl „Muster des für Deutschland erstrebten Bundesstaates und zugleich Vorbild für den konstitutionellen Aufbau der künftigen deutschen Bundesverfassung".[23] Selbst in den im Dezember 1848 vorab verabschiedeten „Grundrechten des deutschen Volkes" lassen sich neben belgischen auch amerikanische Einflüsse nachweisen. Namentlich in der Debatte über Religionsfreiheit (Artikel III bzw. V der Grundrechte) berief man sich auf die in Amerika verwirklichte Unabhängigkeit der Kirche vom Staat – und das sowohl auf Seiten der äußersten Linken als auch bei den „Ultramontanen". Diese in 14 Artikel zusammengefaßten Grundrechte wurden als Abschnitt VI später in die Reichsverfassung eingefügt. Sie garantierten auf beispielhafte Weise das Reichsbürgerrecht, die Freizügigkeit und die Auswanderungsfreiheit (Artikel I), die Abschaffung des Adels und die Gleichheit der Stände, die Wehrpflicht für alle (Artikel II), die Unverletzlichkeit der Person, die Abschaffung der Todesstrafe, das Briefgeheimnis (Artikel III), die Pressefreiheit (Artikel IV), die volle Glaubens- und Gewissensfreiheit (Artikel V), die Freiheit von Wissenschaft und Lehre sowie der Berufswahl (Artikel VI), das Petitionsrecht für alle (Artikel VII), Versammlungs- und Vereinsfreiheit (Artikel VIII), das Eigentumsrecht (Artikel IX), die staatliche Gerichtsbarkeit (Artikel X), die kommunale Selbstverwaltung (Artikel XI), Verfassungen mit Volksvertretung in allen Einzelstaaten (Artikel XII), die Rechte nichtdeutscher Minderheiten auf ihre eigene Sprache in Kirche, Schule und Rechtspflege (Artikel XIII) sowie den Schutz der Deutschen im Ausland (Artikel XIV). „Diese Grundrechte fassen die bitteren Erfahrungen des Menschenalters der Reaktion mit einer Klarheit zusammen, die noch in unsere Tage hineinleuchtet."[24]

In der am 28. März 1849 nach monatelangen, oft schleppenden Verhandlungen endlich unterzeichneten Reichsverfassung – sie behandelte in sieben großen Abschnitten „Das Reich", „Die Reichsgewalt", „Das Reichsoberhaupt", den „Reichstag", „Das Reichsgericht", „Die Grundrechte des deutschen Volkes" und „Die Gewähr der Verfassung" – tragen die maßgeblichen Bestimmungen der Abschnitte über das Reich und die Reichsgewalt, die Artikel über die Stellung der Einzelstaaten und das Gesetzgebungsrecht des Reiches unverkennbar die Züge ihres amerikanischen Vorbildes.

"Panorama of Europe in August, 1849": after the failure of the revolutions and reform attempts the previous year, the counterrevolution now dominates the picture. German freedom-fighters are shown being swept by the Prussian/clerical reactionaries into Switzerland and France, from where Louis ships them off to America. The peoples of Austria and Hungary try in vain to restrain the Habsburg feudal regime, while, in the rest of Europe – see Warsaw – the light has already gone out. Trade flourishes in Queen Victoria's England; in Denmark, the king triumphs. But in Frankfurt a parliamentary scarecrow grows stunted, while Reverend Beer-Mug snoozes away in Munich. (Lithography by F. Schroeder)

„Rundgemaelde von Europa im August 1849": Nach dem Scheitern der Revolutionen und Reformversuche des Vorjahrs beherrscht die Konterrevolution das Bild. Deutsche Freiheitskämpfer werden von der preußisch-klerikalen Reaktion in die Schweiz und nach Frankreich gekehrt, von wo sie Louis Bonaparte nach Amerika verschifft. Die Völker Österreichs und Ungarns versuchen vergebens, dem habsburgischen Feudalregime in den Arm zu fallen, während im übrigen Europa – siehe Warschau – das Licht schon ausgegangen ist. In England floriert unter Königin Victoria der Handel, in Dänemark triumphiert der König. In Frankfurt aber verkümmert eine parlamentarische Vogelscheuche, und in München döst ein pfäffischer Bierseidel. (Lithographie von F. Schroeder)

Angehörige von Freiwilligenkorps und Mitglieder paramilitärischer Turnvereine beteiligten sich an den Aufständen im Juni 1849 in Rhein-hessen. Preußische Truppen, befehligt vom Bruder des Königs – er wurde später Prinzregent und als Wilhelm I. König und Kaiser –, hatten bald den letzten Widerstand der Freiheitskämpfer in Südwest-deutschland gebrochen.

Members of volunteer-corps and of paramilitary gymnastic clubs ("Turners") participating in the insurrections in Rhenish Hesse in June, 1849. Prussian troops under the command of the king's brother (who later became prince regent, then king and emperor as Wilhelm I) soon broke the resistance of the last of the freedom-fighters in south-western Germany.

"Friedr. Hecker's Departure from Strasburg on his Way to America": a popular print (from the Friedrich Gustav May Publishing House), portraying the almost cultic reverence that was showered on Hecker by sym-pathizers of the Revolution of '48.

„Friedr. Hecker's Abschied in Strasburg auf seiner Reise nach Amerika": eine populäre Druckgraphik aus dem Verlag von Friedrich Gustav May in Frankfurt, die die beinahe kultische Verehrung belegt, die Hecker bei den Sympathisanten der 48er-Revolution genoß.

Baden irregulars led into imprisonment by Prussian troops. "Illu-strierte Zeitung", 1849.

Badische Freischärler werden von preußischen Truppen in die Gefan-genschaft abgeführt. „Illustrierte Zeitung", 1849.

Friedrich Hecker (1811–1881)   Carl Schurz (1829–1906)

Gesetz-Sammlung
für die
Königlichen Preußischen Staaten.

Nr. 3.

(Nr. 3212.) Verfassungs-Urkunde für den Preußischen Staat. Vom 31. Januar 1850.

Wir Friedrich Wilhelm, von Gottes Gnaden, König von Preußen ꝛc. ꝛc.

thun kund und fügen zu wissen, daß Wir, nachdem die von Uns unterm 5. Dezember 1848. vorbehaltlich der Revision im ordentlichen Wege der Gesetzgebung verkündigte und von beiden Kammern Unseres Königreichs anerkannte Verfassung des preußischen Staats der darin angeordneten Revision unterworfen ist, die Verfassung in Uebereinstimmung mit beiden Kammern endgültig festgestellt haben.

Wir verkünden demnach dieselbe als Staatsgrundgesetz, wie folgt:

Titel I.
Vom Staatsgebiete.

Artikel 1.

Alle Landestheile der Monarchie in ihrem gegenwärtigen Umfange bilden das preußische Staatsgebiet.

Artikel 2.

Die Gränzen dieses Staatsgebiets können nur durch ein Gesetz verändert werden.

Titel II.
Von den Rechten der Preußen.

Artikel 3.

Die Verfassung und das Gesetz bestimmen, unter welchen Bedingungen die Eigenschaft eines Preußen und die staatsbürgerlichen Rechte erworben, ausgeübt und verloren werden.

Jahrgang 1850. (Nr. 3212.)   3   Ar=

Ausgegeben zu Berlin den 2. Februar 1850.

Artikel 115.

Bis zum Erlasse des im Art. 72. vorgesehenen Wahlgesetzes bleibt die Verordnung vom 30. Mai 1849., die Wahl der Abgeordneten zur zweiten Kammer betreffend, in Kraft.

Artikel 116.

Die noch bestehenden beiden obersten Gerichtshöfe sollen zu einem Einzigen vereinigt werden. Die Organisation erfolgt durch ein besonderes Gesetz.

Artikel 117.[1]

Auf die Ansprüche der vor Verkündigung der Verfassungs-Urkunde etatsmäßig angestellten Staatsbeamten soll im Staatsdienergesetz besondere Rücksicht genommen werden.

Artikel 118.

Sollten durch die für den deutschen Bundesstaat auf Grund des Entwurfs vom 26. Mai 1849. festzustellende Verfassung Abänderungen der gegenwärtigen Verfassung nöthig werden, so wird der König dieselben anordnen und diese Anordnungen den Kammern bei ihrer nächsten Versammlung mittheilen.

Die Kammern werden dann Beschluß darüber fassen, ob die vorläufig angeordneten Abänderungen mit der Verfassung des deutschen Bundesstaats in Uebereinstimmung stehen.

Artikel 119.

Das im Artikel 54. erwähnte eidliche Gelöbniß des Königs, so wie die vorgeschriebene Vereidigung der beiden Kammern und aller Staatsbeamten, erfolgen sogleich nach der auf dem Wege der Gesetzgebung vollendeten gegenwärtigen Revision dieser Verfassung (Artikel 62. und 108.).

Urkundlich unter Unserer Höchsteigenhändigen Unterschrift und beigedrucktem Königlichen Insiegel.

Gegeben Charlottenburg, den 31. Januar 1850.

(L. S.)   **Friedrich Wilhelm.**

Graf v. Brandenburg.   v. Ladenberg.   v. Manteuffel.   v. Strotha.
v. d. Heydt.   v. Rabe.   Simons.   v. Schleinitz.

Redigirt im Büreau des Staats-Ministeriums.

Berlin, gedruckt in der Deckerschen Geheimen Ober-Hofbuchdruckerei.

In early 1850 the revised draft of the Prussian constitution imposed on December 5, 1848, was published in the statute-book of the Royal Prussian States. It was based on the progressive blueprint, "Charte Waldeck", without adopting its radical nature. In relation to the older constitution of southern Germany, it had made considerable progress. It was, however, also aimed at opposing the Imperial Constitution of 1849.

Anfang 1850 erschien in der „Gesetz-Sammlung für die Königlichen Preußischen Staaten" die revidierte Fassung der oktroyierten preußischen Verfassung vom 5. Dezember 1848, die ihrerseits auf einen fortschrittlichen Entwurf, die „Charte Waldeck", zurückging, deren Radikalität sie aber nicht übernahm. Sie stellte gegenüber den älteren konstitutionellen Verfassungen Süddeutschlands einen erheblichen Fortschritt dar – war aber auch gegen die Reichsverfassung von 1849 gerichtet.

Bundes-Gesetzblatt
des
Norddeutschen Bundes.

№ 1.

(Nr. 1.) **Publikandum.** Vom 26. Juli 1867.

Wir Wilhelm, von Gottes Gnaden König von Preußen ꝛc. thun kund und fügen hiermit im Namen des Norddeutschen Bundes zu wissen:

Nachdem die Verfassung des Norddeutschen Bundes von Uns, Seiner Majestät dem Könige von Sachsen, Seiner Königlichen Hoheit dem Großherzoge von Hessen und bei Rhein, Seiner Königlichen Hoheit dem Großherzoge von Mecklenburg-Schwerin, Seiner Königlichen Hoheit dem Großherzoge von Sachsen-Weimar-Eisenach, Seiner Königlichen Hoheit dem Großherzoge von Mecklenburg-Strelitz, Seiner Königlichen Hoheit dem Großherzoge von Oldenburg, Seiner Hoheit dem Herzoge von Braunschweig und Lüneburg, Seiner Hoheit dem Herzoge von Sachsen-Meiningen, Seiner Hoheit dem Herzoge zu Sachsen-Altenburg, Seiner Hoheit dem Herzoge zu Sachsen-Koburg und Gotha, Seiner Hoheit dem Herzoge von Anhalt, Seiner Durchlaucht dem Fürsten zu Schwarzburg-Rudolstadt, Seiner Durchlaucht dem Fürsten zu Schwarzburg-Sondershausen, Seiner Durchlaucht dem Fürsten zu Waldeck und Pyrmont, Ihrer Durchlaucht der Fürstin und Seiner Durchlaucht dem Fürsten Reuß älterer Linie, Seiner Durchlaucht dem Fürsten Reuß jüngerer Linie, Seiner Durchlaucht dem Fürsten von Schaumburg-Lippe, Seiner Durchlaucht dem Fürsten zur Lippe, dem Senate der freien und Hansestadt Lübeck, dem Senate der freien Hansestadt Bremen, dem Senate der freien und Hansestadt Hamburg, mit dem zu diesem Zwecke berufenen Reichstage vereinbart worden, ist dieselbe in dem ganzen Umfange des Norddeutschen Bundesgebietes, wie folgt:

Bundes-Gesetzbl. 1867.   Ver-

Ausgegeben zu Berlin den 1. August 1867.

---

unter dem 25. Juni d. J. verkündet worden und hat am 1. Juli d. J. die Gesetzeskraft erlangt.

Indem Wir dies hiermit zur öffentlichen Kenntniß bringen, übernehmen Wir die Uns durch die Verfassung des Norddeutschen Bundes übertragenen Rechte, Befugnisse und Pflichten für Uns und Unsere Nachfolger in der Krone Preußen.

Wir befehlen, dieses Publikandum durch das Bundesgesetzblatt des Norddeutschen Bundes zu veröffentlichen.

Urkundlich unter Unserer Höchsteigenhändigen Unterschrift und beigedrucktem Königlichen Insiegel.

Gegeben Bad Ems, den 26. Juli 1867.

(L. S.)   **Wilhelm.**

Gr. v. Bismarck-Schönhausen.

(Nr. 2.) **Allerhöchster Erlaß vom 14. Juli 1867.**, betreffend die Ernennung des Präsidenten des Staatsministeriums und Ministers der auswärtigen Angelegenheiten, Grafen von Bismarck-Schönhausen, zum Bundeskanzler des Norddeutschen Bundes.

In Ausführung der Bestimmungen der Verfassung des Norddeutschen Bundes (IV. Art. 15. und 17.) ernenne Ich Sie hierdurch zum Bundeskanzler des Norddeutschen Bundes.

Bad Ems, den 14. Juli 1867.

Wilhelm.

v. Mühler.   Gr. zur Lippe.

An den Präsidenten des Staatsministeriums und Minister der auswärtigen Angelegenheiten, Grafen von Bismarck-Schönhausen.

(Nr. 3.)

The Constitution of the North German Confederation (created after the German War of 1866), was strongly influenced by Bismarck. It was agreed upon by governments of the German states involved (Prussia and those north of the Main) at the Constituent North German Reichstag on April 16 – 17, 1867. It was published on July 26 in the "Bundes-Gesetzblatt des Norddeutschen Bundes" (Federal Law-Gazette of the Northern German Confederation).

Die stark von Bismarck geprägte Verfassung des nach dem Deutschen Krieg von 1866 geschaffenen Norddeutschen Bundes wurde von den Regierungen der beteiligten Staaten – Preußen und die nördlich des Mains gelegenen deutschen Länder – am 16./17. April 1867 mit dem konstituierenden Norddeutschen Reichstag vereinbart und am 26. Juli im „Bundes-Gesetzblatt des Norddeutschen Bundes" veröffentlicht.

III

The Failure of the Imperial Constitution and Developments through 1867

Das Scheitern der Reichsverfassung und die Entwicklung bis 1867

The Prussian Constitution of 1848-50 - The Erfurt Union - Constitutional Conflict

Die preußische Verfassung von 1848/50 - Erfurter Union - Verfassungskonflikt

While the development of the imperial Constitution was still going on in Frankfurt, the course for the failure of Paulskirche was being set in Prussia. On December 5, 1848, King Friedrich Wilhelm IV enacted a separate constitution for Prussia, which, in comparison with the older Southern German constitutions, seems quite progressive. The same is true of its revised version of January 31, 1850. It was, however, clearly conceived as a constitution "which should break with the democratic, liberal revolution; it was purposely opposed to the Frankfurt Imperial Constitution".[25] The tenacious struggle in deciding between "Great Germany" (including Austria) and "Little Germany" (excluding Austria) regarding the future configuration of Germany ended - not without provocation of Austria by the imposition of a Central State Constitution on March 4, 1849 - in a "Little Germany" victory, and the election of Friedrich Wilhelm IV as Emperor. Wilhelm, however, rejected the election on the grounds that: "Subjects cannot appoint a King."[26] The fate of the first German National Assembly was thereby sealed. The parliament finally dissolved in April and May of 1849. A Rumpfparlament (token parliament) of undaunted democrats still met until mid-June of 1849 in Stuttgart. It was finally demolished by the Württemberg military.

The Frankfurt Imperial Constitution was adopted by 28 small German states on April 14, 1849, but was not put into practice anywhere. In association with the princes of those states and the Kings of Saxony and Hanover, with whom he had reached an understanding in the form of a Three Kings Alliance, on May 26, the Prussian King attempted a "Little German" answer to the national question based on a Union of Princes. A "Union Parliament" was convened in Erfurt in 1850. They developed a constitution which was based on that of Frankfurt whose democratic elements, however, were to be expunged.

Noch während man aber in Frankfurt die Reichsverfassung beriet, waren in Preußen bereits die Weichen für das Scheitern der Paulskirche gestellt. Am 5. Dezember 1848 erließ König Friedrich Wilhelm IV. eine eigene Verfassung für Preußen, die - auch in ihrer revidierten Form vom 31. Januar 1850 - im Vergleich zu den älteren süddeutschen Konstitutionen als fortschrittlich erscheint, aber doch ausdrücklich als Verfassung konzipiert war, „die mit der demokratischen und liberalen Revolution brechen sollte, sie war bewußt der Frankfurter Reichsverfassung entgegengesetzt".[25]

Das zähe Ringen der Paulskirche um eine großdeutsche (mit Österreich) oder kleindeutsche Lösung (ohne Österreich) der zukünftigen Gestaltung Deutschlands endete - nicht zuletzt provoziert von der am 4. März 1849 in Österreich oktroyierten Zentralstaatsverfassung - mit einem Sieg der „Kleindeutschen" und der Wahl Friedrich Wilhelms IV. zum deutschen Kaiser, der diese Wahl jedoch ablehnte - denn: „Untertanen können keine Krone vergeben."[26] Damit war auch das Schicksal der ersten deutschen Nationalversammlung besiegelt: das Parlament löste sich im April und Mai 1849 allmählich auf; ein „Rumpfparlament" unerschrockener Demokraten tagte bis Mitte Juni 1849 noch in Stuttgart. Es wurde schließlich durch württembergisches Militär gesprengt.

Die Frankfurter Reichsverfassung wurde am 14. April 1849 von 28 deutschen Kleinstaaten übernommen - praktisch wirksam wurde sie jedoch nirgends. Im Verein mit den Fürsten dieser Staaten und den Königen von Sachsen und Hannover, mit denen er sich am 26. Mai in einem Dreikönigsbündnis verständigt hatte, versuchte der preußische König eine kleindeutsche Lösung der nationalen Frage auf der Grundlage einer Fürstenunion. Ein 1850 nach Erfurt einberufenes „Unionsparlament" beriet eine Verfassung, die sich an der Frankfurter orientieren, deren demokratische Ele-

The Prussian Union politics failed due to the decisive resistance from the, by this time, powerful man in Austria, Prince Felix von Schwarzenberg. Supported by Russia, he brought about the liquidation of the Erfurt Union in the Olmütz Agreement of November 29, 1850. He thereby demonstrated Prussia's weakness and intensified Austrian-Prussian rivalry. The German Confederation was restored. The political situation in Germany after the unsuccessful revolution was similar to that of 1815. Its triumphs were quickly nullified and its democratic representatives were forced to emigrate (some, like the Forty-Eighters, Friedrich Hecker, Gottfried Kinkel and Carl Schurz, went to the United States). The newly set up political parties were persecuted and repressed in time-honored manner. The consequence, after all, was the abolition of the hard fought for Paulskirche Constitutional Rights (August 23, 1851) and its immediate replacement by a "Reaction Committee", whose task it was to watch over liberal states like Baden. In the end, the state parliaments had gained in power, compared to the Vormärz.

This was also true for the Prussian house of representatives (as well as the Herrenhaus or Upper Chamber). As declared in Article 62 of the constitution of 1850, these two houses were equally responsible for legislation and the drawing up of a budget. "The concurrence of the King and both houses is necessary for the passing of any law."[27] This stipulation became a focal point of Prussian politics. Shortly after Wilhelm I ascended the throne in 1861, the King and the house of representatives could not agree on a budget. It was to include military reforms deemed urgent after the experiences from the Italian war of 1859. The Liberal Party, particularly the Progressive Party, opposed the desires of the King and War Minister, Albrecht von Roon, to maintain the three-year compulsory military service. The Liberal Party feared that the passing of a military reform bill would mean a strengthening of the King's power and rejected the bill. This brought about a constitutional conflict which lent its name, "Time of Conflict", to the period from 1861–1866. The already anticipated abdication of the King was prevented by Otto von Bismarck's appointment as Minister-President in 1862. Bismarck determined budgets without approval of the parliament. With the introduction of universal male suffrage, in place of the Prussian voting system based on three social classes, Bismarck even planned to break the progressive majority of the house of representatives.

After his foreign policy victories (especially after the Prussian victory over Austria in the battle of Königgrätz in 1866), he obtained the retroactive approval of state spending from 1862 onward, through the so-called Law of Indemnity. This

mente aber ausmerzen sollte. Die preußische Unionspolitik scheiterte an dem entschiedenen Widerstand des nunmehr starken Mannes in Österreich, an dem Fürsten Felix von Schwarzenberg, der – unterstützt von Rußland – in der „Olmützer Punktation" vom 29. November 1850 die Liquidation der Erfurter Union durchsetzte, so Preußens Schwäche demonstrierte und die österreichisch-preußische Rivalität verschärfte. Der Deutsche Bund wurde wiederhergestellt; die politischen Verhältnisse in Deutschland nach der gescheiterten Revolution ähnelten denen von 1815: die Reaktion hatte über die Revolution vollständig gesiegt, ihre Errungenschaften wurden schleunigst wieder aufgehoben, ihre demokratischen Repräsentanten in die Emigration getrieben – z.T. in die Vereinigten Staaten wie die „Forty-Eighter" Friedrich Hecker, Gottfried Kinkel und Carl Schurz – und die gerade erst entstandenen politischen Parteien nach bewährtem Muster verfolgt und unterdrückt. Konsequent war da schließlich die Aufhebung der in der Paulskirche so heiß erstrittenen Grundrechte am 23. August 1851 und die gleichzeitige Einsetzung eines „Reaktionsausschusses", der liberale Staaten wie Baden zu überwachen hatte. Lediglich die Landesparlamente hatten im Vergleich zum Vormärz an Bedeutung gewonnen.

So auch das Preußische Abgeordnetenhaus, dem – ebenso wie dem Herrenhaus – nach Artikel 62 der Verfassung von 1850 bei der Gesetzgebung und der Aufstellung des Haushaltsplanes volle Gleichberechtigung eingeräumt war: „Die Übereinstimmung des Königs und beider Kammern ist zu jedem Gesetz erforderlich."[27] Diese Bestimmung rückte ins Zentrum preußischer Politik, als nach der Thronbesteigung Wilhelms I. im Jahre 1861 sich König und Abgeordnetenhaus im Zusammenhang mit der nach den Erfahrungen des Italienischen Krieges von 1859 dringlichen Heeresreform nicht auf einen Etat einigen konnten, da die liberale Partei, namentlich die neue Fortschrittspartei, sich dem Wunsch Wilhelms und des Kriegsministers Albrecht von Roon nach Beibehaltung der dreijährigen Militärdienstzeit widersetzte. Die Liberalen befürchteten nach der Durchführung der Heeresreform einen Machtzuwachs für den König und lehnten die Vorlage ab. So kam es zum Verfassungskonflikt, der der Zeit von 1861 bis 1866 als der „Konfliktszeit" seinen Namen gab. Die schon in Aussicht genommene Abdankung des Königs konnte im Oktober 1862 durch die Berufung Otto von Bismarcks zum Ministerpräsidenten abgewendet werden. Bismarck setzte die Etats ohne Zustimmung des Parlamentes fest; er plante sogar, mit der Einführung des allgemeinen statt des in Preußen bestehenden Dreiklassenwahlrechtes die fortschrittliche Mehrheit des Abgeordnetenhauses zu brechen. Nach

struggle "made clear that the days of absolute monarchy, and manipultion of the make-up of the people's representation were over".[28]

Prussian-Austrian Dualism – The German-Danish War of 1864

In Austria, defeat against Sardinia and France in Italy's war of unification in 1859 led to the abandonment of neo-absolutism. After the appointment of former Frankfurt Parliament member and Imperial Minister of the Interior, Anton Ritter von Schmerling, as Minister of State in December of 1860, the Austrian government started decisively along the path toward constitutionalism. It began with the enactment of the so-called February Patent; the constitutional law of February 26, 1861. It divided the power between the Crown and the Reichsrat, which consisted of a house of representatives and an Upper Chamber. Of course the Croatians, the Tyroleans, the Czechs and the Hungarians boycotted it, and the Patent had to be suspended in 1865. Nevertheless, it remained the basis of Austrian constitutional life up until 1918. Since Bismarck had come into office, Austria and Prussia's cooperation with each other over the years became more of a struggle against one another for predominance in Germany. This tendency was expecially crassly displayed in the way Bismarck ruined Schmerling's plans in 1863 for a federal reform with the installation of a directorate of princes and an advisory parliament. Bismarck achieved this by convincing King Wilhelm I not to attend the Fürstentag in Frankfurt (called by Emperor Franz Joseph). It was during this meeting in August of 1863 that Schmerling's plan was to be debated. Thus his plans were thwarted.

Once again Austria and Prussia acted together under Bismarck in the German-Danish War of 1864. In 1863, Danish King Christian IX, ignoring the Treaty of London of 1852, enacted a constitution which included the Duchy of Schleswig. The German Confederation, Prussia and Austria, raised objection to the incorporation of Schleswig into the Danish Empire. Denmark, however, ignored them.

As a result, Prussian-Austrian troops pushed across the Eider on February 1, 1864. On April 18, under Prince Friedrich

seinen außenpolitischen Erfolgen, zumal nach dem Sieg Preußens über Österreich in der Schlacht bei Königgrätz 1866 erlangte er durch das sogenannte Indemnitätsgesetz die nachträgliche Billigung für die Staatsausgaben seit 1862. Dieser Streit aber „hatte doch deutlich gemacht, daß die Zeit monarchischer Alleinherrschaft und [der] Manipulationen mit der Zusammensetzung der Volksvertretung vorüber war".[28]

Der preußisch-österreichische Dualismus – Deutsch-Dänischer Krieg von 1864

In Österreich führte die Niederlage gegen Sardinien und Frankreich im Italienischen Einigungskrieg von 1859 zur Aufgabe des Neoabsolutismus. Nach der Ernennung des ehemaligen Mitglieds des Frankfurter Parlamentes und Reichsinnenministers Anton Ritter von Schmerling zum Staatsminister im Dezember 1860 betrat die österreichische Regierung mit Erlaß des sogenannten Februarpatentes, des Verfassungsgesetzes vom 26. Februar 1861, entschieden den Weg zum Konstitutionalismus: es teilte die gesetzgebende Gewalt zwischen der Krone und dem aus Abgeordneten- und Herrenhaus bestehenden Reichsrat – der dann freilich von den Kroaten, Tirolern, Tschechen und Ungarn boykottiert wurde, so daß das Patent 1865 wieder suspendiert werden mußte. Gleichwohl blieb es die Grundlage des österreichischen Verfassungslebens bis 1918.

Aus dem Miteinander Preußens und Österreichs wurde im Lauf der Jahre, verstärkt seit Bismarcks Amtsantritt, mehr und mehr ein Gegeneinander im Ringen um die Vorherrschaft in Deutschland. Das zeigte sich besonders kraß in der Art, wie Bismarck 1863 Schmerlings Plan einer Bundesreform mit Einrichtung eines Fürstendirektoriums und eines beratenden Parlamentes zum Scheitern brachte: er überredete König Wilhelm I. dem von Kaiser Franz Joseph einberufenen Frankfurter Fürstentag, auf dem im August 1863 dieser Plan erörtert wurde, einfach fern zu bleiben und so Schmerlings Reformvorhaben zu vereiteln.

Noch einmal vereint agierten Österreich und Preußen unter der Regie Bismarcks im Deutsch-Dänischen Krieg von 1864. Als der dänische König Christian IX. 1863 unter Mißachtung des Londoner Protokolls von 1852 eine auch das Herzogtum Schleswig einschließende Verfassung erließ, erhoben der Deutsche Bund, Preußen und Österreich gegen diese Einverleibung Schleswigs in das dänische Reich Einspruch, den Dänemark jedoch unbeachtet ließ.

Karl, the Prussians stormed the Düppeler Schanzen of 1849 fame. The losses were heavy, but it was an enormously prestigious success for Prussia, their first big victory since the Wars of Liberation. In October, Denmark had to transfer Schleswig, Holstein and Lauenburg to Prussia and Austria in the Vienna peace treaty.

The German War of 1866 – The North German Confederation

The joint administration of these long disputed Duchies on the Elbe caused the conflicts between Austria and Prussia to flare anew. They could have been able, once more, to settle their differences, in the Treaty of Gastein in 1865, which guaranteed Austria the administration of Holstein, and Prussia that of Schleswig (then giving Lauenburg to Prussia in exchange for financial compensation). Then came, however, the final break-up. Prussia demanded a German Federal Reform with the introduction of a German parliament, resulting from direct, general elections by secret ballot, eventually excluding Austria. As Austria finally called upon the Bundestag to make a decision on the Schleswig-Holstein question, Prussia declared this a breach of the Treaty of Gastein. Its troops marched into Holstein, without waiting for a decision, and declared its secession from the German Confederation. Austria petitioned the Confederation to mobilize. Prussia saw this as a declaration of war. All this started the German War of 1866, which, as a fratricidal war, was extremely unpopular with the German public. Prussia, Italy and 17 small Northern German allies stood against Austria with twelve states loyal to the Confederation. In the deciding battle of Königgrätz, on July 3, the Prussian army, under the leadership of Helmuth von Moltke - whose tactic was "march separately, attack together" - decimated the Austrians, led by Ludwig von Benedek. The final result of the war of 1866, which ended with a preliminary peace on July 26, in Nikolsburg, was drastic. It brought about the dissolution of the German Confederation; the extrusion of Austria from Germany; the annexation of Schleswig, Holstein, Hanover, Kurhessen, Nassau and the city of Frankfurt by Prussia; and the formation of a Northern German Confederation consisting of the German states north of the Main River, under the leadership of Prussia.

Daraufhin rückten am 1. Februar 1864 preußisch-österreichische Truppen über die Eider vor. Am 18. April stürmten die Preußen unter dem Prinzen Friedrich Karl in einem kurzen Angriff unter schweren Verlusten die schon seit 1849 legendären Düppeler Schanzen - ein ungeheurer Prestigeerfolg für Preußen, das damit seinen ersten großen Sieg seit den Befreiungskriegen errungen hatte. Im Oktober mußte Dänemark im Frieden von Wien Schleswig, Holstein und Lauenburg an Preußen und Österreich abtreten.

Der Deutsche Krieg von 1866 – Norddeutscher Bund

Die gemeinsame Verwaltung eben dieser lange schon umstrittenen Elbherzogtümer ließ die Gegensätze zwischen Österreich und Preußen erneut aufbrechen. Konnten sie im Vertrag von Gastein 1865, der Österreich die Verwaltung Holsteins, Preußen die Schleswigs zusicherte und Lauenburg gegen finanzielle Entschädigung zu Preußen schlug, noch einmal ausgeglichen werden, so kam es endgültig zum Bruch, als Preußen eine deutsche Bundesreform mit Einführung eines deutschen Parlamentes, hervorgegangen aus allgemeinen, direkten und geheimen Wahlen, zuletzt unter Ausschluß Österreichs, forderte. Als schließlich Österreich in der schleswig-holsteinischen Frage den Bundestag zur Entscheidung anrief, erklärte Preußen dies als einen Bruch des Gasteiner Vertrages, ließ seine Truppen - ohne einen Bundesspruch abzuwarten - in Holstein einmarschieren und erklärte seinen Austritt aus dem Deutschen Bund. Dieser ließ auf Antrag Österreichs mobil machen, was Preußen als Kriegserklärung ansah. So kam es zum Deutschen Krieg von 1866, der - als „Bruderkrieg" - in der deutschen Öffentlichkeit äußerst unpopulär war. Preußen stand mit Italien und siebzehn kleineren norddeutschen Verbündeten Österreich mit zwölf bundestreuen Staaten entgegen. In der entscheidenden Schlacht bei Königgrätz am 3. Juli schlug die preußische Armee unter Helmuth von Moltke nach dessen Taktik „getrennt marschieren, vereint schlagen" die Österreicher unter Ludwig August von Benedek vernichtend. Das Ergebnis des Krieges von 1866, der am 26. Juli mit dem Vorfrieden von Nikolsburg beendet wurde, war einschneidend: die Auflösung des Deutschen Bundes, das Ausscheiden Österreichs aus Deutschland, die Annexion Schleswigs, Holsteins, Hannovers, Kurhessens, Nassaus und der Stadt Frankfurt am Main durch Preußen und die Bildung des

Prussian deployment near Düppel in April 1864.
Preußische Stellungen vor Düppel im April 1864.

Prussian troops storming Entrenchment No. 5 in Düppel on April 18, 1864.

Die Erstürmung der Schanze V in Düppel am 18. April 1864 durch die preußischen Truppen (oben rechts).

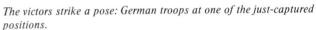

The victors strike a pose: German troops at one of the just-captured positions.
Die Sieger in Positur: Bundestruppen in einer der kurz zuvor eroberten Stellungen.

The Seven Weeks' War of 1866:   Der deutsche Krieg 1866:

On July 3, 1866, the Prussian forces engaged those of the lesser German states led by the Austrian army in the decisive battle of Sadowa (Königgrätz).

Am 3. Juli 1866 trafen die Truppen Preußens und des deutschen Bundes unter Führung Österreichs in der Schlacht von Königgrätz aufeinander.

After the battle, King Wilhelm I of Prussia decorated his son Friedrich with the medal "Pour le Merite."

Nach der Schlacht zeichnet König Wilhelm I. von Preußen seinen Sohn Friedrich mit dem Orden „Pour le Merite" aus.

97

The Northern German Constituent Reichstag, chosen in general elections by secret ballot, in compliance with the progressive Imperial Election Law of 1849, met on February 24, 1867. It was to develop a constitutional draft for the Northern German Confederation which had been mostly worked out by Bismarck and his cronies. Right from the beginning it was designed to allow for the possible entry of the southern states, and tried to unite the hegemonial with the federative principle. The catalog of basic rights from 1848/49 was missing. Attempts at adopting at least the constitutional right of freedom of religion failed. The constitution was adopted by the Reichstag on April 16, 1867, and went into effect on July 1. It stipulated in 79 articles: the size of the federal territory; the procedure for imperial legislation; the composition of the Bundesrat (a committee of government representatives, patterned on the old Bundestag); the role of the presidency, which was taken over by the King of Prussia, as the hereditary Federal President. It was then his task to appoint the Federal Chancellor as solely responsible minister; as well as to hold direct, general elections by secret ballot of the Reichstag, which, together with the Bundesrat, was to make federal legislation.

The Federal Constitution was adopted after the founding of the Empire in 1871, as the Constitution of the German Empire, with only slight modifications. Similar to the later Weimar Constitution and Basic Law of the Federal Republic of Germany, it was unmistakably based on the extensive preparations of the diligent Frankfurt Parliament. They, therefore, follow the tradition of the "example of all examples"[29]: the U.S. Constitution of September 17, 1787.

Norddeutschen Bundes aus den nördlich der Mainlinie gelegenen deutschen Staaten unter Preußens Führung.

Der Norddeutsche Konstituierende Reichstag, gewählt nach allgemeinem, gleichem und geheimem Wahlrecht gemäß dem progressiven Reichswahlgesetz von 1849, trat am 24. Februar 1867 zusammen, um zunächst den weitgehend von Bismarck und „seinen Leuten" erarbeiteten Entwurf einer Verfassung für den Norddeutschen Bund zu beraten, der von vornherein auf einen möglichen Beitritt der süddeutschen Staaten hin angelegt war und das hegemoniale mit dem föderativen Prinzip zu verbinden suchte. Der Grundrechtskatalog von 1848/49 fehlte; Versuche, wenigstens das Grundrecht der religiösen Freiheit in die Verfassung aufzunehmen, scheiterten. Die am 16. April 1867 im Reichstag angenommene und am 1. Juli in Kraft getretene Verfassung regelte unter anderem in 79 Artikeln den Umfang des Bundesgebietes, die Handhabung der Reichsgesetzgebung, die Zusammensetzung des Bundesrates - einer dem alten Bundestag nachempfundenen Versammlung von Regierungsvertretern -, die Rolle des Präsidiums, das der König von Preußen als erblicher Bundespräsident übernahm, der wiederum den Bundeskanzler als allein verantwortlichen Minister zu ernennen hatte, sowie die allgemeinen, direkten und geheimen Wahlen zum Reichstag, der zusammen mit dem Bundesrat die Bundesgesetzgebung ausüben sollte.

Mit nur geringfügigen Modifikationen wurde die Bundesverfassung nach der Reichsgründung 1871 als Verfassung des Deutschen Reiches übernommen. Diese wie dann später auch die Weimarer Verfassung und das Grundgesetz der Bundesrepublik Deutschland beruhen unverkennbar auf den umfangreichen Vorarbeiten des so fleißigen Frankfurter Parlamentes - und sie stehen damit auch in der Tradition des „Beispiels aller Beispiele"[29], der amerikanischen Unionsverfassung vom 17. September 1787.

Bundes-Gesetzblatt
des
Deutschen Bundes.

№ 16.

(Nr. 628.) Gesetz, betreffend die Verfassung des Deutschen Reichs. Vom 16. April 1871.

Wir Wilhelm, von Gottes Gnaden Deutscher Kaiser, König von Preußen ꝛc.

verordnen hiermit im Namen des Deutschen Reichs, nach erfolgter Zustimmung des Bundesrathes und des Reichstages, was folgt:

§. 1.

An die Stelle der zwischen dem Norddeutschen Bunde und den Großherzogthümern Baden und Hessen vereinbarten Verfassung des Deutschen Bundes (Bundesgesetzbl. vom Jahre 1870. S. 627. ff.), sowie der mit den Königreichen Bayern und Württemberg über den Beitritt zu dieser Verfassung geschlossenen Verträge vom 23. und 25. November 1870. (Bundesgesetzbl. vom Jahre 1871. S. 9. ff. und vom Jahre 1870. S. 654. ff.) tritt die beigefügte

Verfassungs-Urkunde für das Deutsche Reich.

§. 2.

Die Bestimmungen in Artikel 80. der in §. 1. gedachten Verfassung des Deutschen Bundes (Bundesgesetzbl. vom Jahre 1870. S. 647.), unter III. §. 8. des Vertrages mit Bayern vom 23. November 1870. (Bundesgesetzbl. vom Jahre 1871. S. 21. ff.), in Artikel 2. Nr. 6. des Vertrages mit Württemberg vom 25. November 1870. (Bundesgesetzbl. vom Jahre 1870. S. 656.), über die Einführung der im Norddeutschen Bunde ergangenen Gesetze in diesen Staaten bleiben in Kraft.

Die dort bezeichneten Gesetze sind Reichsgesetze. Wo in denselben von dem Norddeutschen Bunde, dessen Verfassung, Gebiet, Mitgliedern oder Staaten, Indigenat, verfassungsmäßigen Organen, Angehörigen, Beamten, Flagge u. s. w. die Rede ist, sind das Deutsche Reich und dessen entsprechende Beziehungen zu verstehen.

Bundes-Gesetzbl. 1871.   19   Das-

Ausgegeben zu Berlin den 20. April 1871.

Dasselbe gilt von denjenigen im Norddeutschen Bunde ergangenen Gesetzen, welche in der Folge in einem der genannten Staaten eingeführt werden.

§. 3.

Die Vereinbarungen in dem zu Versailles am 15. November 1870. aufgenommenen Protokolle (Bundesgesetzbl. vom Jahre 1870. S. 650. ff.), in der Verhandlung zu Berlin vom 25. November 1870. (Bundesgesetzbl. vom Jahre 1870. S. 657.), dem Schlußprotokolle vom 23. November 1870. (Bundesgesetzbl. vom Jahre 1871. S. 23. ff.), sowie unter IV. des Vertrages mit Bayern vom 23. November 1870. (a. a. O. S. 21. ff.) werden durch dieses Gesetz nicht berührt.

Urkundlich unter Unserer Höchsteigenhändigen Unterschrift und beigedrucktem Kaiserlichen Insiegel.

Gegeben Berlin, den 16. April 1871.

(L. S.)   Wilhelm.

Fürst v. Bismarck.

Verfassung
des
Deutschen Reichs.

Seine Majestät der König von Preußen im Namen des Norddeutschen Bundes, Seine Majestät der König von Bayern, Seine Majestät der König von Württemberg, Seine Königliche Hoheit der Großherzog von Baden und Seine Königliche Hoheit der Großherzog von Hessen und bei Rhein für die südlich vom Main belegenen Theile des Großherzogthums Hessen, schließen einen ewigen Bund zum Schutze des Bundesgebietes und des innerhalb desselben gültigen Rechtes, sowie zur Pflege der Wohlfahrt des Deutschen Volkes. Dieser Bund wird den Namen Deutsches Reich führen und wird nachstehende

Verfassung

haben.

I. Bundesgebiet.

Artikel 1.

Das Bundesgebiet besteht aus den Staaten Preußen mit Lauenburg, Bayern, Sachsen, Württemberg, Baden, Hessen, Mecklenburg-Schwerin, Sachsen-Weimar, Mecklenburg-Strelitz, Oldenburg, Braunschweig, Sachsen-Meiningen, Sachsen-

---

The Constitution of the German Empire of April 16, 1871, was almost a verbatim copy of the Constitution of the North German Confederation. In both constitutions, the epochal catalog of basic rights of the Imperial Constitution of the Paulskirche is missing. The official organ of the legislative body was temporarily named the "Federal Law-Gazette of the German Confederation."

Die Verfassung des Deutschen Reiches vom 16. April 1871 folgte im Wortlaut fast völlig der Verfassung des Norddeutschen Bundes – wie dort, so fehlt auch hier der epochemachende Grundrechtskatalog der Reichsverfassung der Paulskirche von 1849. 1871 hieß das offizielle Organ der Legislative vorübergehend „Bundes-Gesetzblatt des Deutschen Bundes".

The founding of the second German Empire: Prussia's Hohenzollern king, Wilhelm I (1797–1888), is proclaimed emperor of Germany on January 18, 1871 in the hall of mirrors of the Versailles palace; at right in front of the dais, Reichchancellor Bismarck and General von Moltke. (Painting by Anton von Werner, 1877)

Die Gründung des zweiten deutschen Kaiserreichs: der preußische König Wilhelm I. (1797–1888) wird am 18. Januar 1871 im Spiegelsaal des Schlosses von Versailles zum deutschen Kaiser ausgerufen; rechts vor dem Podium Bismarck und Moltke. (Gemälde von Anton von Werner, 1877)

Extrablatt der Stargarder Zeitung.

Freitag, den 12. Mai 1871.

Berlin, Nachm. 6 Uhr 7 Minuten.

Reichstag, 12. Mai. Fürst Bismarck theilt die Friedensbebingungen mit. Die erste halbe Milliarde ist innerhalb 30 Tagen nach der Einnahme von Paris zahlbar. Als Zahlungsmittel ist Metall-Geld, sichere Banknoten und Wechsel festgesetzt, ferner eine Milliarde bis Dezember 1871 zahlbar, erst dann sind wir zur Räumung von Pariser Befestigungen verpflichtet, die vierte halbe Milliarde ist Mai 1872 zahlbar, die letzten drei Milliarden sind bis zum März 1874 zu zahlen. Der Handelsvertrag fällt fort. Deutschland tritt dafür an Stelle der meistbegünstigten Nationen. Mit Belfort wird ein Rayon von vier bis fünf Kilometer abgetreten. Von der Ostbahn sind die bezüglichen Strecken in Elsaß-Lothringen erworben. Die Friedens-Ratifikation erfolgt bis zum 20. Mai.

Verantwortl. Redacteur J. Hendeß. — Druck und Verlag der J. Hendeß'schen Buchdruckerei (H. Schlognat) in Stargard.

History proved that it had not been very clever to found the Kaiser's Empire on foreign soil and then to inflict merciless taxation on the enemy.

Daß es nicht klug war, das Kaiserreich auf fremdem Boden zu gründen und den Kriegsgegner mit gnadenlosen Kontributionen zu belegen, hat die Geschichte bewiesen.

Echoes of the Franco-German War of 1870/71 in New York and Washington: left, "Victory celebration of the German-Americans in New York", illustration from the German magazine "Over Land and Sea"; right, "The Curtain is Raised", exposing the illegal sale of American weapons to France in the fall of 1870: caricature representing U.S. Senators Carl Schurz and Charles Sumner, who brought the affair before Congress.

Der Deutsch-Französische Krieg von 1871 in New York und Washington: links „Die Friedensfeier der Deutsch-Amerikaner in New York"; Illustration aus der Zeitschrift „Über Land und Meer"; rechts „Der Vorhang wird gelüftet", Karikatur der U.S-Senatoren Carl Schurz und Charles Sumner, die den illegalen Verkauf amerikanischer Waffen an Frankreich im Herbst 1870 vor den Kongreß brachten.

Notes   Anmerkungen

[1] E. R. Huber (Hrsg.), Dokumente zur deutschen Verfassungsgeschichte, Band 1, Stuttgart, Berlin, Köln, Mainz 3. Auflage 1978, Seite 85; H. Boldt (Hrsg.), Reich und Länder. Texte zur deutschen Verfassungsgeschichte im 19. und 20. Jahrhundert, München 1987, Seite 200.

[2] Huber (Hrsg.) am angegebenen Ort, Seite 88; Boldt (Hrsg.) am angegebenen Ort, Seite 205.

[3] Huber (Hrsg.) am angegebenen Ort, Seite 98 folgend; Boldt (Hrsg.) am angegebenen Ort, Seite 226.

[4] E. Zechlin, Die deutsche Einheitsbewegung, Frankfurt/Main, Berlin, Wien 1977, Seite 71.

[5] zitiert nach: Fragen an die deutsche Geschichte. Ideen, Kräfte, Entscheidungen von 1800 bis zur Gegenwart, Bonn 1977, Seite 47.

[6] Huber (Hrsg.) am angegebenen Ort, Seite 46.

[7] Text: Huber (Hrsg.) am angegebenen Ort, Seite 61 folgend.

[8] Th. Schieder, Vom Deutschen Bund zum Deutschen Reich 1815–1871, München 2. Auflage 1976, Seite 22 folgend.

[9] Huber (Hrsg.) am angegebenen Ort, Seite 187.

[10] E. R. Huber, Deutsche Verfassungsgeschichte seit 1789, Band 1, Stuttgart, Berlin, Köln, Mainz 2. Auflage 1975, Seite 317.

[11] J. Görres, Ausgewählte Werke in zwei Bänden. Herausgegeben von W. Frühwald, Band 1, Freiburg, Basel, Wien 1978, Seite 310.

[12] ebenda Seite 447.

[13] W. Hardtwig, Vormärz. Der monarchische Staat und das Bürgertum, München 1985, Seite 17 folgend.

[14] M. Botzenhart, Reform, Restauration, Krise. Deutschland 1789–1847, Frankfurt/Main 1985, Seite 115.

[15] zitiert nach: H. Schulze, Der Weg zum Nationalstaat. Die deutsche Nationalbewegung vom 18. Jahrhundert bis zur Reichsgründung, München 1985, Seite 78.

[16] H. Brandt (Hrsg.), Restauration und Frühliberalismus 1814–1840, Darmstadt 1979, Seite 425.

[17] E. G. Franz, Das Amerikabild der deutschen Revolution von 1848/49. Zum Problem der Übertragung gewachsener Verfassungsformen, Heidelberg 1958, Seite 98. Vergleiche H. Fenske (Hrsg.), Vormärz und Revolution 1840–1849, Darmstadt 1976, Seite 253–259.

[18] Franz, am angegebenen Ort, Seite 13.

[19] Franz, am angegebenen Ort, Seite 94.

[20] vergleiche dazu das Literaturverzeichnis bei Franz, am angegebenen Ort, Seite 141–150.

[21] V. Valentin, Geschichte der deutschen Revolution von 1848–1849, Band 2, Köln, Berlin 1977, Seite 572 folgend.

[22] zitiert nach: G. Ch. von Unruh, Nordamerikanische Einflüsse auf die deutsche Verfassungsentwicklung, in: Deutsches Verwaltungsblatt 1976, 455–464, Seite 457. Vergleiche Franz, am angegebenen Ort, Seite 101, Anmerkung 24.

[23] Th. E. Ellwein, Der Einfluß des nordamerikanischen Verfassungsrechtes auf die Verhandlungen der Frankfurter Nationalversammlung, Phil. Diss. Erlangen 1950, Seite 93.

[24] Valentin, am angegebenen Ort, Seite 314.

[25] Hardtwig, am angegebenen Ort, Seite 55.

[26] H. Jessen, Die deutsche Revolution 1848/49 in Augenzeugenberichten, München 2. Auflage 1976, Seite 301.

[27] Huber (Hrsg.) am angegebenen Ort, Seite 507; Boldt (Hrsg.) am angegebenen Ort, Seite 435.

[28] Boldt, am angegebenen Ort, Seite 426.

[29] Valentin, am angegebenen Ort, Seite 572.

Numerous refugees from the German Revolution of 1848/49 participated in the particularly bloody American Civil War of 1861–65. Among them were Carl Schurz, Friedrich Hecker, Franz Sigel and Alexander von Schimmelpfennig.

Am Bürgerkrieg der Jahre 1861 bis 1865, der außerordentlich blutig verlief, nahmen viele Flüchtlinge der ersten deutschen Revolution von 1848/49 mit der Waffe teil. Stellvertretend genannt seien Carl Schurz, Friedrich Hecker, Franz Sigel und Alexander von Schimmelpfennig.

"Thomas Nast has been our best recruiting sergeant." With these words, Abraham Lincoln praised the contribution made by the German-born illustrator (1840–1902) with his patriotic drawings of life during the Civil War. Nast was a sort of 19th-century Norman Rockwell until he turned his attention after the Civil War to bitter political cartoons, many of them vilifying Republican reformers like Schurz.

„Thomas Nast war unser bester Truppenwerber!" Mit diesen Worten würdigte Abraham Lincoln den Beitrag, den der in Landau in der Pfalz geborene Zeichner (1840–1902) mit seinen sentimental-patriotischen Blättern für die Sache der Union leistete.

A few days before Lincoln's assassination on April 14, 1865, Lincoln entered Richmond. Thomas Nast painted the scene in 1868. Schurz described this scene in his essay on Lincoln in 1891: "Never had the world seen a more humble conqueror or a more characteristic victory parade – not troops with drums and banners, only an assemblage of those who had once been slaves, hastily gathered together and accompanied the victorious leader into the capital city of the conquered foe. We are told they crowded around him, kissed his hands and clothing and shouted and danced for joy..."

Wenige Tage vor seiner Ermordung in der Nacht vom 14. zum 15. April 1865 zog Lincoln in Richmond ein. Thomas Nast malte die Szene 1868, Schurz beschrieb sie 1891 in seinem Lincoln-Aufsatz: „Niemals hatte die Welt einen bescheideneren Eroberer und einen charakteristischeren Triumphzug gesehen – keine Truppen mit Standarten und Trommeln, nur eine Schar jener, die Sklaven gewesen waren, lief hastig zusammen und geleitete das siegreiche Oberhaupt in die Hauptstadt des besiegten Feindes. Man erzählte uns, daß sie sich um ihn drängten, seine Hände und Kleider küßten und vor Freude schrien und tanzten..."

I

Industrialization and Social Issues in Germany and the U.S.A.

Industrialisierung und soziale Frage in Deutschland und in USA

"Renewing the union" could be title of German and American history during the decade after 1860. Prussian Germany was involved in a fratricidal war with Austria in 1866. At the end of this war, the German Confederation was dissolved; Austria ceased to be part of the German state (Gemeinwesen); Bismarck's "Little German" empire was now known as the North German Confederation. Five years later, after the war with France, the German "Reich" was born. It included Southern Germany. The Reich's constitution was adopted, with minor changes, from that of the North German Confederation. Not separation, but renewal of the Union was the result of the Civil War in America: the Southern States which tried to leave the common home were forced to return. This was proof that the United States of America was not a loose alliance of states but a permanent federation. The constitutional issue in the U.S. in the following years was "Reconstruction". This refers not to physical reconstruction but to the legal reintegration of the South into the Union; the answer to the questions: Who shall have the say from now on? How can we compel the South to treat the newly emancipated Negro slaves as free men? Should the rebels of yesterday be allowed to exercise their political rights again unhindered?

Die Erneuerung des Bundes – unter diesem Titel könnte man das Kapitel deutscher und amerikanischer Geschichte in dem Jahrzehnt nach 1860 schreiben. Preußen-Deutschland führte 1866 einen Bruderkrieg gegen Österreich; am Ende dieses Krieges war der Deutsche Bund aufgelöst, Österreich hörte auf, Teil des deutschen Gemeinwesens zu sein; die kleindeutsche Lösung Bismarcks hieß nun Norddeutscher Bund. Und fünf Jahre später, nach dem Krieg gegen Frankreich, entstand das Deutsche Reich, das auch Süddeutschland umschloß; seine Verfassung übernahm es, mit geringfügigen Änderungen, vom Norddeutschen Bund. Nicht Trennung brachte der Bürgerkrieg in Amerika, sondern Erneuerung der Union: Die Südstaaten, die 1861 versucht hatten, auszuscheiden aus dem gemeinsamen Haus, wurden zur Rückkehr gezwungen; damit war der Beweis erbracht, daß die Vereinigten Staaten von Amerika kein Staatenbund waren, sondern ein unauflöslicher Bundesstaat. Das Verfassungsproblem der nächsten Jahre hieß in den USA „Reconstruction". Darunter versteht man nicht den physischen Wiederaufbau, sondern die staatsrechtliche Wiedereingliederung des Südens in die Union, die Antwort auf die Frage: Wer soll fortan im Süden das Sagen haben? Wie kann man den Süden zwingen, die soeben emanzipierten Negersklaven wie freie Menschen zu behandeln? Sollen die Aufständischen von gestern ihre politischen Rechte wieder ungehindert ausüben dürfen?

Industrialization and the Social Setting: the U.S.A.

Industrialisierung und Sozialverfassung: die USA

But the common ground between Germany and America is not limited to the legal side of things. In the last third of the previous century both societies experienced an economic and technical revolution. Compared to Great Britain, both countries were economic late-bloomers: they did not achieve their economic start until the middle of the century. Both reached the phase of economic maturity practically

Aber die Gemeinsamkeiten zwischen Deutschland und Amerika beschränken sich nicht auf die rechtliche Seite. Im letzten Drittel des vorigen Jahrhunderts erlebten diese beiden Gesellschaften eine wirtschaftliche und technologische Revolution. Im Vergleich mit Großbritannien waren beide Mächte wirtschaftliche Nachzügler: beide Länder erreichten den ökonomischen „Take-off" erst gegen Mitte

simultaneously, shortly before World War I. In 1870/71 half of all workers in both countries were employed in agriculture. Then the balance was immutably tipped in favor of the industrial and service sectors. With regard to population, at the time of the founding of the Reich, Germany, with its 41 million inhabitants was still larger. It was only in the 1870s that the American population surpassed the German. More and more people poured out of Europe into America; in the 1880s more Germans than ever before: nearly one million within six years (1880 – 1885). It is no coincidence that for the first time, a native German, Carl Schurz, occupied a Cabinet post at that time.

The rate of economic growth in America was more breathtaking than in imperial Germany. Between 1860 and 1900 the American population increased two-and-a-half-fold; its industrial productivity, more than five-fold. During the 1890s, the steel production was twice that of Great Britain or Germany. America had become the greatest economic power in the world.

The dynamics of this growth delineate a powerful cataclysmic effect on society. There had always been social inequality; now industrialization heightened the extremes. Within a quarter of a century, a nation of small landowners, the majority being independent farmers, had transformed itself into a nation of rootless city-dwellers, most of whom were unpropertied, dependent wage-earners. Economic growth was by no means without friction. Price fluctuation and a slump in sales plagued the country. Strikes and bloody protest followed. Measured by the number of strikers and amount of property damages, the strike of 1877 was the worst of the nineteenth century. The 1880s and 1890s were not any calmer: in 1894 over half a million workers went on strike.

America ceased to be the land of free farmers and open prairies. Eighty-eight American cities doubled their populations in the 1880s alone. The much-celebrated frontier, the border of the wilderness, lost its meaning even before it was officially declared null and void for good. The last major battle between the Indians and the U.S. Army occurred in 1876. America was no longer the wild arcadia of yesteryear; it was an industrial power, racked by the same evils of the times as the Old World. The more this America changed and the more powerful its industrial economy became, the more its Constitution had to address these new problems. Americans wanted a government that would interfere as little as possible in the affairs of its citizens – even today, the saying goes, "the best form of government is no government". And the Americans have only seldom amended their old constitution of 1787: in the fifty-odd years between the end of the

des Jahrhunderts. In die Phase der wirtschaftlichen Reife traten sie ziemlich genau gleichzeitig, kurz vor dem Ersten Weltkrieg. 1870/71 waren in beiden Ländern je die Hälfte aller Erwerbspersonen in der Landwirtschaft beschäftigt, dann kippte das Verhältnis endgültig um zugunsten des industriellen Sektors und des Dienstleistungsbereichs. Was Bevölkerung anbelangt, war Deutschland zur Zeit der Reichsgründung (1870/71) mit seinen 41 Millionen Einwohnern noch immer größer; erst in den 1870er Jahren überholte die amerikanische Bevölkerung die deutsche. Immer mehr Menschen strömten aus Europa nach Amerika, in den 1880er Jahren mehr Deutsche als je zuvor: fast eine Million innerhalb von sechs Jahren (1880 – 1885). Nicht von ungefähr bekleidete damals erstmals ein gebürtiger Deutscher, Carl Schurz, in Washington ein Ministeramt.

Das Tempo des wirtschaftlichen Wachstums war in Amerika atemberaubender als im kaiserlichen Deutschland. Zwischen 1860 und 1900 nahm die amerikanische Bevölkerung um das 2,5fache zu, der Wert der Industrieproduktion um mehr als das 5fache. In den 1890er Jahren war die Stahlproduktion in den USA doppelt so groß wie in Großbritannien oder Deutschland. Amerika wurde zur größten Wirtschaftsmacht der Erde.

Die Dynamik dieses Wachstums zeigte eine gewaltige Sprengwirkung auf die Gesellschaft. Soziale Ungleichheit hatte es schon zuvor gegeben, die Industrialisierung vertiefte sie noch. Binnen eines Vierteljahrhunderts verwandelte sich eine Nation von Kleineigentümern, die Mehrzahl davon selbständige Bauern, in eine Nation von entwurzelten Städtern, die weitgehend eigentumslos waren, dazu unselbständig, lohnabhängig. Und das wirtschaftliche Wachstum vollzog sich keineswegs ohne Reibungen. Konjunkturschwankungen und Absatzkrisen suchten das Land heim, Streiks und blutiger Protest folgten. Gemessen an der Zahl der Streikenden und am zerstörten Eigentum war der Streik von 1877 der größte des 19. Jahrhunderts. Die 1880er und 1890er Jahre waren nicht weniger unruhig; 1894 beteiligten sich mehr als eine halbe Million Arbeiter an einem Streik.

Amerika hörte auf, das Land der freien Bauern und der weiten Prärien zu sein. Alleine in den 1880er Jahren verdoppelten 88 amerikanische Städte ihre Einwohnerzahl. Die vielbeschworene *frontier*, die Grenze zur Wildnis, verlor ihre Bedeutung, noch bevor sie endgültig für aufgehoben erklärt wurde. 1876 kam es zur letzten größeren Schlacht zwischen Indianern und der US-Armee. Amerika war nicht mehr das wilde Arkadien von einst; es war eine Industriemacht, erschüttert von den gleichen Übeln der Zeit wie Alteuropa.

Civil War and their entry into World War I (1917), merely five times. In fact, three of these five amendments occurred during the period of Reconstruction (1865 – 1877).

Many things were incomplete in their Constitution. Many things developed later from the interpretations of the Supreme Court, which spelled out the laws and legislation of the government, thereby, itself, creating a large part of the Constitution and its reality. Prior to the Civil War, the Supreme Court had declared only two federal laws as partially or wholly unconstitutional. In the three years between 1870 and 1873, the Court found six laws unconstitutional. After the Civil War, the Court become exceptionally active. It felt challenged by the amendments made during the Reconstruction - especially the 13th and 14th - and interpreted them so narrowly that they lost any effect. The Supreme Court also strengthened the rights of the states at the expense of the central government in Washington. The Court took an active role in the political scene, not on the side of the weak, but on that of the strong and for freedom; for a freedom which refrained from restraining the mighty. The 13th Amendment had put an end to slavery in the U.S.; the two subsequent amendments attempted to make Blacks equal citizens. From now on, "no state shall make or enforce laws which shall abridge the privileges or immunities of citizens of the United States," as stated in the 14th Amendment. However, not Black, but white butchers from New Orleans in the so-called "Slaughterhouse Cases" invoked this sentence. When one butcher in town was given the exclusive slaughtering rights, the others took legal action on the grounds that their rights as U.S. citizens had been violated. But the Supreme Court dismissed their case by simultaneously ruling in favor of monopolies and the rights of the individual states. It made a distinction between U.S. citizens and citizens of the individual states. Only the rights of the citizens of the state of Louisiana had been violated; therefore, they could not invoke the federal constitution. The Supreme Court would also not permit the federal government to step in and protect the Blacks' rights where they had been violated in certain member states of the country. The Court ruled out an attempt by adherents to a Radical Reconstruction movement to prohibit racial separation by federal law in 1883: slavery was over, there was no reason for the federal government to specially protect former - now emancipated - slaves.

Industrialization brought new forces into play which now had to be included in the constitution. The revolutionary changes in transportation greatly affected farmers. Those living considerably far inland were dependent on the railroad. Even more than that: they were at its mercy. The new,

Je stärker sich dieses Amerika veränderte, je übermächtiger die Industriewirtschaft zu werden begann, desto mehr mußte sich die Verfassung dieser neuen Probleme annehmen. Die Amerikaner wünschten sich einen Staat, der so wenig wie nur möglich eingreift in die Belange seiner Bürger - die beste Regierung ist die, die am wenigsten regiert, sagt man noch heute in Amerika. Und die Amerikaner haben ihre alte Verfassung von 1787 auch nur selten ergänzt, in den rund fünfzig Jahren zwischen dem Ende des Bürgerkriegs und ihrem Eintritt in den Ersten Weltkrieg (1917) nur fünfmal, wobei drei dieser fünf Ergänzungen noch in der Zeit der Reconstruction (1865 – 1877) geschahen.

Vieles war in ihrer Bundesverfassung nur lückenhaft geregelt; vieles ergab sich erst später aus den Erläuterungen des Obersten Gerichtshofs, der die Verfassung und die Gesetzgebung des Bundes kommentierte und eingrenzte und damit selber ein großes Stück Verfassung und Verfassungswirklichkeit schuf. Vor dem Bürgerkrieg hatte dieser Gerichtshof nur zwei Bundesgesetze ganz oder zum Teil für verfassungswidrig erklärt; in den drei Jahren zwischen 1870 und 1873 erklärte er sechs Gesetze für verfassungswidrig. Nach dem Bürgerkrieg wurde dieses Gericht ungemein rührig; es fühlte sich von den Verfassungsergänzungen der Reconstruction herausgefordert und legte diese Amendments - vor allem die 13. und die 14. - so eng aus, daß sie ihre Wirkung verloren; und er stärkte die Rechte der Bundesstaaten auf Kosten der Zentralregierung in Washington. Der Supreme Court griff tatkräftig in das politische Geschehen ein - aber nicht zugunsten der Schwachen, sondern zugunsten der Starken und der Freiheit, zugunsten einer Freiheit, die es sich versagte, dem Mächtigen Zügel anzulegen.

Die 13. Verfassungsergänzung hatte der Sklaverei in den USA ein Ende gemacht; die beiden folgenden Ergänzungen versuchten, die Schwarzen zu gleichberechtigten Staatsbürgern zu machen. Kein Staat sollte fortan Gesetze erlassen oder anwenden, welche „die Vorrechte von Bürgern der USA (...) beschneiden", hieß es im 14. Amendment. Aber nicht Schwarze, sondern weiße Fleischer aus New Orleans beriefen sich in den „Slaughterhouse Cases" auf diesen Satz: Als eine Schlächterei in der Stadt das alleinige Schlachtrecht zugesprochen bekam, klagten die anderen, ihre Rechte als Bürger der USA seien verletzt. Doch der Supreme Court verwarf ihre Klage, indem er zugleich für die Monopole und für die Rechte der Einzelstaaten entschied: Er traf eine Unterscheidung zwischen Bürgern der USA und Bürgern der Einzelstaaten - verletzt worden seien aber nur die Rechte von Bürgern des Staates Louisiana,

Carl Schurz, American statesman of German origin, was born on March 2, 1829, in Liblar near Cologne and died on May 14, 1906, in New York. Because of his involvement in the unsuccessful 1849 uprising in Baden, he emigrated to the U.S. in 1852, where he became a lawyer. During the Civil War, he fought on the side of the Union. He went to Washington as a Senator from Missouri in 1869 where he subsequently became Secretary of the Interior (1877 – 1881) under President Rutherford B. Hayes. Schurz reformed American administration methods and as a journalist later crusaded against corruption and exchange of favors in office.

Carl Schurz from a photograph taken in 1865, when Schurz, at President Johnson's request, made a tour of investigation through the South.

Carl Schurz, amerikanischer Staatsmann deutscher Herkunft; geboren am 2. März 1829 in Liblar bei Köln, gestorben am 14. Mai 1906 in New York. Als Teilnehmer an der fehlgeschlagenen badischen Erhebung von 1849 emigrierte er 1852 in die USA und wurde dort Advokat. Im Sezessionskrieg kämpfte er auf Seiten der Nordstaaten. Als Senator für Missouri ging er 1869 bis 1875 nach Washington und war dort 1877 bis 1881 Innenminister unter Präsident Rutherford B. Hayes. Schurz reformierte die amerikanische Administration und stritt später als Journalist gegen Korruption und Ämterpatronage.

Carl Schurz auf einer Fotografie aus dem Jahre 1865, als er sich auf Wunsch Präsident Johnsons auf einer Erkundungsreise im Süden befand.

President Hayes's Cabinet deliberating on the South Carolina and Louisiana question; Secretary of the Interior Carl Schurz at the left side of the table, facing the president.

Das Kabinett unter Präsident Hayes berät über das South Carolina und Louisiana Problem; Innenminister Carl Schurz an der linken Schmalseite des Tisches, gegenüber dem Präsidenten.

private rail companies were pleased to accept public subsidies, but did not shrink from forcing up freight rates and storage fees for their grain elevators through price agreements with their competitors. In 1877, the High Court had to decide whether the State of Illinois could impose a ceiling on these prices. Illinois had tried to do this and some companies in Chicago had gone to court against this action. The Supreme Court passed a peculiar judgment: it invoked the words of Sir Matthew Hale, an English lawyer of the 17th century, who said, "when private property is affected with a public interest, it ceases to be solely 'ius privatis' only". Judge Stephen J. Field immediately recognized the far-reaching implications of this socially constricting clause and lodged a protest against it. He wrote, "The receipt and storage of grain in a building erected by private means for that purpose does not constitute the building of a public warehouse".[1] The court soon shared his view: private property was sacrosanct. In the same decision – Wabash St. Louis and Pacific Railway Co. vs. Illinois (1886) – the Court decided that the states could not limit the railway freight rates since the trains traveled between the states. Through vociferous pressure, farmers were, at one point, able to push a bill through Congress, the Interstate Commerce Act, in 1887, which attempted to control interstate commerce. However, the Supreme Court and the state governments immediately curtailed the regulatory effect of this law.

The waning 19th century was well-disposed towards the rich in America. Or to put it another way: because Americans did not want the government to interfere in economy, the strong were free to develop as they liked. The Americans took pleasure in applying to society Darwin's theory of survival of the fittest. Would it not interfere with the law of natural selection if the government helped the weak? In fact, would it not be for the good of the country if it supported those better-suited to survival?

The process of economic concentration which indicated a massing of power was not universally viewed with delight. This concentration could have longterm consequences which neither the government nor the consumer would appreciate. Already in 1885 a Senate commitee wrote, "no general question of governmental policy" was more prominent among the people than "that of controlling the steady growth and extending influence of corporate power, and of regulating its relations to the public".[2] In 1890 Congress passed the Sherman Antitrust Act, a law against corporate mergers. This law was seldom enforced. But on the occasions when it was enforced, it was more likely to be used against groups of workers who joined ranks to defend their interests. When a sugar refinery began to take almost com-

folglich könnten sie sich nicht auf die Bundesverfassung berufen. Der Supreme Court ließ jetzt auch nicht zu, daß die Bundesregierung zum Schutz von Schwarzen einschritt, wo deren Rechte in den Gliedstaaten des Landes verletzt wurden. Und als die Anhänger einer Radical Reconstruction 1883 versuchten, die Rassentrennung von Unions wegen zu verbieten, entschied der Gerichtshof, dies sei unzulässig: Die Sklaverei sei zu Ende, es gebe keinen Grund, ehemalige – inzwischen jedoch emanzipierte – Sklaven von seiten des Bundes besonders zu beschützen.

Die Industrialisierung brachte neue Kräfte ins Spiel, die nun in die Verfassung eingebunden werden mußten. Die Revolutionierung des Transports betraf nicht zuletzt die Farmer. Wer weit drinnen im Lande lebte, war auf die Eisenbahn angewiesen – mehr noch: er war ihr ausgeliefert. Die neuen, privaten Eisenbahnen ließen sich gern von der öffentlichen Hand unterstützen; aber sie scheuten sich deswegen nicht, durch Preisabsprachen mit ihren Konkurrenten die Frachtsätze und die Lagergebühren in ihren Getreidespeichern hochzutreiben. 1877 hatte der Oberste Gerichtshof zu entscheiden, ob der Staat Illinois diese Preise nach oben begrenzen dürfe. Er hatte dies zu tun versucht, und einige Firmen in Chicago hatten gegen diese Entscheidung geklagt. Der Supreme Court kam jetzt zu einem wunderlichen Urteil: Er berief sich auf Sir Matthew Hale, einen englischen Juristen des 17. Jahrhunderts, und zitierte zustimmend: Wenn Privateigentum „einem öffentlichen Zweck dient, hört es auf, einzig und allein 'ius privatis' zu sein". Richter Stephen J. Field erkannte sofort die weitreichenden Folgerungen dieser Sozialbindungsklausel und legte seinen Widerspruch ein: „Die Aufnahme und Lagerung von Getreide in einem Gebäude, das aus privaten Mitteln für diesen Zweck errichtet wurde, macht aus diesem Gebäude noch kein öffentliches Lagerhaus", schrieb er.[1] Der Gerichtshof folgte ihm bald in dieser Anschauung: Privateigentum war unantastbar. In der gleichen Entscheidung – „Wabash St. Louis and Pacific Railway Co vs. Illinois" (1886) – bestimmte das Gericht, daß die Staaten nicht die Frachtsätze der Eisenbahn begrenzen durften, denn die Bahn verkehrte *zwischen* den Staaten. Zwar gelang es den lautstark auftretenden Farmern seinerzeit, im Kongreß ein Bundesgesetz durchzusetzen, den Interstate Commerce Act, 1887, der den zwischenstaatlichen Handelsverkehr in die Hand zu nehmen versuchte, aber der Supreme Court und die staatliche Verwaltung beschnitten sofort die regulierende Wirkung dieses Gesetzes.

Das ausgehende 19. Jahrhundert war den Reichen in Amerika sehr freundlich gesinnt, oder vielleicht besser: weil die Amerikaner nicht wollten, daß der Staat der Wirtschaft

plete control of the market in the 1890s, the federal government wanted to use the Sherman Act against it. But to no avail. The Supreme Court prevented this by reasoning that the sugar production occurred within one state, and was therefore not an issue for the federal government. The federal government won only 10 of the 26 suits it brought invoking the Sherman Act.

Industrialization had the effect of consolidating more and more wealth into the hands of fewer and fewer Americans. According to an 1892 estimate, 9 per cent of the population owned more than 70 per cent of the wealth.[3] Andrew Carnegie, the industrial magnate, was not the only one who tried to justify this by referring to a "divine order". It would be better for the public welfare if all the money were distributed among fewer pockets, he wrote in his book *Wealth* in 1889. The great lawyer William Graham Sumner claimed in his book, *The Absurd Effort to Make the World Over* (1894), that the accumulation of capital in the hands of a few would more likely tend to bring about good. "Where is the rich man who is oppressing anybody?" he asked. "If there was one, the newspapers would ring with it."

Many sensed the great danger not in the unequal distribution of property but in the workers unions. Whenever interstate traffic appeared to be endangered by strikes, the Supreme Court would step in. It generally took the side of the moneyed interests even when it formulated its opinion in terms favoring worker interests, as, for example, in 1905.

The Supreme Court in Washington.
Der Oberste Gerichtshof in Washington.

dreinredet, konnten die Starken sich frei entfalten. Die Amerikaner wendeten Darwins Theorie vom Überleben des Stärkeren bevorzugt auf die Gesellschaft an. Würde es nicht das Gesetz der natürlichen Auslese beeinträchtigen, wenn der Staat ausgerechnet dem Schwachen half? Ja sollte er nicht, umgekehrt, dem besser Überlebensfähigen beistehen, damit das Land vorankam?

Nicht überall sah man den wirtschaftlichen Konzentrationsprozeß, der ja auch Machtanballung bedeutete, mit Vergnügen. Die Konzentration mochte Folgen haben, die längerfristig weder dem Staat noch dem Verbraucher gefallen konnten. Schon 1885 formulierte ein Senatsausschuß, „keine allgemeine Frage der Regierungspolitik" stehe mehr im öffentlichen Bewußtsein als „die, wie man das fortwährende Wachstum und den sich ständig ausweitenden Einfluß der Kartellmacht kontrolliert und ihre Beziehungen zur Öffentlichkeit reguliert".[2] 1890 erließ der Kongreß den Sherman Antitrust Act, ein Gesetz gegen die Konzernbildung. Aber dieses Gesetz wurde selten angewandt, und wenn es tatsächlich einmal eingesetzt wurde, dann eher gegen die Zusammenschlüsse von Arbeitnehmern zur Durchsetzung von deren Interessen. Als eine Zuckerraffinerie in den 1890er Jahren eine fast vollständige Marktkontrolle auszuüben begann, wollte die Bundesregierung gegen sie den Sherman Act anwenden. Vergebens, der Supreme Court untersagte dies mit der Begründung, die Produktion des Zuckers finde ja innerhalb eines Staates statt, also sei dies nicht Sache der Bundesregierung. Von den 26 Verfahren, welche die Bundesregierung mit Hilfe des Sherman Act anstrengte, gewann sie nur 10.

Die Industrialisierung bewirkte auch eine immer größere Verdichtung des Reichtums in den Händen weniger Amerikaner. Einer Schätzung von 1892 zufolge besaßen 9 Prozent der Einwohner mehr als 70 Prozent des Vermögens.[3] Der Industriemagnat Andrew Carnegie war nicht der einzige, der dies mit einem Hinweis auf eine höhere Ordnung zu rechtfertigen suchte. Es sei für das Gemeinwohl besser, wenn sich das Geld auf weniger Taschen verteilte, schrieb er in seinem Buch „Wealth" (1889). Und der große Jurist William Graham Sumner behauptete in seinem Buch „The Absurd Effort to Make the World Over" (1894), die Ansammlung des Kapitals in den Händen weniger Menschen bewirke eher Gutes. „Wo ist der Reiche, der andere unterdrückt?" fragte er. „Wenn es ihn gäbe, würden alle Zeitungen davon berichten."

Nicht in der ungleichen Verteilung des Eigentums, sondern in der Vereinigung der Arbeitnehmer witterten viele die große Gefahr. Wo er den Verkehr zwischen den Staaten durch Streiks gefährdet sah, griff der Supreme Court ein. Er

At that time, the State of New York had attempted to limit by law the work week for bakers to 60 hours. The Supreme Court prevented the state from doing so because it would have curtailed the bakers' freedom of contract. As a result of this policy, the power of the unions in America remained very limited.

stellte sich regelmäßig auf die Seite des Kapitals, auch wenn er seine Begründung arbeitnehmerfreundlich formulierte, wie etwa im Jahr 1905, als der Staat New York die Arbeitszeit der Bäcker gesetzlich auf 60 Stunden zu beschränken versuchte und der Supreme Court diesem Staat verbot, die Vertragsfreiheit der Bäcker derart zu beschneiden. Die Folge dieser Politik war, daß die Macht der Gewerkschaften in Amerika sehr begrenzt blieb.

The first Labor Day Parade in New York on September 5, 1882. German immigrants were active in the American labor movement from the outset – even though they were not successful in having the 1st of May declared Labor Day, as in Europe.

Die erste „Labor Day Parade" in New York am 5. September 1882. Deutsche Einwanderer engagierten sich von Anfang an in der amerikanischen Gewerkschaftsbewegung – auch wenn sie sich nicht damit durchsetzen konnten, wie in Europa den ersten Mai zum Tag der Arbeit zu erklären.

The "Law against the endeavours of Social Democracy constituting a public danger" of October 21, 1878.

Das „Gesetz gegen die gemeingefährlichen Bestrebungen in der Sozialdemokratie" vom 21. Oktober 1878.

A contemporary caricature of Bismarck's problems with particular emphasis on the Anti-Socialist Law and the church-state struggle.

Bismarcks Probleme in einer zeitgenössischen Karikatur, in der besonders das Sozialistengesetz und der Kulturkampf hervorgehoben werden.

A contemporary presentation of German social legislation from 1885 to 1913.

Die deutsche Sozialgesetzgebung von 1885 bis 1913 in einer zeitgenössischen Darstellung.

Germany on the Way to Becoming a Socially Motivated Intervention State

Deutschland auf dem Weg zum Sozialstaat

Like America, Germany was one of the leading industrial powers in the 1890s. However, the social order of this Old World country was still completely determined by its past. The German People were "dominated by a Prussian-aristocratic bureaucracy, sustained by a feudalized middle-class and permeated by social morals which were the result of authoritarian, paternalistic models" (R. Lepsius).[4] Technologically and economically speaking, the country was very modern, notwithstanding – as the American sociologist Thorstein Veblen remarked – being ruled by an agricultural-feudal, pre-industrial elite.

During the eighteenth and nineteenth centuries, especially Anglo-American and French thinkers advanced the concept of equal rights and political equality. At the turn of the century, the yearning for social equality was in the foreground. The demands to end joblessness, for provision against sickness, accident and disability, for protection from arbitrary acts by employers, for job security – all this stems neither from England nor France let alone from the pages of the American Constitution. "Germany of the late ninetenth and early twentieth century made an important and enduring contribution to the development of the form of government and society which is commonly known as 'western democracy': the concept of social security" (E. Fraenkel).[5]

Politically, workers in the German Empire were a homeless class. Bismarck attacked the social democrats with his socialist law, calling them enemies of the empire (Reichsfeinde).

However, at the same time, Bismarck wanted to bring about the reconciliation of the working class and the government. A form of state insurance against the worst perils of life appeared to him to be the most suitable solution. "Why should only he receive a pension who becomes unable to work through war or, as a civil servant, through age, and not the working ranks?" asked the Iron Chancellor.[6] The social security laws of the 1880s were his reply. They were passed by the Federal Assembly (Reichstag) despite opposition of the Progressive Party (Fortschrittspartei) and the Social Democratic Party (SPD).

Meanwhile, Bismarck tried to tighten the screws on the workers movement. The great mass strike of 1889 was the "real cause" (E. R. Huber) of Bismarck's defeat. In the following year he had to bow out, and with him went the socialist law. Even before World War I, the Social Democratic Party (SPD) had become the strongest party; the unions became a mass movement.

Deutschland war in den 1890er Jahren, wie Amerika, eine der führenden Industriemächte. Aber die soziale Ordnung dieses alteuropäischen Landes war noch ganz von seiner Vergangenheit geprägt: das deutsche Volk wurde „dominiert von einer preußisch-aristokratischen Reichsbürokratie, getragen von einem feudalisierten Bürgertum und durchdrungen von einer autoritären und paternalistischen Leitbildern folgenden öffentlichen Sozialmoral" (R. Lepsius).[4] Wirtschaftlich und technologisch war das Land hochmodern – indes die Nation, wie ein amerikanischer Soziologe, Thorstein Veblen, bemerkte, von einer agrarisch-feudalen, vorindustriellen Elite beherrscht wurde.

Im 18. und 19. Jahrhundert haben vor allem anglo-amerikanische und französische Aufklärer den Gedanken der Rechtsgleichheit und der politischen Gleichberechtigung vorangetrieben; an der Wende zum 20. Jahrhundert stand das Verlangen nach sozialer Gleichheit im Vordergrund. Die Forderung nach Vollbeschäftigung, die Vorsorge gegen Krankheit, Unfall und Invalidität, der Schutz gegen Unternehmerwillkür, die Sicherung der Arbeitnehmer – das alles ist weder auf englischem noch auf französischem geschweige denn auf amerikanischem Verfassungsboden gewachsen. „Das Deutschland des ausgehenden 19. und des ersten Drittels des 20. Jahrhunderts (hat) einen bedeutsamen und bleibenden Beitrag zu der Entwicklung des Staats- und Gesellschaftstyps beigesteuert, den man als 'westliche Demokratie' zu bezeichnen pflegt: den Gedanken der sozialen Geborgenheit" (E. Fraenkel).[5]

Politisch waren die Arbeiter im Kaiserreich ein unbehauster Stand – „Reichsfeinde" nannte Bismarck die Sozialdemokraten, die er mit seinem Sozialistengesetz bekämpfte. Aber Bismarck wollte zugleich etwas tun, die Arbeiterschaft mit diesem Staat zu versöhnen. Dazu erschien ihm eine staatliche Versicherung gegen die schlimmsten Lebensrisiken am besten geeignet. „Wozu soll nur der, welcher im Kriege erwerbsunfähig geworden ist oder als Beamter durch Alter, Pension haben und nicht auch der Soldat der Arbeit?" fragte der Eiserne Kanzler.[6] Seine Antwort gaben die Sozialversicherungsgesetze der 1880er Jahre. Gegen den Widerstand der Fortschrittspartei und der SPD gingen sie durch den Reichstag.

Zugleich versuchte Bismarck, die Schrauben gegenüber der Arbeiterbewegung noch fester zu ziehen. Der große Massenstreik von 1889 war die „eigentliche Ursache" (E. R. Huber) von Bismarcks Niederlage – im Jahr darauf mußte er gehen, mit ihm ging das Sozialistengesetz. Schon vor

The clash of the two industrial powers in World War I gave the U.S. the opportunity to play a role in shaping aspects of the German constitution. Even after the Western Powers entered the war in April 1917, President Wilson felt like a relative trying to mediate within a family that was at odds with each other. In Germany before the close of the war, the liberal leftist majority of the Federal Assembly (Reichstag) set up a parallel government in addition to the emperor's government. When Wilson stipulated "democratization and parliamentarization of Germany as pre-conditions" to the chancellor's requested armistice,[7] he was met by receptive ears since Germany was already willing to exist, from then on, as a parliamentary democracy.

dem Ersten Weltkrieg wurde die SPD in Deutschland die stärkste Partei; die Gewerkschaften wurden zur Massenbewegung.

Der Zusammenstoß der beiden Industriemächte im Ersten Weltkrieg gab den USA Gelegenheit, in deutsche Verfassungsfragen gestaltend einzugreifen. Selbst nach dem Kriegseintritt auf seiten der Westmächte (April 1917) fühlte sich Präsident Wilson wie ein Vetter, der in einer zerstrittenen Familie zu schlichten versucht. Noch vor Kriegsende trat in Deutschland neben die Regierung des Kaisers die linksliberale Mehrheit des Reichstags als Nebenregierung. Als Wilson, vom deutschen Reichskanzler um Waffenstillstand gebeten, „die Demokratisierung und Parlamentarisierung Deutschlands zur Vorbedingung des Waffenstill-

First and last page of the Weimar Republic's Constitution of August 11, 1919.

Erste und letzte Seite der Weimarer Verfassung vom 11. August 1919.

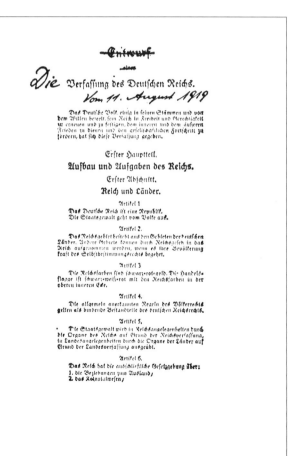

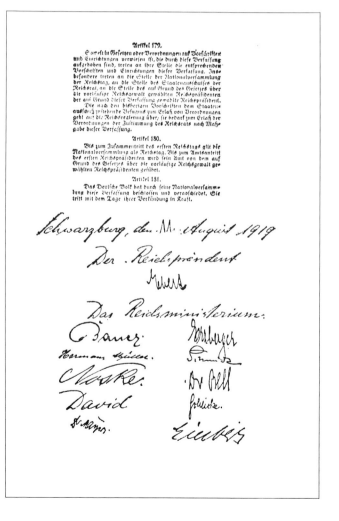

From a window of the Reichstag building in Berlin, the Social Democrat Philipp Scheidemann (1865–1939) proclaimed the establishment of the first German parliamentary democratic republic on November 9, 1918. He became the first Reich Chancellor of the new Republic.

Am 9. November 1918 verkündet der Sozialdemokrat Philipp Scheidemann (1865–1939) von einem Fenster des Reichstagsgebäudes aus die große und freie deutsche Republik. Er wurde erster Reichskanzler des jungen Staates.

The armistice and early postwar period in Germany were characterized by demonstrations and revolts. Here, a guardpost of government troops during the Spartacists' revolt in January 1919.

Das Kriegsende und die erste Nachkriegszeit waren gekennzeichnet durch Demonstrationen und Aufstände. Hier: Posten der Regierungstruppen während des Spartakus-Aufstandes im Januar 1919.

The National Assembly in Weimar in 1919, at which Commissioner Ebert (1871–1925) held the inaugural address. On February 11, 1919, the National Assembly elected him as first president of the Reich.

Nationalversammlung in Weimar 1919, deren Eröffnungsrede der Volksbeauftragte Ebert (1871–1925) hielt. Durch die Nationalversammlung wurde er am 11. Februar 1919 zum ersten Reichspräsidenten gewählt.

Between the end of the First World War and 1923, the German mark fell to a trillionth of its prior value; the amount of legal tender in circulation increased twenty-billionfold. The photo shows Berlin citizens in front of a currency-exchange office apprising themselves of the day's dollar rate.

Die Mark fiel nach dem Ersten Weltkrieg bis 1923 auf ein Billionstel des ursprünglichen Wertes; der Bargeldumlauf stieg auf das Zwanzigmilliardenfache. Das Bild zeigt Berliner vor einer Wechselstube, um sich über den Tagesstand des Dollar zu informieren.

During the inflation and the Great Depression, the lines of people seeking jobs grew longer and longer in front of the government employment bureaus.

Während Inflation und Weltwirtschaftskrise mehrten sich die Schlangen von Arbeitssuchenden vor den Arbeitsämtern.

The death of Friedrich Ebert at the age of 54 on February 28, 1925, was a profound loss for the young Weimar Republic. Here he is lying in state at the Potsdam station in Berlin before his remains were taken by train to Heidelberg.

Der Tod Friedrich Eberts im Alter von 54 Jahren am 28. Februar 1925 war ein tiefer Einschnitt für die junge Weimarer Republik. Hier seine Aufbahrung am Potsdamer Bahnhof in Berlin vor der Überführung nach Heidelberg.

Von Hindenburg was elected as the new president of the Reich. He was a man whose thinking was deeply rooted in the era of Kaiser Wilhelm II. He is seen here together with generals of the Reich inspecting an honor company.

Zum neuen Reichspräsidenten wurde von Hindenburg gewählt, ein Mann, dessen geistige Wurzeln fest begründet in der Wilhelminischen Ära zu suchen sind. Hier zusammen mit Reichswehrgenerälen beim Abschreiten einer Ehrenkompanie.

On November 10, 1926, two days after Germany was invited to join the League of Nations, Foreign Minister Gustav Stresemann addressed the plenary Assembly in Geneva.

Zwei Tage nach der Einladung an Deutschland, dem Völkerbund beizutreten, sprach Außenminister Gustav Stresemann am 10. November 1926 vor der Vollversammlung in Genf.

The German Weimar Constitution (Reichsverfassung) of 1919 was nevertheless not a product of the victorious powers; it was born of the old German constitutional thinking, although here and there American influences could not be denied. Still, it was more unitarian than was comfortable for the Americans of that time; the pseudo-federalism of the Bismarck Reich with its overbearing Prussians would be carried on. If the Reich was a boarder in the boarding house of the states before, the opposite became true after the Erzberger Financial Reforms. This constitution included a major innovation: a catalog of all the fundamental rights, which, however, were not inalienable. Based on National State of Emergency Article 48, the President of the Reich could "partially or completely suspend" many of the fundamental rights.

The fathers of this constitution proudly pointed out that they had taken only the best of each system: from Great Britain, parliamentarianism; from the U.S., the strong, popularly elected president; from Switzerland, the will of the people. The socialistic provisions of this constitution were still more prescriptive: "Property carries obligations. Its use should include service to the common good," as stated in Article 153. Article 151 stipulated, "The organization of business life must reflect the principles of justice with an aim to providing a dignified human existence for all". The Weimar Reich Constitution of 1919 did not specify the right to employment; it did however, state, "each German ... should be given the opportunity to earn a living through gainful employment. Those able to prove lack of sufficient employment opportunity will be provided for" (Article 163). With this in mind, the National Assembly (Reichstag) passed an unemployment insurance law in July 1927 to insure employees against job loss. But the premiums were set far too low and the compensation was much too little. It was a fairweather law; when times became rougher in 1929, it became apparent that the unemployment insurance system was not equal to the task.

The Germans' downfall in 1933 was not due to this constitution, but rather to the aftermath of the war, the world economic crisis, their own obsolete societal structure and their political immaturity. Although the Weimar Reich Constitution was never officially abolished, Hitler's régime violated its every fundamental provision: separation of power was done away with and civil liberties were annulled.

stands"[7] machte, fand er in Deutschland offenes Gehör, denn Deutschland war ohnehin bereit, fortan als parlamentarische Demokratie zu bestehen.

Die deutsche Reichsverfassung von 1919 war gleichwohl kein Produkt der Siegermächte; sie war aus altem deutschen Verfassungsdenken geboren, obschon sie, da und dort, amerikanische Einflüsse nicht verleugnen konnte. Aber sie war unitarischer, als es den Amerikanern seinerzeit gefiel; der Pseudo-Föderalismus des Bismarck-Reiches mit seinem übermächtigen Preußen fand seine Fortsetzung. War das Reich zuvor Kostgänger der Länder gewesen, so wurde es nun, nach der Erzbergerschen Finanzreform, gerade umgekehrt. Eine große Neuerung enthielt diese Verfassung: einen Katalog von Grundrechten, die allerdings nicht unveräußerlich waren; gestützt auf den Notstandsartikel 48 konnte der Reichspräsident viele Grundrechte „ganz oder zum Teil außer Kraft setzen".

Mit Stolz wiesen die Väter dieser Verfassung darauf hin, daß sie von allen nur das Beste genommen hatten: von Großbritannien den Parlamentarismus, von den USA den starken, vom Volk gewählten Präsidenten, von der Schweiz das Volksbegehren. Noch stärker wegweisend waren die sozialstaatlichen Bestimmungen dieser Verfassung: „Eigentum verpflichtet. Sein Gebrauch soll zugleich Dienst sein für das Gemeine Beste", hieß es in Artikel 153. „Die Ordnung des Wirtschaftslebens muß den Grundsätzen der Gerechtigkeit mit dem Ziel der Gewährleistung eines menschenwürdigen Daseins für alle entsprechen", verlangte Artikel 151. Ein Recht auf Arbeit sah die Weimarer Reichsverfassung von 1919 nicht vor; wohl aber sollte „jedem Deutschen (...) die Möglichkeit gegeben werden, durch wirtschaftliche Arbeit seinen Unterhalt zu erwerben. Soweit ihm angemessene Arbeitsgelegenheit nicht nachgewiesen werden kann, wird für seinen Unterhalt gesorgt" (Artikel 163). Demgemäß verabschiedete der Reichstag im Juli 1927 ein Arbeitslosenversicherungsgesetz, das Arbeitnehmer gegen den Verlust ihres Arbeitsplatzes versicherte. Doch der Beitragssatz war viel zu niedrig bemessen, die Unterstützung allzu gering. Es war ein Gutwettergesetz; als die Zeiten 1929 rauher wurden, zeigte sich die Arbeitslosenversicherung den Nöten nicht gewachsen.

Nicht an dieser Verfassung sind die Deutschen 1933 gescheitert, sondern an den Folgen des Krieges, an der Weltwirtschaftskrise, an ihrer veralteten Gesellschaftsstruktur und an ihrer politischen Unreife. Die Weimarer Reichsverfassung wurde nie für aufgehoben erklärt; allerdings verletzte Hitlers Regierung sie in allen wesentlichen Punkten: Die Gewaltenteilung wurde beseitigt, die Grundrechte außer Kraft gesetzt.

The year 1933 on both sides of the Atlantic:

Franklin Delano Roosevelt is sworn in for his first term by Chief Justice Charles Evans Hughes. Far right: former president Hoover, his predecessor.
Adolf Hitler swears his oath of office on the Weimar Constitution on January 30, 1933. On February 27, the Reichstag building is destroyed by arson. The Reichstag, which had been elected on March 5, met in the Potsdam Garrison Church on March 21. By his choice of location, Hitler wanted to continue Prussian tradition; after all, the sarcophagus of Frederick the Great was in the crypt. On March 23, Hitler announced the Enabling Act (see page 118), which allowed him to break his oath and betray Prussian tradition.

Das Jahr 1933 diesseits und jenseits des Atlantik:

Franklin Delano Roosevelt beginnt seine erste Amtszeit mit dem Eid auf die amerikanische Verfassung vor Chief Justice Charles Evans Hughes. Ganz rechts Ex-Präsident Hoover, sein Vorgänger.
Adolf Hitler hatte am 30. Januar 1933 den Eid auf die Weimarer Verfassung geleistet. Am 27. Februar wurde der Reichstag durch Brandstiftung zerstört. Der am 5. März gewählte Reichstag konstituierte sich am 21. März in der Potsdamer Garnisonskirche. Hitler wollte durch die Wahl des Ortes – immerhin befand sich in der Gruft der Sarkophag Friedrichs des Großen – an preußische Traditionen anknüpfen. Am 23. März erließ er das sogenannte Ermächtigungsgesetz (siehe auch Seite 118), das es ihm ermöglichte, seinen Eid zu brechen und die preußischen Traditionen zu verraten.

The End of the Constitutional State in Germany

"Whoever refuses to speak of capitalism should also remain silent on the subject of fascism," wrote Max Horkheimer in 1939. But this statement is based on an oversimplified view. It was not the big, modern, liberal-capitalistic Western Powers – the U.S., Great Britain and France – that embraced the fascist dictators, but the less modern countries of southern Europe and the young industrial powers with a strong authoritarian tradition such as Germany and Japan. Germany was the only highly industrialized country which went along with any type of fascism. A comparison with the U.S. sheds light on this different type of reaction in Germany:
– In the U.S., democracy had already long been at home; in Germany it was introduced after losing a war and against the will of the old elitists.
– Since the revolution in the eighteenth century, no single, entire class of society in the U.S. had opposed democracy; in America the victory of democracy did not imply the defeat of a certain class. In Germany, however, there were classes which were "casualties of democracy". They became the natural allies of fascism.
– The economic crisis was attributed in the U.S. to a failure of the economic system, not as a crisis of democracy; in Germany, the crisis was blamed on the political system.
– In Germany there were traditional class distinctions; for example, the gap between wage-earners and salaried employees, on which the National Socialists could later capitalize; the differences in America – between white collar and blue collar workers – were much less pronounced.
– In America, the other extreme, communism, was almost entirely absent and thus there was no escalating of the extremes. In Germany both extremes were very powerful.[8]

Das Ende des Rechtsstaates in Deutschland

„Wer vom Kapitalismus nicht reden will, sollte auch vom Faschismus schweigen", schrieb Max Horkheimer 1939. Aber diese Äußerung fußt auf einer allzu vereinfachten Vorstellung. Nicht die großen, modernen, liberal-kapitalistischen Mächte des Westens – die USA, Großbritannien und Frankreich – warfen sich in die Arme von faschistischen Diktatoren, sondern eher die vormodernen Länder in Südeuropa – und die jungen Industriemächte mit starken autoritären Traditionen wie Deutschland und Japan. Deutschland war sogar das einzige hochindustrialisierte Land, das einer Spielart des Faschismus folgte. Die andersartige Reaktion in Deutschland erhellt aus einem Vergleich mit den USA:
– In den USA war die Demokratie seit langem zuhause; in Deutschland wurde sie nach einem verlorenen Krieg gegen den Willen der alten Eliten eingeführt.
– Seit der Revolution im 18. Jahrhundert hatte in den USA niemals eine ganze Gesellschaftsschicht gegen die Demokratie gestanden, in Amerika war der Sieg der Demokratie nicht mit der Niederlage einer Klasse verbunden. In Deutschland hingegen gab es „demokratie-geschädigte" Volksklassen, sie wurden die natürlichen Bundesgenossen des Faschismus.
– Die Wirtschaftskrise wurde in den USA als ein Versagen des Wirtschaftssystems verstanden, nicht als eine Krise der Demokratie; in Deutschland wurde die Krise dem politischen System angelastet.
– In Deutschland gab es alte ständische Unterschiede, etwa die Kluft zwischen Arbeitern und Angestellten, auf sie konnte die NS-Bewegung aufbauen; in Amerika waren diese Unterschiede – etwa zwischen „white collar" und „blue collar" – viel weniger ausgeprägt.
– In Amerika fehlte das Gegenextrem, die Kommunisten, fast ganz, also gab es auch kein Hochsteigern der Extreme. In Deutschland waren beide Extreme sehr stark.[8]

Reichsgesetzblatt

Teil I

| 1933 · | Ausgegeben zu Berlin, den 24. März 1933 | Nr. 25 |

Inhalt: Gesetz zur Behebung der Not von Volk und Reich. Vom 24. März 1933 .... S. 141

Gesetz zur Behebung der Not von Volk und Reich.
Vom 24. März 1933.

Der Reichstag hat das folgende Gesetz beschlossen, das mit Zustimmung des Reichsrats hiermit verkündet wird, nachdem festgestellt ist, daß die Erfordernisse verfassungändernder Gesetzgebung erfüllt sind:

Artikel 1

Reichsgesetze können außer in dem in der Reichsverfassung vorgesehenen Verfahren auch durch die Reichsregierung beschlossen werden. Dies gilt auch für die in den Artikeln 85 Abs. 2 und 87 der Reichsverfassung bezeichneten Gesetze.

Artikel 2

Die von der Reichsregierung beschlossenen Reichsgesetze können von der Reichsverfassung abweichen, soweit sie nicht die Einrichtung des Reichstags und des Reichsrats als solche zum Gegenstand haben. Die Rechte des Reichspräsidenten bleiben unberührt.

Artikel 3

Die von der Reichsregierung beschlossenen Reichsgesetze werden vom Reichskanzler ausgefertigt und im Reichsgesetzblatt verkündet. Sie treten, soweit sie nichts anderes bestimmen, mit dem auf die Verkündung folgenden Tage in Kraft. Die Artikel 68 bis 77 der Reichsverfassung finden auf die von der Reichsregierung beschlossenen Gesetze keine Anwendung.

Artikel 4

Verträge des Reichs mit fremden Staaten, die sich auf Gegenstände der Reichsgesetzgebung beziehen, bedürfen nicht der Zustimmung der an der Gesetzgebung beteiligten Körperschaften. Die Reichsregierung erläßt die zur Durchführung dieser Verträge erforderlichen Vorschriften.

Artikel 5

Dieses Gesetz tritt mit dem Tage seiner Verkündung in Kraft. Es tritt mit dem 1. April 1937 außer Kraft; es tritt ferner außer Kraft, wenn die gegenwärtige Reichsregierung durch eine andere abgelöst wird.

Berlin, den 24. März 1933.

Der Reichspräsident
von Hindenburg

Der Reichskanzler
Adolf Hitler

Der Reichsminister des Innern
Frick

Der Reichsminister des Auswärtigen
Freiherr von Neurath

Der Reichsminister der Finanzen
Graf Schwerin von Krosigk

Das Reichsgesetzblatt erscheint in zwei gesonderten Teilen — Teil I und Teil II —. Fortlaufender Bezug nur durch die Postanstalten. Bezugspreis vierteljährlich für Teil I = 1,10 R.M., für Teil II = 1,50 R.M. Einzelbezug jeder (auch jeder älteren) Nummer nur vom Reichsverlagsamt, Berlin NW 40, Scharnhorststr. 4 (Postscheckkonto: Berlin 96 200). Preis für den achtseitigen Bogen 15 Rpf, auf abgelaufenen Jahrgängen 10 Rpf ausschließlich der Postdrucksachengebühr Bei größeren Bestellungen 10 bis 40 v. H. Preisermäßigung
Herausgegeben vom Reichsministerium des Innern. — Gedruckt in der Reichsdruckerei, Berlin.

(Vierzehnter Tag nach Ablauf des Ausgabetags: 7. April 1933.

Reichsgesetzbl. 1933 I

The official name of the so-called "Enabling Act" was the "law to relieve the need of the people and the Reich." Considered in hindsight, a mere "bat of the eye of world history" was sufficient to plunge the people into dire misery and to abolish the Reich. Except for the Social Democrats, all the parties voted in favor of the law. The Communist Party was excluded from the voting. Of course the law was originally printed with black lettering on innocent white paper. In 1933/34, the totalitarian "coordination" of Germany was undertaken. German states and communities which heretofore had possessed a great degree of independence were deprived of many of their rights; political parties were forbidden and political organisations had to submit to the government. Before 1933 Germany had been a federally organized pluralistic democracy; after 1933/34, a centralized dictatorship.

Das sogenannte „Ermächtigungsgesetz" hieß amtlich „Gesetz zur Behebung der Not von Volk und Reich". In nachträglicher Sicht genügte ein „Wimpernschlag der Weltgeschichte", um das Volk in höchste Not zu stürzen und das Reich auszulöschen. Ausgenommen die Sozialdemokraten stimmten alle Parteien dem Gesetz zu. Die Kommunistische Partei war von der Abstimmung ausgeschlossen. Selbstverständlich ist das Gesetz in der Urfassung mit schwarzen Buchstaben auf geduldiges weißes Papier gedruckt. 1933/34 erfolgte in Deutschland die „Gleichschaltung": Reichsländer und Kommunen, die zuvor große Selbständigkeit besessen hatten, verloren viele ihrer Rechte; politische Parteien wurden verboten, die politischen Verbände mußten sich künftig der Regierung fügen. Vor 1933 war Deutschland eine föderalistisch verfaßte, pluralistische Demokratie, nach 1933/34 eine zentral gelenkte Diktatur.

January 30, 1933: Hitler's "seizure of power"; here, the notorious torch-light-march of his private army through the Brandenburg gate in Berlin. How it all ended is recalled to memory on the next page (illustration lower right).

30. Januar 1933: Machtergreifung Hitlers; hier der legendäre Fackelzug seiner Privatarmee durch das Brandenburger Tor in Berlin. Wer sich rasch ins Gedächtnis rufen will, wie das Ganze endete, siehe nächste Seite, Bild rechts unten.

In the very year that they took power, the National Socialists began their savage suppression of political opposition in short order by arresting and confining dissenters.

Noch im Jahr der Machtübernahme beginnen die Nationalsozialisten mit der rücksichtslosen Ausschaltung ihrer politischen Gegner; Oppositionelle werden kurzerhand verhaftet und interniert.

Not long afterward, armament began – on land, in the air and at sea.

Wenig später begann die Aufrüstung in der Luft, auf der Erde und zur See.

March 12, 1938: Annexation of Austria. Hitler speaks on Vienna's "Heldenplatz."

12. März 1938: Österreich wird okkupiert. Hitler spricht auf dem Heldenplatz in Wien.

March 7, 1936: German troops enter the demilitarized zone. They are seen here in front of the Cologne cathedral.

7. März 1936: Einmarsch in die entmilitarisierte Zone. Das Bild zeigt deutsche Truppen vor dem Kölner Dom.

March 15, 1939: When German troops enter Prague, the population is powerless to offer any opposition outside of an ineffectual protest.

15. März 1939: Beim Einmarsch deutscher Truppen in Prag bleibt der Bevölkerung nur ohnmächtiger Protest.

September 29, 1938: the Munich Conference, with England, France and Italy participating. The relinquishing to Germany of the German-speaking border regions of Czechoslovakia is accepted. From left to right: Neville Chamberlain (1869–1940), Edouard Daladier (1884–1970), Adolf Hitler (1889–1945), Benito Mussolini (1883–1945).

29. September 1938: Münchner Konferenz. Hier werden die deutsch-sprachigen Grenzgebiete der Tschechoslowakei unter Teilnahme Englands, Frankreichs und Italiens preisgegeben. Von links nach rechts: Neville Chamberlain (1869–1940), Edouard Daladier (1884–1970), Adolf Hitler (1889–1945), Benito Mussolini (1883–1945).

September 1, 1939: Intrusion of German troops into Poland.

1. September 1939: Einmarsch deutscher Truppen in Polen.

May 10, 1940: War on the western front, followed by the bombardment of Britain.

10. Mai 1940: Krieg im Westen und anschließend Luftschlacht um England.

June 22, 1941: German troops invade the Soviet Union.

22. Juni 1941: Deutsche Truppen fallen in die Sowjetunion ein.

Berlin on May 8, 1945: The end of hostilities in Europe. Fifty million people lost their lives in the course of the war.

8. Mai 1945 in Berlin: Der Krieg ist zu Ende. 50 Millionen Menschen haben ihr Leben verloren.

What the "Enabling Act" led to in the final run also remains unforgettable in the Federal Republic of Germany – as this set of pictures demonstrates.

Unvergessen in der Bundesrepublik Deutschland sind auch die weiteren Auswirkungen des Ermächtigungsgesetzes im Sinne dieses Bilderbogens.

It is well known that Guernica and Warsaw, Rotterdam (left) and Coventry (right) were destroyed by the Nazis before Dresden, Cologne, Hamburg, Frankfurt and Munich were bombed by the Allies.

Man weiß, daß Guernica und Warschau, Rotterdam (Bild links) und Coventry (Bild rechts) vor Dresden, Köln, Hamburg, Frankfurt oder München zerstört wurden.

In June 1942, the Czechoslovakian village of Lidice was totally wiped off the earth as revenge for the assassination of the SS Section Leader Heydrich. The male inhabitants were executed; the women and children, taken to concentration camps. Oradour in France and Kalavryta in Greece suffered similar fates.

Im Juni 1942 wurde der tschechische Ort Lidice als Vergeltung für das vorausgegangene Attentat auf den SS-Gruppenführer Heydrich zerstört, die männlichen Einwohner hingerichtet, Frauen und Kinder in Konzentrationslager verbracht. Oradour in Frankreich und Kalavryta in Griechenland erlitten ähnliche Schicksale.

What began in 1933 with the boycott of Jewish businesses (left), ended with the extermination of racial and religious minorities in the concentration camps of the Third Reich. (At the right): selection of victims at Auschwitz.

Was 1933 mit Boykott gegen jüdische Geschäfte begann (Bild links), endete mit der Ausrottung von Minderheiten aus rassischen und religiösen Gründen in den Konzentrationslagern des Dritten Reiches. Bild rechts: Selektion im KZ Auschwitz.

II

Overthrow of the Constitution in Germany – Maintaining the Old Order in America

Verfassungsumsturz in Deutschland – Bewahrung der alten Ordnung in Amerika

Roosevelt's "Revolution" and Hitler's rise to power signaled a major hiatus for both countries. Within a few weeks of each other, Franklin D. Roosevelt and Adolf Hitler came to power in countries which had both been badly shaken by the economic crisis. Both faced similar problems: declining economy and massive unemployment. From the point of view of economic-political methods, the two politicians resorted to fairly similar means to counteract the effects of the depression. However, in respect to constitutional government, the two countries went their own ways from then on.

In America, Roosevelt's first one hundred days had, on occasion, been termed a bloodless revolution. "The nation is asking that something be done right away," announced the newly-elected president. He was ready. He demanded full powers as if "an enemy army were in the land". The simile was aptly chosen; the New Deal was, in fact, based on the experiences of the war economy of 1917/18. Roosevelt let it be known that he wanted to eliminate "ruinous competition" and work together with the factions of capital, employment and government to find a solution to problems. Public employment measures, stimulation of the economy through deficit spending à la Keynes, resolution of the conflict between employment and capital through government intervention, tighter control of banks – without their becoming state-run –, wage and price controls, and relief for suffering agriculturalists – were Roosevelt's means of overcoming the economic crisis. Later, with the implementation of the second New Deal, Roosevelt began to observe even more strictly the clause in the American Constitution, to "promote the general welfare".

However, the New Deal soon came under attack by industry. The Supreme Court also took a stand against the New Deal and declared its most important laws unconstitutional, since they gave preferential treatment to certain groups and/or interfered with state jurisdiction. Roosevelt, who was reelected in 1936 by an overwhelming majority, was not

"Roosevelt's Revolution" und Hitlers Machtantritt bedeuten für beide Länder einen tiefen Einschnitt. Innerhalb weniger Wochen kamen in den beiden – von der Wirtschaftskrise schwer erschütterten – Staaten Franklin D. Roosevelt und Adolf Hitler an die Macht. Beide standen vor ähnlichen Problemen: Wirtschaftsverfall und Massenarbeitslosigkeit. In wirtschaftspolitischer Hinsicht ergriffen beide Politiker ganz ähnliche Werkzeuge, um die Auswirkungen der Weltwirtschaftskrise zu beheben. Doch in verfassungsrechtlicher Hinsicht gingen die beiden Länder fortan getrennte Wege.

Roosevelts berühmte erste „hundert Tage" wurden in Amerika bisweilen als eine unblutige Revolution bezeichnet. „Die Nation bittet darum, daß etwas geschieht, und zwar sofort", verkündete der neugewählte Präsident. Er war bereit. Er forderte Vollmachten, als stehe „eine fremde Armee im Land". Der Vergleich war passend gewählt, denn der New Deal knüpfte tatsächlich an die Erfahrungen mit der Kriegswirtschaft von 1917/18 an. Er wolle den „ruinösen Wettbewerb" ausschalten, ließ er wissen, und die drei Säulen – Kapital, Arbeit und Staat – die Probleme gemeinsam angehen. Öffentliche Arbeitsmaßnahmen, Ankurbelung der Wirtschaft durch *deficit spending* à la Keynes, Beilegung von Konflikten zwischen Arbeit und Kapital durch staatlichen Eingriff, verschärfte Kontrollen über Banken – ohne sie jedoch zu verstaatlichen –, Lohn- und Preiskontrollen, Hilfe für die notleidende Landwirtschaft – das waren Roosevelts Instrumente der Krisenbeseitigung. Später, mit Beginn des zweiten New Deal, begann Roosevelt, die Wohlfahrtsklausel in der amerikanischen Verfassung – „promote the general welfare" – stärker anzuwenden.

Doch der New Deal geriet bald unter den Beschuß der Industrie. Auch der Supreme Court stellte sich gegen den New Deal und erklärte seine wichtigsten Gesetze für verfassungswidrig, weil sie einzelne Gruppen bevorzugten beziehungsweise in die Aufgaben der Bundesstaaten ein-

concerned by this. He warned the American people of a "renewed industrial dictatorship" and promised "the forgotten man" his help against the "powers of self interest". He still saw "a third of the people poorly housed, poorly clad and poorly fed," he said in his second acceptance speech. In 1937 he tried unsuccessfully to restrict the power of the Supreme Court; his effort was interpreted as an attack on the Constitution.

America possessed a liberal, constitutional heritage before the time of Roosevelt and this president added the principles of a modern social state to these traditions. His policies showed no similarity to national-socialism; and by comparing the dimensions of his economic intervention and his success, with that of the German Government, the differences become obvious. In Germany, governmental intervention was more far-reaching; public spending much greater, the more so as the German Reich had been rearming since 1936. In 1938, U.S. public spending was at a relatively low 11 percent. In other European industrialized nations it was much higher: in Germany, 35 %; France, 30 %; Great Britain, 24 %, whereby it should be noted that these governments used a higher basic allowance. The German national debt increased between 1933 and 1938 from 12.9 to 42.7 billion German marks, i.e. by 231 %. In the same period, that of the U.S. increased only some 80 %, from 22.5 to 40.4 billion dollars.[9] By the same token, however, the success in America was not as great: at the outbreak of the war in Europe in 1939, unemployment in the U.S. figured at 9.4 million, well over 15 %.

The major differences between Germany and America manifested themselves in politics: America remained true to its liberal, democratic, constitutional principles, even when it may have "diluted" its capitalism somewhat. After 1933, Germany pursued a policy which was contemptuous of humanity, undemocratic, and economically much more rigid. The National-Socialist regime, which never attained half of all the votes in any free election, distinguished itself shortly after coming to power, by the violation of basic constitutional rights. The Weimar Constitution was never formally repealed but Hitler's regime destroyed it piece by piece. Hitler's government outlawed all parties except the German National Socialist Workers' Party (NSDAP), reversed the separation of powers, dissolved the federalistic structure of the Reich, and violated the Germans' basic rights at every turn. Undesirable persons, Germans and foreigners alike, also American citizens, were persecuted, arrested and illegally held at will.

griffen. Roosevelt, 1936 mit überwältigender Mehrheit im Amt bestätigt, ließ sich davon nicht beeindrucken. Er warnte das amerikanische Volk vor einer „neuerlichen Diktatur der Industrie" und versprach dem „vergessenen Mann" seine Hilfe gegen die „Mächte des Eigennutzes". Noch immer, sagte er in seiner zweiten Antrittsrede, sehe er „ein Drittel des Volkes schlecht behaust, schlecht gekleidet und schlecht ernährt". 1937 versuchte er, die Macht des Supreme Court zu beschneiden – aber damit kam er nicht durch; dies wurde als ein Anschlag auf die Verfassung verstanden.

Ein liberales, rechtsstaatliches Erbe besaß Amerika schon vor Roosevelt, und dieser Präsident fügte diesen Traditionen noch die Grundsätze eines modernen Sozialstaates hinzu. In seiner Politik zeigte er keine Ähnlichkeit mit dem Nationalsozialismus; und wenn man die Größenordnung seines Wirtschaftseingriffs und seiner Erfolge mit denen der deutschen Regierung vergleicht, so liegen die Unterschiede auf der Hand. In Deutschland reichte der staatliche Eingriff bedeutend tiefer; die öffentlichen Ausgaben waren weit höher, zumal das Deutsche Reich seit 1936 mächtig aufrüstete. In den USA lagen die Staatsausgaben noch 1938 mit 11 Prozent relativ niedrig, in den europäischen Industriestaaten waren sie weitaus höher: Deutschland 35 Prozent, Frankreich 30 Prozent, Großbritannien 24 Prozent, wobei man hinzufügen muß, daß diese Regierungen auch von einem höheren Sockel ausgingen. Die deutsche Staatsschuld stieg zwischen 1933 und 1938 von 12,9 auf 42,7 Mrd. Mark, also um 231 Prozent; die der USA stieg im gleichen Zeitraum von 22,5 auf 40,4 Mrd. Dollar, also nur um 80 Prozent.[9] Dafür waren in Amerika auch die Erfolge geringer: bei Kriegsausbruch in Europa, 1939, stand die Arbeitslosigkeit in USA bei 9,4 Millionen, weit über 15 Prozent.

Die großen Unterschiede zwischen Deutschland und Amerika zeigten sich in der Politik: Amerika blieb seinen liberalen, demokratischen und rechtsstaatlichen Grundsätzen treu, auch wenn es seinen Kapitalismus etwas verwässerte; Deutschland folgte nach 1933 einer menschenverachtenden, undemokratischen und wirtschaftlich viel stärker dirigistischen Politik. Das nationalsozialistische Regime, das in keiner freien Wahl die Hälfte aller Stimmen auf sich zog, tat sich bald nach seinem Machtantritt durch die Verletzung elementarer Grundrechte hervor. Die Weimarer Verfassung wurde zwar niemals formal aufgehoben; aber Hitlers Regierung zerschlug sie Stück für Stück: er verbot die Parteien – mit Ausnahme der NSDAP –, beseitigte die Teilung der Gewalten, hob die föderalistische Struktur des Reiches auf und verletzte die Grundrechte der Deutschen auf Schritt

The first shadow was cast over German-American relations when the German Ambassador to Washington, Friedrich Wilhelm von Prittwitz, resigned out of protest against his government and explained his action to the American public in 1933. Americans began to doubt this regime which violated human rights; the belligerent noises from Germany, and its rearmament were more than enough. Relations had been strained since 1936, but were particularly so after November 1938 when the Nazi executioners hounded defenseless Jews to death during the Reichskristallnacht (Crystal Night).

America was alarmed by the rearmament; but it took considerable time before the Americans were ready to give up their isolationist foreign policy. Germany sought to rule Europe, and the American Government, in keeping with the British tradition of political equilibrium, could not accept that. However, the executive branch was only gradually able to make clear to Congress and the populace that the actions of the Axis Powers, Germany, Italy and Japan, posed a threat to American interests as well. Upon Germany's annexation of Austria onto the Third Reich in March 1938, Roosevelt requested a larger defense budget from Congress. After the Blitzsieg (whirlwind victory) over Poland in October 1939, he demanded that Congress allow the Western Powers to purchase American weaponry. When the Wehrmacht (German Armed Forces) invaded the Soviet Union, the American Government was even prepared to support Moscow with weapons. This made a clash with Germany virtually inevitable, and from September 1941 on, the two powers were unofficially at naval war in the north Atlantic. A few days after the Japanese attack on Pearl Harbor in December 1941, Hitler declared war on the U.S.

und Tritt. Mißliebige Personen, deutsche wie fremde, auch amerikanische Staatsangehörige, wurden willkürlich verfolgt, verhaftet und widerrechtlich festgehalten.

Die deutsch-amerikanischen Beziehungen erfuhren die erste Trübung, als der deutsche Botschafter in Washington, Friedrich Wilhelm von Prittwitz, aus Protest gegen seine Regierung 1933 zurücktrat und seinen Schritt vor der amerikanischen Öffentlichkeit begründete. Die Menschenrechtsverletzungen ließen die Amerikaner an diesem Regime zweifeln; die kriegerischen Töne aus Deutschland und die Aufrüstung taten ein übriges. Seit 1936, vor allem aber seit November 1938, als die Nazi-Schergen in der „Reichskristallnacht" wehrlose jüdische Bürger zu Tode hetzten, waren die Beziehungen stets gespannt.

Die Aufrüstung erschreckte Amerika; aber es dauerte seine Zeit, ehe die Amerikaner bereit waren, ihre außenpolitische Zurückhaltung aufzugeben. Deutschland strebte nach der Vorherrschaft in Europa, und die amerikanische Regierung, ganz in der Tradition der britischen Gleichgewichtspolitik, konnte damit nicht einverstanden sein. Doch nur langsam gelang es der Exekutive, dem Kongreß und der Bevölkerung nahezubringen, daß das Vorgehen der Achsenmächte – Deutschland, Italien und Japan – auch die Interessen der USA bedrohte. Als Deutschland im März 1938 den „Anschluß" Österreichs an das Deutsche Reich vollzog, forderte Roosevelt vom Kongreß höhere Verteidigungsausgaben. Im Oktober 1939, nach dem deutschen Blitzsieg über Polen, verlangte er von der Legislative, den Westmächten den Einkauf amerikanischer Waffen zu ermöglichen. Und als die Wehrmacht im Juni 1941 in die Sowjetunion einfiel, war die amerikanische Regierung sogar bereit, Moskau mit Waffen zu unterstützen. Dies machte den Zusammenstoß mit Deutschland fast unvermeidlich, und seit September 1941 herrschte zwischen den beiden Mächten im Nordatlantik ein unerklärter Seekrieg. Wenige Tage nach dem japanischen Überfall auf Pearl Harbor im Dezember 1941 erklärte Hitler den USA den Krieg.

December 7, 1941: Pearl Harbor. The Japanese air force attacks the U.S. Pacific Fleet. Four days later, Hitler and Mussolini declare war against the United States.

7. Dezember 1941, Pearl Harbor: Japanische Flugzeuge greifen die amerikanische Pazifikflotte an. Vier Tage später erklären Hitler und Mussolini den USA den Krieg.

Americans were a rather racially conscious people, ruled by white Europeans. They reacted differently to the German and Japanese aggression during 1937 to 1941. The German advances alarmed them; the Japanese evoked indignation. The "yellow race" was not particularly esteemed in America; Washington had enacted several immigration restrictions for peoples on the other side of the Pacific. Since 1924, Japanese had not been permitted to immigrate and become U. S. citizens. In the wake of Pearl Harbor, this policy was intensified and was even given a rational justification: did not one have to fear espionage and sabotage by these "yellow" Americans? Were they not a security risk? On February 19, 1942, Roosevelt signed an Executive Order allowing American citizens of Japanese ancestry – so-called Nisei – to be interned during the war, with no legal recourse, no courtroom judgment. Over a hundred thousand Americans of Japanese ancestry spent the war in internment camps.

The war and the ensuing victory over German racism effected a decisive change in American sensibility, especially in the South, with its traditional injustice toward the blacks. Postwar developments finally led to the abolishment of segregation in the mid-1950s.

Die Amerikaner waren ein durchaus rassebewußtes Volk, beherrscht von weißen Europäern. Auf das Vordringen der Deutschen und der Japaner, zwischen 1937 und 1941, zeigten die Amerikaner völlig verschiedene Reaktionen: die deutsche Aggression machte ihnen angst – die japanische verursachte Empörung. Die „gelbe Rasse" genoß in Amerika wenig Ansehen; mehrmals hatte Washington Einwanderungsbeschränkungen gegen die Völker auf der anderen Seite des Pazifik erlassen; seit 1924 konnten Japaner nicht mehr einwandern und US-Bürger werden. Nach Pearl Harbor verstärkte sich diese Haltung und fand sogar eine rationale Begründung: Mußte man sich nicht vor der Spionage und Sabotage dieser „gelben" Amerikaner fürchten? Waren sie nicht ein Sicherheitsrisiko? Am 19. Februar 1942 unterzeichnete Roosevelt eine Executive Order, die es erlaubte, amerikanische Bürger japanischer Abstammung – sogenannte Nisei – während des Krieges zu internieren, und zwar ohne richterliche Anklage, ohne rechtsstaatliche Verteidigung, ohne Gerichtsurteil. Mehr als hunderttausend Amerikaner japanischer Abstammung verbrachten den Krieg in einem Internierungslager.

Der Krieg mit dem Sieg über den deutschen Rassismus hat das Bewußtsein in den USA, wo sich Rassismus vor allem in den Südstaaten gegen Schwarze kehrte, von Grund auf verändert. Die Nachkriegsentwicklung führte Mitte der 50er Jahre schließlich zur Aufhebung der Rassentrennung.

(Right): U.S. soldiers supervise the arrival and registration of Nisei at the camp in Santa Anita, California.

Rechts: Amerikanische Soldaten überwachen die Ankunft und Registrierung von Nisei im Lager Santa Anita in Californien.

Pictures 1 to 3 show U.S. marshals protecting Black children on their way to school.

Die Bilder 1 bis 3 zeigen US-Marshalls, die farbigen Kindern „Geleitschutz" auf dem Weg zur Schule geben.

Seated at a distance from his white fellow students, a black pupil in his classroom at Maury High School in Norfolk, Virginia.

Weitab von seinen weißen Mitschülern sitzt dieser farbige Schuljunge in der Maury High School in Norfolk, Virginia.

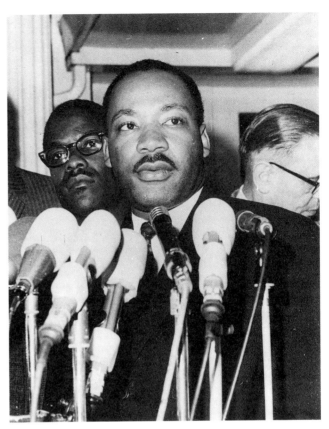

January 18, 1966: The swearing of the constitutional oath of office by Robert C. Weaver, appointed by President Johnson as the first Black U.S. cabinet member.

Am 18. Januar 1966 wurde der von Präsident Johnson berufene Robert C. Weaver als erster farbiger Minister der USA auf die Verfassung vereidigt.

The Baptist minister Martin Luther King, born in Atlanta, Georgia, on January 15, 1929, was a respected champion of equal rights for blacks in the United States. Taking Gandhi as a shining example, King was an opponent of all forms of violence. In 1964, King was awarded the Nobel Peace prize. This advocate of peaceful resistance met the same tragic fate as Gandhi: King was murdered in Memphis, Tennessee, on April 4, 1968.

Martin Luther King, ein baptistischer Pfarrer, wurde am 15. Januar 1929 in Atlanta / Georgia geboren. Als Vorkämpfer der Gleichberechtigung der Farbigen in den USA vertrat er, wie sein Vorbild Gandhi, den Grundsatz der Gewaltlosigkeit. Martin Luther King erhielt 1964 den Friedensnobelpreis. Am 4. April 1968 wurde er in Memphis / Tennessee ermordet.

Conferences that determined the fate of Germany:

Konferenzen, die das deutsche Schicksal bestimmten:

At the Casablanca Conference, held in January 1943, Churchill and Roosevelt for the first time demanded the unconditional surrender of Germany and Japan.

Im Januar 1943 fordern Churchill und Roosevelt auf der Konferenz von Casablanca erstmals die bedingungslose Kapitulation Deutschlands und Japans.

A meeting on the high seas: In August, 1941, on board a British battleship, Rooseelt and Churchill initiate the "Atlantic Charter", which defined the goals of their common principles. On September 24, the Soviet Union and 14 other countries joined the Charter.

Treffen auf hoher See: An Bord eines britischen Schlachtschiffes beschließen Roosevelt und Churchill im August 1941 die „Atlantik Charta"; sie legt die Zielrichtung ihrer gemeinsamen Grundlagen fest. Am 24. September treten die Sowjetunion und 14 weitere Staaten der Charta bei.

The Conference of Yalta in February 1945: Stalin, Roosevelt and Churchill come to an agreement on the postwar occupation zones and control of Germany.

Die Konferenz von Jalta im Februar 1945: Stalin, Roosevelt und Churchill einigen sich über die späteren Besatzungszonen und die Kontrolle Deutschlands.

At the end of November 1943 in Teheran, Stalin (left), Roosevelt (seated), and Churchill (right) confer about the division of Germany in zones of occupation. Our picture shows the presentation of a ceremonial sword with which the King of England honored the defenders of Stalingrad.

Ende November 1943 beraten Stalin (links), Roosevelt (sitzend) und Churchill (rechts) in Teheran über die Einteilung Deutschlands in Besatzungszonen. Unser Bild zeigt die Überreichung eines Ehrenschwertes, mit dem der britische König die Verteidiger Stalingrads auszeichnete.

At the Potsdam Conference (July 1945), the victorious Allied forces, represented by Churchill, Truman and Stalin, decide upon their future policies regarding Germany.

Auf der Potsdamer Konferenz (Juli 1945) legen die Siegermächte, vertreten durch Churchill, Truman und Stalin, ihre weitere Deutschlandpolitik fest.

III

The Restoration of German Constitutionalism

Die Wiederherstellung der deutschen Rechtsstaatlichkeit

Even before the U.S. entered the war, its commander-in-chief, Franklin D. Roosevelt, with visionary words, pledged a future peacetime order which would include four freedoms: freedom of speech and of religious belief, but also freedom from need and fear. "After the final destruction of the Nazi tyranny … to live free from need and fear" was also the hope of the Atlantic Charter which Roosevelt and Churchill signed in August of 1941.

Noch ehe die USA in diesen Krieg eingetreten waren, hatte ihr oberster Kriegsherr, Franklin D. Roosevelt, mit visionären Worten eine künftige Friedensordnung beschworen, die vier Freiheiten einschließen müsse: die Freiheit des Wortes und des religiösen Bekenntnisses, aber auch Freiheit von Not und Furcht. „Nach der endgültigen Vernichtung der Nazityrannei … frei von Not und Furcht zu leben", das war auch eine Hoffnung der Atlantik-Charta, welche Roosevelt und Churchill im August 1941 unterzeichneten.

From the Atlantic Charter to the Potsdam Declaration

Von der Atlantik-Charta zur Potsdamer Erklärung

As the war drew to a close, Germany was at war with most of the countries of the globe. But only the Big Four – the U.S., England, France and the Soviet Union – were able to influence Germany's internal post-war development. The heads of state of these countries expressed their views in several declarations – Casablanca in 1943, Teheran in 1943, Yalta in 1945 – as to the treatment of Germany after the Allied victory. The notion of imposing a harsh peace on Germany, at first pleased Roosevelt and Churchill. So, in Quebec, they signed the revised version of a plan named after the American Secretary of the Treasury Henry Morgenthau, which provided for the conversion of Germany into an agricultural country. But both statesmen drew severe criticism and abandoned the plan.

The first public suggestion to divide Germany arose from Stalin. Yet, the further the Red Army advanced westward, the less Stalin was willing to relinquish the larger part of Germany to the other victors by dividing it. In Teheran, there was still talk of five independent German states. In Yalta, the British and Americans agreed on a federative centralization of Germany. Finally, in Potsdam, the solution read: a decentralized unified state.

On May 8 & 9, 1945, Germany unconditionally surrendered. On June 5, the Allies declared: "The governments of the United Kingdom, the United States of America, the Union of Soviet Socialist Republics and the Provisional Government of the French Republic hereby assume supreme

Als der Krieg sich seinem Ende näherte, stand Deutschland mit den meisten Staaten der Erde im Kriegszustand. Aber nur die Großen Vier – die USA, England, Frankreich und die Sowjetunion – vermochten nach dem Krieg seine innere Entwicklung zu beeinflussen. Die Regierungschefs dieser Länder sprachen sich in mehreren Erklärungen – Casablanca 1943, Teheran 1943, Jalta 1945 – über die Behandlung Deutschlands nach dem Sieg der Alliierten aus. Der Gedanke, Deutschland einen harten Frieden aufzuerlegen, gefiel Roosevelt und Churchill zunächst, und so unterzeichneten sie in Quebec die erneuerte Fassung eines Planes, der nach dem amerikanischen Finanzminister Henry Morgenthau benannt war und im wesentlichen eine Umwandlung Deutschlands in ein Agrarland vorsah. Aber beide Staatsmänner erfuhren dafür harte Kritik und zogen den Plan zurück.

Der erste öffentliche Vorschlag, Deutschland aufzuteilen, stammte von Stalin. Doch je weiter die Rote Armee nach Westen vordrang, desto weniger war Stalin bereit, durch eine Teilung Deutschlands den größeren Teil des Landes an die anderen Siegermächte abzutreten. In Teheran war noch von fünf selbständigen deutschen Staaten die Rede; in Jalta einigten sich Briten und Amerikaner auf eine „föderative Zentralisierung" Deutschlands; in Potsdam schließlich hieß die Lösung: dezentralisierter Einheitsstaat.

Am 8./9. Mai 1945 kapitulierte Deutschland bedingungslos. Am 5. Juni erklärten die Alliierten: „Die Regierungen

governmental power over Germany." In August, the Big Three agreed that their goal was not "to destroy or enslave the German people." Instead, they wanted "to give the German people the opportunity to prepare themselves to build a new life based on peace and democracy".[10]

The victorious powers accurately recognized in this Germany a hotbed of aggression. Influencing the future constitutional development in Germany would enable them to weed out the roots of aggression. However, earlier German constitutional thinking would, naturally, flow into the new German constitution.

Already during the war, Germans within and outside of Germany had expressed their views about the new, future shape of Germany. The emigré German Socialist Party (SPD) chairman entitled his remarks on this topic in the Prague Manifesto "Some thoughts on the restoration of constitutional order". Wilhelm Hoegner formed a constitutional model in 1939, and Erich Koch-Weser wrote a "Draft of a German State Constitution After the Fall of Hitler" in exile in Brazil in 1942. In New York, a Council for a Democratic Germany formed in 1944; among its members were many artists and intellectuals such as Bert Brecht, Fritz Kortner, Emil J. Gumbel, Ernst Bloch, Lion Feuchtwanger, Heinrich Mann, Werner Stresemann, Veit Valentin, and Herbert Weichmann. They demanded that the goal of the American Government be to protect "a renewed democratic Germany from the forces of internal and external reaction. This should begin immediately after the hostilities end. An internally secure German democracy is the German contribution to the peace of Europe and the world".[11] All the German constitutional drafts, also those of the resistance, and particularly the ideas of the Kreisauer Kreis (Kreisau Circle), show a great sense of ethical awareness of politics as well as the view that a new Germany must be democratic not only in its form of government but also socially and economically. In addition, they all called for the victorious powers to practice restraint in shaping the new German constitution. They all have one more thing in common: they had no major influence on the actual development.

des Vereinigten Königreichs, der Vereinigten Staaten von Amerika, der Union der Sozialistischen Sowjet-Republik und die Provisorische Regierung der Französischen Republik übernehmen hiermit die oberste Regierungsgewalt in Deutschland." Im August einigten sich die Großen Drei in Potsdam, es ginge ihnen nicht darum, „das deutsche Volk zu vernichten oder zu versklaven", sie wollten statt dessen „dem deutschen Volk die Möglichkeit geben, sich darauf vorzubereiten, sein Leben auf einer demokratischen und friedlichen Grundlage von neuem wiederaufzubauen".[10]

Zu Recht erblickten die Siegermächte in diesem Deutschland einen Herd der Aggression – Einfluß zu nehmen auf die künftige Verfassungsentwicklung in Deutschland würde es ihnen ermöglichen, die Wurzeln der Aggression auszureißen. Natürlich würde aber auch älteres deutsches Verfassungsdenken in eine neue deutsche Verfassung einfließen.

Schon im Verlauf des Krieges hatten sich Deutsche innerhalb und außerhalb Deutschlands zu einer künftigen Neugestaltung geäußert. „Gedanken zu einer Wiederherstellung einer verfassungsmäßigen Ordnung", so nannte der emigrierte SPD-Vorstand im Prager Manifest seine diesbezüglichen Vorstellungen. Wilhelm Hoegner verfaßte 1939 ein Verfassungsmodell, und Erich Koch-Weser schrieb 1942 im brasilianischen Exil einen „Entwurf einer deutschen Reichsverfassung nach Hitlers Sturz". In New York bildete sich 1944 ein Council for a Democratic Germany; ihm gehörten viele Künstler und Intellektuelle an, darunter Bert Brecht, Fritz Kortner, Emil J. Gumbel, Ernst Bloch, Lion Feuchtwanger, Heinrich Mann, Werner Stresemann, Veit Valentin, Herbert Weichmann. Ziel der amerikanischen Regierung müsse es sein, verlangten sie, „ein erneuertes, demokratisches Deutschland vor den Kräften innerer und äußerer Reaktion zu schützen. Das muß unmittelbar nach dem Aufhören der Feindseligkeiten beginnen. Eine innerlich gesicherte deutsche Demokratie ist der deutsche Beitrag für den Frieden Europas und der Welt."[11]

In all den deutschen Verfassungsentwürfen, auch in denen des Widerstands, und ganz besonders in den Vorstellungen des Kreisauer Kreises, zeigt sich ein hohes ethisches Bewußtsein von Politik, zugleich die Auffassung, daß ein neues Deutschland nicht nur nach seiner Rechtsverfassung eine Demokratie sein müsse, sondern auch in seiner gesellschaftlichen und wirtschaftlichen Verfassung. Außerdem forderten sie alle, daß die Siegermächte sich bei der Gestaltung einer neuen deutschen Verfassung Zurückhaltung auferlegten. Und ein weiteres haben sie noch gemein – sie blieben ohne größeren Einfluß auf die tatsächliche Entwicklung.

On March 7, 1945, American forces capture the bridge at Remagen before retreating German soldiers could destroy it.

Amerikaner erobern am 7. März 1945 die Brücke von Remagen unbeschädigt.

American/British safe-conduct pass for German soldiers.

Amerikanisch-englischer Passierschein für deutsche Soldaten.

The war
in Germany
is over:

Der Krieg
in Deutschland
geht zu Ende:

U.S. troops enter Munich on April 30, 1945.

Am 30. April 1945 ziehen amerikanische Truppen in München ein.

An American soldier removing signs of what had been styled the "Thousand-Year" empire.

Ein amerikanischer Soldat bei der Beseitigung von Spuren des „Tausendjährigen" Reiches.

As of January 1945, refugees were trekking down all roads leading westward, despite severe weather conditions and the threat of Russian tanks.

Ab Januar 1945 waren auf allen westwärts führenden Straßen unter widrigen Wetterbedingungen und bedroht von russischen Panzerspitzen Flüchtlingstrecks unterwegs.

The German army capitulated on May 7, 1945, in Eisenhower's headquarters at Reims, and on May 8, 1945, in Berlin-Karlshorst (our photo).

Kapitulation der deutschen Wehrmacht am 7. Mai 1945 im Hauptquartier Eisenhowers in Reims und am 8. Mai 1945 in Berlin-Karlshorst (unser Bild).

The first of the Nuremberg trials began in November, 1945. On the defendants' bench, from left to right: Göring, Hess, Ribbentrop, Keitel and Kaltenbrunner; in the second row, Dönitz, Raeder and Schirach.

Im November 1945 begann der erste Nürnberger Prozeß. Auf der Anklagebank von links nach rechts: Göring, Heß, Ribbentrop, Keitel und Kaltenbrunner; in der zweiten Reihe: Dönitz, Raeder und Schirach.

The Control Council building in West Berlin. Today the Control Council is the last still-functioning Four-Power institution.

Das Kontrollratsgebäude in Berlin-West. Der Kontrollrat ist heute noch die einzige funktionierende Institution der vier Mächte.

Postwar reparations: Here, the loading of goods destined for the Soviet Union. In the American zone, that kind of property transfer was suspended in May, 1946.

Nachkriegsreparationen: Hier Verladung von Gütern für die Sowjetunion. Im Mai 1946 werden in der amerikanischen Zone Lieferungen dieser Art eingestellt.

President Truman sent his Secretary of State, James F. Byrnes, to Stuttgart, where he declared the President's new policy of rehabilitation and recovery in a speech on September 6, 1946, which heralded the era of more friendly relations.

"Operation Vittles" was the nickname given by the American pilots to the airlift operation. The German children called the planes "raisin bombers".

Die Berliner Kinder nannten die Maschinen der Luftbrücke liebevoll „Rosinen-Bomber".

Presentation of the one-millionth CARE (Cooperative for American Remittances to Europe) package in Berlin.

Der amerikanische Außenminister James F. Byrnes am 6.9.1946 in Stuttgart: Mit seiner Rede wurde nach bitteren Jahren die Ära freundschaftlicher Beziehungen eingeleitet.

On April 3, 1948, President Harry S. Truman (1884–1972) signed the European Recovery Act, enabling implementation of the Marshall Plan.

Am 3. April 1948 unterzeichnete US-Präsident Harry S. Truman (1884–1972) das Europahilfsgesetz (European Recovery Act), mit dem der Marshall-Plan in die Tat umgesetzt wurde.

On Sunday, June 21, 1948, new currency was exchanged for old at the rate of 1 to 10: the so-called Currency Reform.

Am Sonntag, dem 21. Juni 1948 wurde in allen Zonen das Geld im Verhältnis 1:10 umgetauscht, die sogenannte Währungsreform.

Die Übergabe des millionsten CARE („Cooperative for American Remittances to Europe", etwa: Arbeitsgemeinschaft zur Weiterleitung amerikanischer Hilfsgelder nach Europa) Paketes.

Am 5. März 1946 genehmigt der Chef der amerikanischen Militär-Regierung, General Lucius D. Clay, das „Gesetz zur Befreiung von Nationalsozialismus und Militarismus".

On May 5, 1946, the head of the American military government, General Lucius D. Clay, approved the "Law of Liberation from National Socialism and Militarism".

The resurgence of cultural life began swiftly. Here, American Special Services officers examine the repertoire of the theaters.

Schon früh begann der Aufbau des kulturellen Lebens. Hier amerikanische Theater-Offiziere beim Überprüfen von Spielplänen.

Die erste Nummer der ersten Zeitung, die in der amerikanischen Besatzungszone Deutschlands nach dem Krieg eine Lizenz erhielt. Brigade-General Robert A. McClure bei der Überreichung der Lizenz-Urkunde am 31. Juli 1945.

The first edition of the first newspaper to receive a license in the American occupation zone after the war. Lead stories include Clement Richard Atlee's election as British Prime Minister, progress of the war in Japan, the U.S. Senate's ratification of the United Nations Charter and the three power conference in Potsdam. Brigadier General Robert A. McClure is shown here presenting the license on July 31, 1945.

Page 1 of the first issue of October 18, 1945, of the American-sponsored "Neue Zeitung," a paper which served as a model for the German press for almost a decade.

Seite 1 der ersten Ausgabe vom 18. Oktober 1945. Die amerikanisch gesponserte „Neue Zeitung" übte nahezu 10 Jahre lang eine Vorbild-Funktion für die deutsche Presse aus.

The Creation of the Federal Republic of Germany

Die Entstehung der Bundesrepublik

The four victorious powers divided Germany, now smaller due to the loss of its eastern areas, into four occupied zones. In each of these four zones the influence of the occupying power was particularly noticeable. They had differing views on the building of a new Germany. France advocated most strongly an extensive federalization; the U.S. wanted strong states under a federal government – they had their own example in mind; the British had no objections to a federalized central government, if possible somewhat less centralized than their own; and the Soviets demanded a unified German state, whose structure, especially economic, they wished to determine.

The four entities which resulted in the different occupied zones in the following years, reflected these ideas. The Soviets set up five states in their zone, which however, had no inherent rights. In the western zones, federalistic and democratic structures gradually developed. The Americans were the first and the most willing to promote independent democratic life and the development, "from the ground up," of states in their zone. They formed three states already in September, 1945: Bavaria, Great Hessen and Württemberg-Baden. Bremen, also under American occupation, was given the status of a state in 1947. These "American" states were the first to make their own constitutions: Hessen on December 1, 1946; Bavaria, one day later. A difference to the British policy becomes apparent when looking at the dates of these constitutions: Bremen, 1947; Hamburg 1952. The Americans also encouraged political activity by permitting the founding of democratic parties. They soon abridged the rights of the military administration and transfered legislative and administrative authority to the populace. Relatively early, they also shifted financial control to the states.

The occupied zones in the east and west soon drifted apart. The burgeoning Cold War and the differing ideas of the victorious powers as to the future German republic contributed to the German split. The Marshall Plan deepened the rift between the Soviet and western occupied zones. The Americans and the British united zones into "Bizonia" as of January 1, 1947; the following year France joined them. Gradually, the territories of the future Federal Republic of Germany and the German Democratic Republic took shape.

In the West, thought was already being given to the possible form of a democratic constitution – a federal constitution. Commissioned by the Bavarian Minister President Hoegner in the summer of 1946, Friedrich Glum worked out the draft

Die vier Siegermächte teilten das um seine Ostgebiete verkleinerte Deutschland in vier Besatzungszonen auf; in jeder dieser vier Zonen machte sich der Einfluß der jeweiligen Besatzungsmacht vorrangig bemerkbar. Sie hatten unterschiedliche Vorstellungen vom Aufbau eines neuen Deutschland: Frankreich befürwortete am stärksten eine weitgehende Föderalisierung; die USA wollten starke Länder mit einer Bundesregierung darüber – ihnen schwebte ihre eigene Lösung vor; die Briten hatten nichts gegen einen föderalisierten Zentralstaat einzuwenden, etwas weniger zentralistisch vielleicht als ihr eigener; und die Sowjetunion forderte den deutschen Einheitsstaat, bei dessen Gestaltung sie, vor allem wirtschaftlich, ein Wort mitreden wollte.

Die vier Gebilde, die in den nächsten Jahren in den verschiedenen Besatzungszonen entstanden, ähnelten diesen Vorstellungen. Die Sowjets richteten in ihrer Zone fünf „Länder" ein, die aber keine originären Rechte besaßen. In den westlichen Zonen wuchsen langsam föderalistische und demokratische Strukturen heran. Am meisten – und am frühesten – waren die Amerikaner bereit, in ihrer Zone ein demokratisches Eigenleben und die Entstehung von Ländern „von unten" zu fördern. Schon im September 1945 bildeten sie in ihrer Zone drei Länder: Bayern, Großhessen und Württemberg-Baden; 1947 erhielt auch Bremen, das gleichfalls amerikanischer Besatzung unterstand, den Status eines Landes zugesprochen. Diese „amerikanischen" Länder waren die ersten, die sich eigene Verfassungen gaben: Hessen schon am 1. Dezember 1946, Bayern einen Tag später. Ein Unterschied zur britischen Politik wird deutlich, wenn man sich die Daten auf den Verfassungen anschaut: Bremen 1947, Hamburg 1952. Die Amerikaner förderten auch das politische Leben, indem sie die Neugründung demokratischer Parteien zuließen. Sie beschnitten bald die Rechte der Militärverwaltung und übertrugen legislative und administrative Befugnisse an die deutsche Bevölkerung; relativ früh überführten sie auch die Finanzverwaltung an die Länder.

Die Besatzungszonen im Osten und im Westen Deutschlands lebten sich bald auseinander. Der heraufziehende Kalte Krieg und die verschiedenartigen Vorstellungen der Siegermächte von künftiger deutscher Republik begünstigten die deutsche Spaltung; der Marshall-Plan vertiefte die Risse zwischen sowjetischer Besatzungszone einerseits, westlichen Zonen andererseits. Zum 1. Januar 1947 vereinigten Amerikaner und Briten ihre Zonen zu einer

On July 20, 1946, the United States proposed considering the four zones of occupation as a single economic entity. Less than two months later, the economy ministers of the American and British zones met with representatives of the American military government in Frankfurt am Main.

Am 20. Juli 1946 schlugen die USA vor, die vier Besatzungszonen als wirtschaftliche Einheit zu betrachten. Bereits am 12. September 1946 kamen die Wirtschaftsminister der amerikanischen und der britischen Zone sowie die Vertreter der amerikanischen Militärregierung in Frankfurt am Main zusammen.

At the London Conference of foreign ministers, from November 25 to December 15, 1947, the representatives of the Four Powers were unable to agree upon common terms for a peace treaty with Germany. Our picture shows the American delegation at the conference table.

Auf der Londoner Außenministerkonferenz vom 25. November bis zum 15. Dezember 1947 konnten sich die Vertreter der großen Vier nicht auf eine gemeinsame Friedensregelung mit Deutschland einigen. Unser Bild zeigt die amerikanische Delegation am Verhandlungstisch.

The Munich Conference of minister-presidents, from June 6 to 8, 1947. The only conference of the heads of all the German states, it failed because of the hasty departure of the minister-president of what was then the Soviet zone.

Die Münchner Ministerpräsidenten-Konferenz vom 6. Juni bis 8. Juni 1947. Sie scheiterte als einzige Konferenz aller deutschen Länderchefs mit der Abreise der Ministerpräsidenten der damaligen Sowjetzone.

As the highest Bizonal organ for economic coordination, the Economic Council that had been elected on June 25, 1947, by the Bizonal state parliaments, held its second meeting in Frankfurt on July 25, 1947. At the right, the representatives of the British and American occupation powers, Sir Sholto Douglas and Lucius D. Clay.

Als oberstes Organ der Bizone zur Koordinierung der Wirtschaft trat der am 25. Juni von den Zweizonen-Landtagen gewählte Wirtschaftsrat am 25. Juli 1947 zu seiner zweiten Sitzung in Frankfurt zusammen. Rechts die Vertreter der britischen und amerikanischen Besatzungsmacht, Sir Sholto Douglas und Lucius D. Clay.

The German representatives of the Economic Council during a conference on March 15, 1948.

Die deutschen Vertreter des Wirtschaftsrates während einer Konferenz am 15. März 1948.

for a Constitution of the United States of Germany, an extremely federalistic constitution: actually an alliance of states, since he wanted sovereignty to remain with the states. At its party convention in 1947, the SPD wrote a constitutional draft, entitled "Guidelines for Building the German Republic". The Weimar Republic's Constitution had by no means been forgotten; but now its unitarian leanings were less and less popular. Germany should strive for a more federalistic solution; this was the conclusion of a conference between the Bavarian State Chancellery and the Office of the Hessian Minister President. Also the Allies, with the Americans in the lead, had, in the meantime, begun to put their ideas onto paper. In July, 1946, the American military governor Joseph T. McNarney formulated some principles which were to be the basis for a German federal constitution. The difficulties with their eastern partner led the Allies to establish, initially, only a partial German state in the west. After several fruitless conferences between east and west foreign ministers, six western Powers met in London in the first half of 1948, including the three Benelux countries. During their discussion of this issue, the alternatives of strong central government versus strong member states became a point of disagreement among the victorious powers. In the Londoner Empfehlungen (London Recommendations) the agreement was set forth establishing a West German government with federalistic structures: this was, so to speak, the least common denominator upon which the Americans, British and French were willing to agree.

The London Recommendations were organized into three points and presented by the Allied Commanders-in-Chief to the German representatives in Frankfurt. General Lucius D. Clay, who, being a southerner, already supported strengthening the individual states, opened with a speech, the essence of which was contained in the following words: "The constitutional convention will work out a democratic constitution, which will create a federal type of government for the states (Länder) involved. Such a government is best suited to ultimately restoring the present shattered German unity, protecting the rights of the states, creating an appropriate central authority, and guaranteeing individual rights and freedoms." [12]

„Bizone"; im Jahr darauf schloß sich die französische Zone an. Allmählich bildeten sich die Territorien der künftigen Bundesrepublik und der Deutschen Demokratischen Republik.

Im Westen machte man sich schon Gedanken, wie eine demokratische Verfassung – eine Gesamtstaatsverfassung – aussehen sollte. Im Sommer 1946 arbeitete Friedrich Glum im Auftrag des bayerischen Ministerpräsidenten Hoegner einen Entwurf einer „Verfassung der Vereinigten Staaten von Deutschland" aus – eine extrem föderalistische Verfassung, eigentlich ein Staatenbund, denn die Souveränität wollte er bei den Ländern belassen. Die SPD schrieb auf ihrem Parteitag in Nürnberg, Juli 1947, einen Verfassungsentwurf, der den Titel trug „Richtlinien für den Aufbau der Deutschen Republik". Die Weimarer Reichsverfassung war noch keineswegs vergessen; aber jetzt mißfiel ihre unitarische Tendenz immer mehr. Deutschland sollte eine stärker föderalistische Lösung suchen, mit dieser Forderung endeten Besprechungen zwischen der bayerischen Staatskanzlei und dem Büro des hessischen Ministerpräsidenten. Auch die Alliierten, allen voran die Amerikaner, hatten inzwischen begonnen, ihre Vorstellungen zu Papier zu bringen. Der amerikanische Militärgouverneur Joseph T. McNarney formulierte im Juli 1946 Grundsätze, denen eine deutsche Gesamtstaatsverfassung folgen sollte. Die Schwierigkeiten mit ihrem östlichen Partner verlockten die Alliierten dazu, zunächst nur einen deutschen Teilstaat im Westen zu errichten. Nach mehreren gescheiterten Ost-West-Außenministerkonferenzen tagte im Laufe der ersten Jahreshälfte 1948 in London eine Konferenz der Sechs Mächte, an der neben den westlichen Siegermächten die drei Beneluxstaaten teilnahmen. Sie befaßte sich mit dieser Frage, wobei zwischen den Siegermächten die Alternative zwischen starkem Zentralstaat einerseits und starken Gliedstaaten andererseits zum Streitpunkt wurde. In den Londoner Empfehlungen einigten sie sich auf die Errichtung eines westdeutschen Staates mit föderalistischen Strukturen – das war gleichsam der kleinste gemeinsame Nenner, auf den Amerikaner, Briten und Franzosen sich zu einigen vermochten.

Die Londoner Empfehlungen wurden in drei Punkte gefaßt und von den alliierten Oberbefehlshabern in Frankfurt am Main den deutschen Vertretern vorgetragen. General Lucius D. Clay, ein Südstaatler, der schon deswegen für eine Stärkung der Einzelstaaten eintrat, eröffnete den Vortrag. Sein Kernsatz lautet: „Die verfassunggebende Versammlung wird eine demokratische Verfassung ausarbeiten, die für die beteiligten Länder eine Regierungsform des föderalistischen Typs schafft, die am besten geeignet ist, die

Furthermore, the Frankfurt Documents empowered the German representatives to monitor the borders of the West German states. The Documents declared occupied status for West Germany and announced plans for a Ruhrbehörde (Ruhr Agency) which would have a supranational supervisory function. The reaction to these recommendations was not at all positive in Germany. Both major parties, CDU/CSU and SPD, had reservations. Not just the economic conditions but also the political notions of the Allies - the establishment of a partial German state in the west - grieved the Germans. For this reason, they did not want to call a constitutional convention to compose a real constitution; they wanted a parliamentary council. And it should not be for the German people to ratify this new constitution, but for the state parliaments. They also took offense that the temporary constitution would be called a constitution; Grundgesetz (Basic Law) should suffice to express its temporary nature.

In August, 1948, the convention was held, in the old monastery at Herrenchiemsee, to deliberate on this new "basic law". The result of these consultations and the drafts of both major parties went to the parliamentary council which worked out the "Basic Law" in the winter of 1948/49. The Allies reserved the right to veto but exerted more pressure on procedures than on the content of the new, provisional West German constitution. And where they did, in fact, exercise their influence, it was in favor of more freedom, not less. The Americans, especially, desired strong autonomous states in order to maintain a balance of power between federal and state government; a further type of separation of powers. In February 1949, the representatives of the Western Powers received the German draft. The Americans questioned the supremacy of the federal government in questions of finance. But their doubts were dispelled through a wise compromise: a balanced distribution of revenues among the federal and state governments (Article 107, Basic Law). On May 12, 1949, the military governors approved the "Basic Law".

Two occasions where the Americans tried to influence public life in Germany are worthy of note: their attempts to reform the civil service and the Constitutional Court in the form also suggested by the British to the Germans. The Americans wanted to restructure the civil service, making it better suited to its work. They also wanted to make recruitment to it more democratic since it was the civil service that had so greatly compromised itself during the Third Reich. They did not succeed in implementing these measures. Any such changes originating from the Americans were reversed in the Federal Civil Service Law of September 1, 1953.[13]

gegenwärtig zerrissene deutsche Einheit schließlich wieder herzustellen, und die Rechte der beteiligten Länder schützt, eine angemessene Zentralinstanz schafft und die Garantien der individuellen Rechte und Freiheiten enthält."[12]

Die Frankfurter Dokumente enthielten des weiteren die Ermächtigung an die deutschen Vertreter, die Grenzen der westdeutschen Länder zu überprüfen, und sie enthielten zugleich die Ankündigung eines Besatzungsstatus für Westdeutschland und den Plan einer Ruhrbehörde, die die Produktion an der Ruhr supranational überwachen sollte. Die Reaktion auf diese Empfehlungen war keineswegs freundlich in Deutschland. In beiden großen Parteien, CDU/CSU wie SPD, hegte man Vorbehalte. Nicht nur die wirtschaftlichen Bestimmungen, auch die politischen Vorstellungen der Alliierten - die Errichtung eines westdeutschen Teilstaats - schmerzten die Deutschen. Daher wollten sie auch keine Verfassunggebende Versammlung einberufen, die eine richtige Verfassung schrieb, sondern allenfalls einen Parlamentarischen Rat; und auch nicht das (west-)deutsche Volk sollte diese neue Verfassung annehmen - für dieses Provisorium genügte die Zustimmung der Länderparlamente, wie auch die vorläufige Verfassung sich nicht mit diesem würdevollen Namen schmücken sollte: Grundgesetz müsse genügen, um das Vorläufige anzudeuten.

Im August 1948 versammelte sich im alten Mönchskloster auf Herrenchiemsee der Konvent, der über dieses neue Grundgesetz beraten sollte. Das Ergebnis aus diesen Beratungen sowie je ein Entwurf der beiden großen Parteien ging sodann an den Parlamentarischen Rat, der im Winter 1948/49 das Grundgesetz ausarbeitete. Die Alliierten behielten sich ein Einspruchsrecht vor; aber sie übten im großen und ganzen mehr Druck aus auf das Procedere als auf den Inhalt der neuen, provisorischen westdeutschen Teilstaatsverfassung. Und wo sie tatsächlich Einfluß nahmen, geschah dies zugunsten von mehr Freiheit, nicht gegen sie. Die Amerikaner vor allem wollten starke Länder, so daß die Balance zwischen Bund und Gliedstaaten in der Schwebe blieb, dies eine weitere Form der Gewaltenteilung. Im Februar 1949 erhielten die Vertreter der Westmächte den deutschen Entwurf zugeleitet. Die Amerikaner stimmte das Übergewicht des Bundes in Finanzfragen bedenklich; doch ihre Bedenken konnten in einem weisen Kompromiß - dem Finanzausgleich zwischen Bund und Ländern (Artikel 107 GG) - ausgeräumt werden. Am 12. Mai 1949 gaben die Militärgouverneure dem Grundgesetz ihre Zustimmung.

The Americans were more successful with their demands for a German Constitutional Court which, so to speak, as a custodian of the constitution, was to have some similarities to the Supreme Court. In German constitutional history, this court is unique: during Bismarck's Reich, the Bundesrat (Federal Council) had jurisdiction over disputes among the states; under the Weimar Republic there was a Staatsgerichtshof (State Court) for the German Reich, located in Leipzig, which had authority in matters between the Reich and the states and in suits against individual constitutional organs. However, this court never played the role of custodian of the constitution; the first such court was the Bundesverfassungsgericht or Federal Constitutional Court (Article 93, Basic Law). During the debates prior to the formation of this body, the Supreme Court figured as a model for the parliamentary council, even though the courts differ in certain major aspects.

Zwei Versuche von amerikanischer Seite sind bemerkenswert, Einfluß zu nehmen auf das öffentliche Leben in Deutschland: ihr Versuch, den öffentlichen Dienst zu reformieren, und das Verfassungsgericht, wie es auch die Briten den Deutschen vorgeschlagen hatte. Die Amerikaner wollten den öffentlichen Dienst neu gestalten, sie wollten ihn leistungsgerechter machen und den Zugang zu öffentlichen Ämtern demokratischer, weil gerade der Staatsdienst sich während des Dritten Reiches so sehr kompromittiert hatte. Sie konnten sich damit nicht durchsetzen. Das Bundesbeamtengesetz, das am 1. September 1953 in Kraft trat, hob die von amerikanischer Seite angeregten Veränderungen wieder auf.[13]

Mehr Erfolg war den Amerikanern mit ihrem Verlangen nach einem deutschen Verfassungsgericht beschieden, das – gleichsam als Hüter der Verfassung – einige Ähnlichkeiten haben sollte mit dem Supreme Court. In der deutschen Verfassungsgeschichte ist dieses Gericht einzigartig: im Bismarck-Reich war für Streitigkeiten zwischen den Staaten der Bundesrat zuständig; in der Weimarer Republik gab es einen Staatsgerichtshof für das Deutsche Reich, mit Sitz in Leipzig, der für Streitfragen zwischen Reich und Ländern sowie bei Anklagen gegen einzelne Verfassungsorgane zuständig war. Aber Hüter der Verfassung wurde dieses Gericht nie, das wurde erst das Bundesverfassungsgericht (Artikel 93 GG). Bei den Beratungen vor Entstehung dieses Gremiums stand dem Parlamentarischen Rat der Supreme Court vor Augen, auch wenn es im einzelnen bedeutende Unterschiede zwischen diesen beiden Gerichtshöfen gibt.

The First Chamber of the Federal Constitutional Court delivering a judgement on June 2, 1967. Pictured from left to right: Professor Dr. Hermann Heussner, Dr. Dietrich Katzenstein, Dr. Helmut Simon, Professor Dr. Konrad Hesse, Professor Dr. Ernst Benda (president of the court), Professor Dr. Werner Böhmer, Professor Dr. Hans Faller, Dr. Gisela Niemeyer.

Der Erste Senat des Bundesverfassungsgerichtes bei einer Urteilsverkündung am 2. Juni 1967. Unser Bild zeigt von links nach rechts: Professor Dr. Hermann Heussner, Dr. Dietrich Katzenstein, Dr. Helmut Simon, Professor Dr. Konrad Hesse, Professor Dr. Ernst Benda (Präsident), Professor Dr. Werner Böhmer, Professor Dr. Hans Faller, Dr. Gisela Niemeyer.

The Federal Constitutional Court in Karlsruhe.

Das Bundesverfassungsgericht in Karlsruhe.

The Constitutional Convention on the island of Herrenchiemsee, from August 11 to 23, 1948.

Der Verfassungskonvent von Herrenchiemsee vom 11. bis 23. August 1948.

(1) The French military governor, General König; the American advisor, Robert D. Murphy; and General Lucius D. Clay, the American military governor, exchanging proposals.

(2 and 3) Scenes from the Constitutional Convention.

(4) An important role in the drafting of a Basic Law for the future Federal Republic of Germany was played by the Swiss expert on constitutional law, Professor Nawiasky (at right, standing). He is seen conversing with Professor Carlo Schmid, at that time president of what was then the state of South Württemberg-Hohenzollern.

(5) The island of Herrenchiemsee with the Alps in the background.

Abbildung 1: Der französische Militärgouverneur, General König, der amerikanische Berater Robert D. Murphy und General Lucius D. Clay, der amerikanische Militärgouverneur, bei Übergabe Ihrer Vorschläge.

Abbildung 2 und 3: Situationsphotos vom Verfassungskonvent.

Abbildung 4: Eine wichtige Rolle bei der Ausarbeitung des Grundgesetzes für die zu schaffende Bundesrepublik Deutschland spielte der Schweizer Verfassungsrechtler Professor Nawiasky, rechts stehend. Hier im Gespräch mit dem damaligen Staatspräsidenten von Süd-Württemberg-Hohenzollern, Professor Carlo Schmid.

Abbildung 5: Die Insel Herrenchiemsee, im Hintergrund die Alpen.

Summary   Zusammenfassung

The 65 deputies on the Parliamentary Council (with in addition five from West Berlin with a consultative vote) were chosen by the Parliaments of the eleven participating Länder. They were given no directives. The political parties were represented as follows: Christian Democratic Union/Christian Socialist Union 27, Social Democratic Party 27, Free Democratic Party 5, Center Party 2, German Party and Communist Party 2. Punctually on September 1, 1948, the Parliamentary Council assembled in Bonn. It elected Dr. Konrad Adenauer President. On May 8, 1948, after difficult deliberations in which many times there were interpolations on the part of the Military Governors, the Parliamentary Council passed the Basic Law for the Federal Republic of Germany. After approval by the Military Governors and acceptance by the Länder Parliaments, this entered into force on May 23, 1949. On August 14, 1949, popular elections for the first Bundestag took place in the three Western Zones. In accordance with the requirements of the Basic Law, in September, 1949, the Federal President and the Federal Chancellor were elected and the Federal Government formed. The Bundesrat was also constituted and its President elected. Thus, with the establishment of the supreme Federal organs, the preliminary conditions for the operation of the Basic Law were met. The Federal Republic of Germany had the capacity to handle its own affairs.

On September 21, 1949, the Occupation Statute already mentioned entered into force. This placed for the first time on a legal footing the relationship between the Federal Republic and the three Occupation Powers, who from now on were represented by High Commissioners. The Occupation Statute had been proclaimed "in the exercise of the supreme authority retained by the Governments of France, the United States and the United Kingdom". Nevertheless, it signified the end of the first phase of Occupational control. The Federal Republic was given a large measure of independence in the taking of decisions. The economic and political ties between the Federal Republic and the three Western Powers were rapidly consolidated.

From: Germany Reports, published by the Press and Information Office of the Federal Government, 1961.

Die 65 Abgeordneten des Parlamentarischen Rates (dazu fünf Abgeordnete von West-Berlin mit beratender Stimme) wurden von den Landtagen der beteiligten elf Länder gewählt. Sie waren von Weisungen unabhängig. Die politischen Parteien waren wie folgt vertreten: Christlich-Demokratische Union / Christlich Soziale Union siebenundzwanzig, Sozialdemokratische Partei Deutschlands siebenundzwanzig, Freie Demokratische Partei fünf, Zentrum, Deutsche Partei und Kommunistische Partei Deutschlands je zwei Sitze. Der Parlamentarische Rat trat termingemäß am 1. 9. 1948 in Bonn am Rhein zusammen. Er wählte Dr. Konrad Adenauer zu seinem Präsidenten. Nach schwierigen Beratungen, in die sich auch die Militärgouverneure mehrfach einschalteten, verabschiedete der Parlamentarische Rat am 8. 5. 1949 das Grundgesetz für die Bundesrepublik Deutschland. Dieses trat nach Genehmigung durch die Militärgouverneure und Annahme durch die Volksvertretungen der Länder am 23. 5. 1949 in Kraft. Am 14. 8. 1949 wurde vom deutschen Volk in den drei Westzonen der erste Deutsche Bundestag gewählt. Nach Maßgabe der Bestimmungen des Grundgesetzes wurden im September 1949 der Bundespräsident und der Bundeskanzler gewählt und die Bundesregierung gebildet. Auch der Bundesrat konstituierte sich und wählte seinen Präsidenten. Mit der Bildung der obersten Verfassungsorgane waren die Voraussetzungen für die praktische Anwendbarkeit der Vorschriften des Grundgesetzes gegeben. Die Bundesrepublik Deutschland war handlungsfähig. Am 21. 9. 1949 trat auch das schon unter dem 10. 4. 1949 im Text bekanntgegebene Besatzungsstatut in Kraft. Durch dieses wurde das Verhältnis der Bundesrepublik zu den drei Besatzungsmächten, die nunmehr durch ihre „Hohen Kommissare" repräsentiert wurden, erstmals rechtsförmlich festgelegt. Das Besatzungsstatut war noch „in Ausübung der von den Regierungen Frankreichs, der Vereinigten Staaten und des Vereinigten Königreiches beibehaltenen obersten Gewalt" verkündet worden. Dennoch bedeutete es den Abschluß der ersten Phase der Besatzungsherrschaft. Die Bundesrepublik erhielt weitgehende eigene Entscheidungsbefugnisse. Die wirtschaftlichen und politischen Beziehungen zwischen der Bundesrepublik und den drei Westmächten festigten sich rasch.

Aus: 10 Jahre Bundesrepublik Deutschland, herausgegeben vom Presse- und Informationsamt der Bundesregierung, 1959.

Signposts refer to the Parliamentary Council.

Hinweisschilder verweisen auf den Parlamentarischen Rat.

GRUNDGESETZ FÜR DIE BUNDESREPUBLIK DEUTSCHLAND

BESCHLOSSEN
VOM PARLAMENTARISCHEN RAT IN BONN
AM 8. MAI 1949

IM Bewußtsein seiner Verantwortung vor Gott und den Menschen, von dem Willen beseelt, seine nationale und staatliche Einheit zu wahren und als gleichberechtigtes Glied in einem vereinten Europa dem Frieden der Welt zu dienen, hat das Deutsche Volk in den Ländern

BADEN · BAYERN · BREMEN
HAMBURG · HESSEN
NIEDERSACHSEN
NORDRHEIN-WESTFALEN
RHEINLAND-PFALZ
SCHLESWIG-HOLSTEIN
WÜRTTEMBERG-BADEN und
WÜRTTEMBERG-HOHENZOLLERN

um dem staatlichen Leben für eine Übergangszeit eine neue Ordnung zu geben, kraft seiner verfassunggebenden Gewalt dieses Grundgesetz der Bundesrepublik Deutschland beschlossen.

Es hat auch für jene Deutschen gehandelt, denen mitzuwirken versagt war.

Das gesamte Deutsche Volk bleibt aufgefordert, in freier Selbstbestimmung die Einheit und Freiheit Deutschlands zu vollenden.

The original numbered impression of the Basic Law of the Federal Republic of Germany, reproduced here and on the following pages greatly reduced in size, comprises 64 pages measuring 23 x 32.5 cm. It was designed by the graphic artist H. M. Stodieck of Bonn. The emphasized passages were printed in pompeian red; all of the original signatures at the end of the document were reproduced in ink black.

Das hier und auf den folgenden Seiten stark verkleinert wiedergegebene „Grundgesetz für die Bundesrepublik Deutschland" umfaßt insgesamt 64 Seiten im Format 23 x 32,5 cm. Es wurde von dem Bonner Grafiker H. M. Stodieck gestaltet und in einer numerierten Auflage hergestellt. Die Hervorhebungen erfolgten in pompejanisch-rot, alle Original-Unterschriften am Schluß des Gesetzes wurden in tintenblau wiedergegeben.

I. DIE GRUNDRECHTE

Artikel 1

(1) Die Würde des Menschen ist unantastbar. Sie zu achten und zu schützen ist Verpflichtung aller staatlichen Gewalt.

(2) Das deutsche Volk bekennt sich darum zu unverletzlichen und unveräußerlichen Menschenrechten als Grundlage jeder menschlichen Gemeinschaft, des Friedens und der Gerechtigkeit in der Welt.

(3) Die nachfolgenden Grundrechte binden Gesetzgebung, Verwaltung und Rechtsprechung als unmittelbar geltendes Recht.

Artikel 2

(1) Jeder hat das Recht auf die freie Entfaltung seiner Persönlichkeit, soweit er nicht die Rechte anderer verletzt und nicht gegen die verfassungsmäßige Ordnung oder das Sittengesetz verstößt.

(2) Jeder hat das Recht auf Leben und körperliche Unversehrtheit. Die Freiheit der Person ist unverletzlich. In diese Rechte darf nur auf Grund eines Gesetzes eingegriffen werden.

Artikel 3

(1) Alle Menschen sind vor dem Gesetze gleich.

(2) Männer und Frauen sind gleichberechtigt.

(3) Niemand darf wegen seines Geschlechtes, seiner Abstammung, seiner Rasse, seiner Sprache, seiner Heimat und Herkunft, seines Glaubens, seiner religiösen oder politischen Anschauungen benachteiligt oder bevorzugt werden.

Artikel 4

(1) Die Freiheit des Glaubens, des Gewissens und die Freiheit des religiösen und weltanschaulichen Bekenntnisses sind unverletzlich.

(2) Die ungestörte Religionsausübung wird gewährleistet.

(3) Niemand darf gegen sein Gewissen zum Kriegsdienst mit der Waffe gezwungen werden. Das Nähere regelt ein Bundesgesetz.

7

*The first session
of the Bundesrat on
September 7, 1949.*

*Die erste
Bundesratssitzung
am 7. September 1949.*

Artikel 5

(1) Jeder hat das Recht, seine Meinung in Wort, Schrift und Bild frei zu äußern und zu verbreiten und sich aus allgemein zugänglichen Quellen ungehindert zu unterrichten. Die Pressefreiheit und die Freiheit der Berichterstattung durch Rundfunk und Film werden gewährleistet. Eine Zensur findet nicht statt.

(2) Diese Rechte finden ihre Schranken in den Vorschriften der allgemeinen Gesetze, den gesetzlichen Bestimmungen zum Schutze der Jugend und in dem Recht der persönlichen Ehre.

(3) Kunst und Wissenschaft, Forschung und Lehre sind frei. Die Freiheit der Lehre entbindet nicht von der Treue zur Verfassung.

Artikel 6

(1) Ehe und Familie stehen unter dem besonderen Schutze der staatlichen Ordnung.

(2) Pflege und Erziehung der Kinder sind das natürliche Recht der Eltern und die zuvörderst ihnen obliegende Pflicht. Über ihre Betätigung wacht die staatliche Gemeinschaft.

(3) Gegen den Willen der Erziehungsberechtigten dürfen Kinder nur auf Grund eines Gesetzes von der Familie getrennt werden, wenn die Erziehungsberechtigten versagen oder wenn die Kinder aus anderen Gründen zu verwahrlosen drohen.

(4) Jede Mutter hat Anspruch auf den Schutz und die Fürsorge der Gemeinschaft.

(5) Den unehelichen Kindern sind durch die Gesetzgebung die gleichen Bedingungen für ihre leibliche und seelische Entwicklung und ihre Stellung in der Gesellschaft zu schaffen wie den ehelichen Kindern.

Artikel 7

(1) Das gesamte Schulwesen steht unter der Aufsicht des Staates.

(2) Die Erziehungsberechtigten haben das Recht, über die Teilnahme des Kindes am Religionsunterricht zu bestimmen.

(3) Der Religionsunterricht ist in den öffentlichen Schulen mit Ausnahme der bekenntnisfreien Schulen ordentliches Lehrfach. Unbeschadet des staatlichen Aufsichtsrechtes wird der Religionsunterricht in Übereinstimmung mit den Grundsätzen der Religionsgemeinschaften erteilt. Kein Lehrer darf gegen seinen Willen verpflichtet werden, Religionsunterricht zu erteilen.

8

(4) Das Recht zur Errichtung von privaten Schulen wird gewährleistet. Private Schulen als Ersatz für öffentliche Schulen bedürfen der Genehmigung des Staates und unterstehen den Landesgesetzen. Die Genehmigung ist zu erteilen, wenn die privaten Schulen in ihren Lehrzielen und Einrichtungen sowie in der wissenschaftlichen Ausbildung ihrer Lehrkräfte nicht hinter den öffentlichen Schulen zurückstehen und eine Sonderung der Schüler nach den Besitzverhältnissen der Eltern nicht gefördert wird. Die Genehmigung ist zu versagen, wenn die wirtschaftliche und rechtliche Stellung der Lehrkräfte nicht genügend gesichert ist.

(5) Eine private Volksschule ist nur zuzulassen, wenn die Unterrichtsverwaltung ein besonderes pädagogisches Interesse anerkennt oder, auf Antrag von Erziehungsberechtigten, als Gemeinschaftsschule, als Bekenntnis- oder Weltanschauungsschule errichtet werden soll und eine öffentliche Volksschule dieser Art in der Gemeinde nicht besteht.

(6) Vorschulen bleiben aufgehoben.

Artikel 8

(1) Alle Deutschen haben das Recht, sich ohne Anmeldung oder Erlaubnis friedlich und ohne Waffen zu versammeln.

(2) Für Versammlungen unter freiem Himmel kann dieses Recht durch Gesetz oder auf Grund eines Gesetzes beschränkt werden.

Artikel 9

(1) Alle Deutschen haben das Recht, Vereine und Gesellschaften zu bilden.

(2) Vereinigungen, deren Zwecke oder deren Tätigkeit den Strafgesetzen zuwiderlaufen oder die sich gegen die verfassungsmäßige Ordnung oder gegen den Gedanken der Völkerverständigung richten, sind verboten.

(3) Das Recht zur Wahrung und Förderung der Arbeits- und Wirtschaftsbedingungen Vereinigungen zu bilden, ist für jedermann und für alle Berufe gewährleistet. Abreden, die dieses Recht einschränken oder zu behindern suchen, sind nichtig, hierauf gerichtete Maßnahmen sind rechtswidrig.

Artikel 10

Das Briefgeheimnis sowie das Post- und Fernmeldegeheimnis sind unverletzlich. Beschränkungen dürfen nur auf Grund eines Gesetzes angeordnet werden.

9

Upon taking office as Federal Chancellor, Adenauer pays an official visit to the High Commissioners on September 21, 1949.

Antrittsbesuch Bundeskanzler Adenauers bei den Hohen Kommissaren am 21. September 1949.

Artikel 11

(1) Alle Deutschen genießen Freizügigkeit im ganzen Bundesgebiet.

(2) Dieses Recht darf nur durch Gesetz und nur für die Fälle eingeschränkt werden, in denen eine ausreichende Lebensgrundlage nicht vorhanden ist und der Allgemeinheit daraus besondere Lasten entstehen würden und in denen es zum Schutze der Jugend vor Verwahrlosung, zur Bekämpfung von Seuchengefahr oder um strafbaren Handlungen vorzubeugen, erforderlich ist.

Artikel 12

(1) Alle Deutschen haben das Recht, Beruf, Arbeitsplatz und Ausbildungsstätte frei zu wählen. Die Berufsausübung kann durch Gesetz geregelt werden.

(2) Niemand darf zu einer bestimmten Arbeit gezwungen werden, außer im Rahmen einer herkömmlichen allgemeinen, für alle gleichen öffentlichen Dienstleistungspflicht.

(3) Zwangsarbeit ist nur bei einer gerichtlich angeordneten Freiheitsentziehung zulässig.

Artikel 13

(1) Die Wohnung ist unverletzlich.

(2) Durchsuchungen dürfen nur durch den Richter, bei Gefahr im Verzuge auch durch die in den Gesetzen vorgesehenen anderen Organe angeordnet und nur in der dort vorgeschriebenen Form durchgeführt werden.

(3) Eingriffe und Beschränkungen dürfen im übrigen nur zur Abwehr einer gemeinen Gefahr oder einer Lebensgefahr für einzelne Personen, auf Grund eines Gesetzes auch zur Verhütung dringender Gefahren für die öffentliche Sicherheit und Ordnung, insbesondere zur Behebung der Raumnot, zur Bekämpfung von Seuchengefahr oder zum Schutze gefährdeter Jugendlicher vorgenommen werden.

Artikel 14

(1) Das Eigentum und das Erbrecht werden gewährleistet. Inhalt und Schranken werden durch die Gesetze bestimmt.

(2) Eigentum verpflichtet. Sein Gebrauch soll zugleich dem Wohle der Allgemeinheit dienen.

(3) Eine Enteignung ist nur zum Wohle der Allgemeinheit zulässig. Sie darf nur durch Gesetz oder auf Grund eines Gesetzes erfolgen, das Art und Ausmaß der Entschädigung regelt. Die Entschädigung ist unter gerechter Abwägung der Interessen der Allgemeinheit und der Beteiligten zu bestimmen. Wegen der Höhe der Entschädigung steht im Streitfalle der Rechtsweg vor den ordentlichen Gerichten offen.

10

Artikel 15

Grund und Boden, Naturschätze und Produktionsmittel können zum Zwecke der Vergesellschaftung durch ein Gesetz, das Art und Ausmaß der Entschädigung regelt, in Gemeineigentum oder in andere Formen der Gemeinwirtschaft überführt werden. Für die Entschädigung gilt Artikel 14 Absatz 3 Satz 3 und 4 entsprechend.

Artikel 16

(1) Die deutsche Staatsangehörigkeit darf nicht entzogen werden. Der Verlust der Staatsangehörigkeit darf nur auf Grund eines Gesetzes und gegen den Willen des Betroffenen nur dann eintreten, wenn der Betroffene dadurch nicht staatenlos wird.

(2) Kein Deutscher darf an das Ausland ausgeliefert werden. Politisch Verfolgte genießen Asylrecht.

Artikel 17

Jedermann hat das Recht, sich einzeln oder in Gemeinschaft mit anderen schriftlich mit Bitten oder Beschwerden an die zuständigen Stellen und an die Volksvertretung zu wenden.

Artikel 18

Wer die Freiheit der Meinungsäußerung, insbesondere die Pressefreiheit (Artikel 5 Absatz 1), die Lehrfreiheit (Artikel 5 Absatz 3), die Versammlungsfreiheit (Artikel 8), die Vereinigungsfreiheit (Artikel 9), das Brief-, Post- und Fernmeldegeheimnis (Artikel 10), das Eigentum (Artikel 14) oder das Asylrecht (Artikel 16 Absatz 2) zum Kampfe gegen die freiheitliche demokratische Grundordnung mißbraucht, verwirkt diese Grundrechte. Die Verwirkung und ihr Ausmaß werden durch das Bundesverfassungsgericht ausgesprochen.

Artikel 19

(1) Soweit nach diesem Grundgesetz ein Grundrecht durch Gesetz oder auf Grund eines Gesetzes eingeschränkt werden kann, muß das Gesetz allgemein und nicht nur für den Einzelfall gelten. Außerdem muß das Gesetz das Grundrecht unter Angabe des Artikels nennen.

(2) In keinem Falle darf ein Grundrecht in seinem Wesensgehalt angetastet werden.

(3) Die Grundrechte gelten auch für inländische juristische Personen, soweit sie ihrem Wesen nach auf diese anwendbar sind.

(4) Wird jemand durch die öffentliche Gewalt in seinen Rechten verletzt, so steht ihm der Rechtsweg offen. Soweit eine andere Zuständigkeit nicht begründet ist, ist der ordentliche Rechtsweg gegeben.

11

A glimpse into the future: The solemn ceremony of the signing of the so-called "Bonn Agreements" regulating the relations between the Federal Republic and the three Western Powers began at 10:05 a. m. on May 26, 1952, in the parliament building in Bonn. The Occupation Statute is annulled and the Federal Republic is granted the rights of a sovereign state.

Ein zeitlicher Vorgriff: Am 26. Mai 1952 begann um 10.05 Uhr im Bundessaal in Bonn die feierliche Unterzeichnung des Deutschlandvertrages, der die Beziehungen zwischen der Bundesrepublik und den drei Westmächten regelt. Die Bundesrepublik erhält die Rechte eines souveränen Staates, das Besatzungsstatut wird aufgehoben.

II. DER BUND UND DIE LÄNDER

Artikel 20

(1) Die Bundesrepublik Deutschland ist ein demokratischer und sozialer Bundesstaat.

(2) Alle Staatsgewalt geht vom Volke aus. Sie wird vom Volke in Wahlen und Abstimmungen und durch besondere Organe der Gesetzgebung, der vollziehenden Gewalt und der Rechtsprechung ausgeübt.

(3) Die Gesetzgebung ist an die verfassungsmäßige Ordnung, die vollziehende Gewalt und die Rechtsprechung sind an Gesetz und Recht gebunden.

Artikel 21

(1) Die Parteien wirken bei der politischen Willensbildung des Volkes mit. Ihre Gründung ist frei. Ihre innere Ordnung muß demokratischen Grundsätzen entsprechen. Sie müssen über die Herkunft ihrer Mittel öffentlich Rechenschaft geben.

(2) Parteien, die nach ihren Zielen oder nach dem Verhalten ihrer Anhänger darauf ausgehen, die freiheitliche demokratische Grundordnung zu beeinträchtigen oder zu beseitigen oder den Bestand der Bundesrepublik Deutschland zu gefährden, sind verfassungswidrig. Über die Frage der Verfassungswidrigkeit entscheidet das Bundesverfassungsgericht.

(3) Das Nähere regeln Bundesgesetze.

Artikel 22

Die Bundesflagge ist schwarz-rot-gold.

Artikel 23

Dieses Grundgesetz gilt zunächst im Gebiete der Länder Baden, Bayern, Bremen, Groß-Berlin, Hamburg, Hessen, Niedersachsen, Nordrhein-Westfalen, Rheinland-Pfalz, Schleswig-Holstein, Württemberg-Baden und Württemberg-Hohenzollern. In anderen Teilen Deutschlands ist es nach deren Beitritt in Kraft zu setzen.

Artikel 24

(1) Der Bund kann durch Gesetz Hoheitsrechte auf zwischenstaatliche Einrichtungen übertragen.

(2) Der Bund kann sich zur Wahrung des Friedens einem System gegenseitiger kollektiver Sicherheit einordnen; er wird hierbei in die Beschränkungen seiner Hoheitsrechte einwilligen, die eine friedliche und dauerhafte Ordnung in Europa und zwischen den Völkern der Welt herbeiführen und sichern.

(3) Zur Regelung zwischenstaatlicher Streitigkeiten wird der Bund Vereinbarungen über eine allgemeine, umfassende, obligatorische, internationale Schiedsgerichtsbarkeit beitreten.

Artikel 25

Die allgemeinen Regeln des Völkerrechtes sind Bestandteil des Bundesrechtes. Sie gehen den Gesetzen vor und erzeugen Rechte und Pflichten unmittelbar für die Bewohner des Bundesgebietes.

Artikel 26

(1) Handlungen, die geeignet sind, und in der Absicht vorgenommen werden, das friedliche Zusammenleben der Völker zu stören. insbesondere die Führung eines Angriffskrieges vorzubereiten, sind verfassungswidrig. Sie sind unter Strafe zu stellen.

(2) Zur Kriegsführung bestimmte Waffen dürfen nur mit Genehmigung der Bundesregierung hergestellt, befördert und in Verkehr gebracht werden. Das Nähere regelt ein Bundesgesetz.

Artikel 27

Alle deutschen Kauffahrteischiffe bilden eine einheitliche Handelsflotte.

Artikel 28

(1) Die verfassungsmäßige Ordnung in den Ländern muß den Grundsätzen des republikanischen, demokratischen und sozialen Rechtsstaates im Sinne dieses Grundgesetzes entsprechen. In den Ländern, Kreisen und Gemeinden muß das Volk eine Vertretung haben, die aus allgemeinen, unmittelbaren, freien, gleichen und geheimen Wahlen hervorgegangen ist. In Gemeinden kann an die Stelle einer gewählten Körperschaft die Gemeindeversammlung treten.

(2) Den Gemeinden muß das Recht gewährleistet sein, alle Angelegenheiten der örtlichen Gemeinschaft im Rahmen der Gesetze in eigener Verantwortung zu regeln. Auch die Gemeindeverbände haben im Rahmen ihres gesetzlichen Aufgabenbereiches nach Maßgabe der Gesetze das Recht der Selbstverwaltung.

(3) Der Bund gewährleistet, daß die verfassungsmäßige Ordnung der Länder den Grundrechten und den Bestimmungen der Absätze 1 und 2 entspricht.

13

(2) Proclamation of the Basic Law on May 23, 1949. Pictured from left to right: Helene Weber, Dr. Hermann Rudolph Schäfer, Dr. Konrad Adenauer, Adolph Schönfelder and Jean Stock.

(3) In an open session held on May 23, 1949, in the Pedagogical Academy in Bonn, the Parliamentary Council ascertained that the Basic Law, which it had passed on May 8, 1949, had been approved by the representatives of more than two-thirds of the West German states.

Abbildung 2: Verkündung des Grundgesetzes am 23. Mai 1949. Im Bild von links nach rechts: Helene Weber, Dr. Hermann Rudolph Schäfer, Dr. Konrad Adenauer, Adolph Schönfelder und Jean Stock.

Abbildung 3: Am 23. Mai 1949 stellt der in der Pädagogischen Hochschule in Bonn tagende Parlamentarische Rat in öffentlicher Sitzung fest, daß das am 8. Mai 1949 von ihm beschlossene Grundgesetz durch die Volksvertretungen von mehr als zwei Dritteln der westdeutschen Länder angenommen worden ist.

Der Parlamentarische Rat hat das vorstehende Grundgesetz für die Bundesrepublik Deutschland in öffentlicher Sitzung am 8. Mai des Jahres Eintausendneunhundertneunundvierzig mit dreiundfünfzig gegen zwölf Stimmen beschlossen. Zu Urkunde dessen haben sämtliche Mitglieder des Parlamentarischen Rates die vorliegende Urschrift des Grundgesetzes eigenhändig unterzeichnet.

BONN AM RHEIN, den 23. Mai des Jahres Eintausendneunhundertneunundvierzig.

Konrad Adenauer

PRÄSIDENT DES PARLAMENTARISCHEN RATES

Adolph Schönfelder

I. VIZEPRÄSIDENT DES PARLAMENTARISCHEN RATES

Hermann Schäfer

II. VIZEPRÄSIDENT DES PARLAMENTARISCHEN RATES

(1) The signing of the Basic Law for the Federal Republic of Germany in the Pedagogical Academy building in Bonn on May 23, 1949. This new constitution had been adopted by the Parliamentary Council on May 8, 1949.

Abbildung 1: Unterzeichnung des vom Parlamentarischen Rat am 8. Mai 1949 verabschiedeten Grundgesetzes für die Bundesrepublik Deutschland im Gebäude der Pädagogischen Hochschule in Bonn am 23. Mai 1949.

Constituent session of the German Bundestag in the auditorium of the Pedagogical Academy in Bonn on September 7, 1949. Paul Löbe, who, as the oldest member of parliament presided over the session, had been a member of the Social Democratic faction in the Reichstag in Berlin until Hitler came to power.

Konstituierende Sitzung des Deutschen Bundestages in der Pädagogischen Hochschule in Bonn am 7. September 1949. Paul Löbe, der diese Sitzung als Alterspräsident eröffnet, gehörte bis zum Machtantritt Hitlers der sozialdemokratischen Reichstagsfraktion in Berlin an.

On September 15, the German Bundestag elected Dr. Konrad Adenauer as first Chancellor of the Federal Republic of Germany. He is sworn in by President of the Bundestag Erich Köhler (right).

Der Deutsche Bundestag wählt Dr. Konrad Adenauer am 15. September zum ersten Bundeskanzler der Bundesrepublik Deutschland. Vor Bundestagspräsident Erich Köhler (rechts) leistet er den Eid auf das Grundgesetz.

Federal Chancellor Dr. Konrad Adenauer delivering a statement on behalf of the government during a session of the German Bundestag on September 15, 1949.

Sitzung des Deutschen Bundestages am 15. September 1949 und Abgabe einer Regierungserklärung durch Bundeskanzler Dr. Konrad Adenauer.

IV

Bonn and Washington   Bonn und Washington

When the Basic Law was adopted in May of 1949, Konrad Adenauer said this was "the happiest day of the German people" since the war ended. But the vast majority of Germans were apathetic towards this new constitutional framework. Unemployment, housing shortages, poverty, grief for the dead and missing – the Germans had other concerns. However, this constitution was quite presentable, even though it was only provisional, valid only until "the day on which a constitution adopted by a free decision of the German people comes into force" (Article 146, Basic Law). It defines the Federal Republic of Germany as a "democratic and social federal state" (Article 20) and places at its beginning – as if to underscore their pre-eminent nature – the inalienable rights of the Germans. These fundamental rights are directly applicable and they form the quintessence of the liberal democratic governmental system. According to the Basic Law, the German people is sovereign: all state authority derives from the people (Article 20, Paragraph 2). For the first time, the parties are specifically named as vehicles for forming the political will of the people (Article 21). That the parties' "internal organization must conform to democratic principles" is also explicitly stipulated for the first time.
There are many parallels to the United States Constitution; but still this Basic Law grew out of German constitutional thinking and on German soil. It can be attributed to the end of the Weimar Republic that the fathers of the Basic Law placed no great trust in direct, popular elections. None can be found in the Basic Law, and election of the Federal President is done by the Federal Assembly, not by the sovereign people. The framers of the U.S. Constitution also decided against the direct election of the president by popular vote; that prerogative is exercised by the Electoral College. However, the comparison should not be carried too far, as the U.S. president and the German Federal President serve quite different functions within their respective governments.

Als das Grundgesetz angenommen wurde, im Mai 1949, sagte Konrad Adenauer, dies sei „der erste frohe Tag des deutschen Volkes" seit Kriegsende. Aber die große Mehrheit der Deutschen empfand vorläufig nur Gleichgültigkeit gegenüber diesem neuen Verfassungsrahmen. Arbeitslosigkeit, Wohnungsnot, Armut, Trauer um die Toten und Vermißten – die Deutschen hatten noch immer andere Sorgen. Dabei konnte sich diese Verfassung sehen lassen, auch wenn sie in ihrem Selbstverständnis nur ein Provisorium ist, gültig nur bis zu „dem Tage, an dem eine Verfassung in Kraft tritt, die von dem deutschen Volke in freier Entscheidung beschlossen worden ist" (Artikel 146 GG). Sie definiert die Bundesrepublik Deutschland als einen „demokratische(n) und soziale(n) Bundesstaat" (Artikel 20) und stellt an den Anfang – um deren vorstaatliche Natur hervorzuheben – die unveräußerlichen und in ihrem Wesensgehalt unantastbaren Grundrechte der Deutschen. Diese Grundrechte sind unmittelbar geltendes Recht, sie bilden den eigentlichen Kern der freiheitlich-demokratischen Grundordnung. Oberster Souverän ist gemäß diesem Grundgesetz das deutsche Volk: von ihm geht alle Staatsgewalt aus (Artikel 20, Absatz 2). Erstmals werden die Parteien ausdrücklich als Träger der politischen Willensbildung genannt (Artikel 21); erstmals wird ausdrücklich festgelegt, daß „ihre innere Ordnung (...) demokratischen Grundsätzen entsprechen" müsse.
Parallelen mit der Verfassung der Vereinigten Staaten gibt es viele; und doch ist dieses Grundgesetz auf deutschem Boden und aus deutschem Verfassungsdenken erwachsen. Es war dem Ende der Weimarer Republik zuzuschreiben, daß die Väter des Grundgesetzes der unmittelbaren Mitsprache des Volkes kein allzu großes Vertrauen entgegenbrachten: den Volksentscheid wird man im Grundgesetz vergeblich suchen, und die Wahl des Bundespräsidenten nimmt die Bundesversammlung vor, nicht der Souverän. Auch die Väter der amerikanischen Verfassung entschieden gegen eine Wahl des Präsidenten direkt durch das Volk und vertrauten sie einem Wahlmännergremium (Electoral College) an. Wegen der unterschiedlichen Kompetenzen von Bundespräsident und US-Präsident ist dieser Vergleich jedoch nicht unproblematisch.

The Occupation Statute went into effect almost simultaneously with the Basic Law because the Germans were to enjoy self-government under the Western Allies' supervision, even though the supreme power remained with the occupying powers. They retained, for the time being, various options of supervision and intervention. Kurt Schumacher expressed himself rather pointedly when he said that this was the real constitution of the Federal Republic. The country did not become sovereign until several years later, in 1952, through the signing of the Deutschlandvertrag; as sovereign as a middle power can still claim to be nowadays. "We have not forgotten that the democracy of 1918 was so powerless also because it undertook to democratize only the government, not the economy," wrote Walter Dirks in the first of his Frankfurter Hefte. The economic organziation of the Federal Republic of Germany is only alluded to in the Basic Law; co-determinaton by employees, social market economy and cartel law were all post-1949 developments. The constitutional reality resulting from this Basic Law developed in the course of the years by means of the decisions of the Federal Constitutional Court, because constitutional law is "to a great extent, whatever the court makes of it" (Ernst Benda).[14] By and large, the Federal Constitutional Court practiced much less restraint than the Supreme Court, for which it received many a scolding; even a reprimand from the Federal Chancellor.

Constitutional rights and constitutional reality were often in conflict in the young Federal Republic. "No one may be prejudiced or favored because of his sex, his parentage, his race, his language, his homeland and origin, his faith, or his religious or political opinions", as it reads so eloquently in Article 3, Paragraph 3. Nevertheless, in the 1960s governmental agencies felt increasingly impelled to introduce security checks for applicants for civil service and teaching jobs, suspecting certain possible cases of conflict of interest between the applicants' political convictions and their loyalty to the Basic Law. The reaction to the state of emergency laws and legislation against radicals was so emotionally violent among the populace, that even foreign countries took notice.

Yet public discussion on the subject resulted in an increased awareness of the Basic Law among the citizens of the Federal Republic of Germany. "Never before was there better protection of the freedoms of the citizens on German soil than today," said President of the Republic, Richard von Weizsäcker in his speech on May 8, 1985, on the fortieth anniversary of the end of the war in Europe and of National-Socialist rule.

Ziemlich genau mit dem Grundgesetz trat das Besatzungsstatut in Kraft, denn die Deutschen unter west-alliierter Aufsicht sollten zwar Selbstregierung genießen, aber die oberste Gewalt verblieb vorläufig doch bei den Besatzungsmächten, die sich vielerlei Kontroll- und Eingriffsmöglichkeiten vorbehielten. Kurt Schumacher hat sich nur etwas pointiert ausgedrückt, als er sagte, dies sei die eigentliche Verfassung der Bundesrepublik. Souverän wurde dieser Staat erst einige Jahre später, 1952, mit der Unterzeichnung des Deutschlandvertrages, souverän das heißt, soweit eine Mittelmacht dies heute noch für sich beanspruchen kann. „Wir haben nicht vergessen, daß die Demokratie von 1918 auch deshalb machtlos war, weil sie nur den Staat, nicht aber die Wirtschaft zu demokratisieren unternahm", schrieb im April 1946 Walter Dirks fordernd im ersten seiner „Frankfurter Hefte". Die wirtschaftliche Ordnung der Bundesrepublik Deutschland wird im Grundgesetz nur angedeutet – Mitbestimmung der Arbeitnehmer, soziale Marktwirtschaft und Kartellrecht, das sind Entwicklungen, die sich erst nach 1949 durchsetzten.

Die Verfassungswirklichkeit hat sich unter der Rechtssprechung des Bundesverfassungsgerichts entwickelt, denn Verfassungsrecht ist „über weite Strecken, was das Gericht daraus gemacht hat" (Ernst Benda).[14] Das Bundesverfassungsgericht hat sich dabei im großen und ganzen viel weniger Zurückhaltung auferlegt als der Supreme Court – und es hat dafür manche Schelte und selbst eine Rüge eines Bundeskanzlers hören müssen.

Verfassungsanspruch und Verfassungswirklichkeit stehen auch in der jungen Bundesrepublik im Spannungsverhältnis. „Niemand darf wegen seines Geschlechtes, seiner Abstammung, seiner Rasse, seiner Sprache, seiner Heimat und Herkunft, seiner religiösen oder politischen Anschauungen benachteiligt oder bevorzugt werden", (Artikel 3, Absatz 3 GG) – doch in den 60er Jahren hielten es die Staatsorgane zunehmend für nötig, eine Überprüfungspraxis für Bewerber für den öffentlichen Dienst einzuführen, weil in manchen Fällen eine Unvereinbarkeit zwischen den politischen Zielen des Bewerbers und seiner Verfassungstreue zu bestehen schien. Die Diskussion über die Notstandsgesetzgebung und den sogenannten Radikalenerlaß ist im Inland von starken Emotionen begleitet gewesen und auch im Ausland beachtet worden.

Das Verfassungsbewußtsein der Bürger der Bundesrepublik Deutschland ist aus der Diskussion gestärkt hervorgegangen. „Nie gab es auf deutschem Boden einen besseren Schutz der Freiheitsrechte des Bürgers als heute", sagte der Präsident dieser Republik, Richard von Weizsäcker, in sei-

Citizens exercising their basic right of freedom of assembly is evidence that democracy is functioning in the Federal Republic of Germany. The pictures on this page recall a number of pertinent examples.

Die Inanspruchnahme des Grundrechts auf Versammlungsfreiheit ist ein Zeichen der funktionierenden Demokratie in der Bundesrepublik Deutschland. Die folgenden Bilder erinnern an einige Geschehnisse in diesem Zusammenhang.

Demonstration against the Emergency Laws of 1968, a set of laws supplementing the Basic Law and providing a legal basis for civil defense and states of emergency. Back in the 1950s, there had already been demonstrations against rearmament and, later, against U. S. involvement in Vietnam.

Organizations such as Greenpeace and Robin Wood demonstrate against environmental pollution.

Gegen die Zerstörung der Umwelt demonstrieren unter anderem Organisationen wie Greenpeace und Robin Wood.

Demonstration gegen die Notstandsgesetze 1968, eine Reihe von Gesetzen als Ergänzung des Grundgesetzes, die die Rechtsgrundlage für die zivile Verteidigung und den Katastrophenfall darstellen. Schon in den fünfziger Jahren demonstrierte man gegen die Wiederbewaffnung und später gegen den Vietnam-Krieg.

Demonstration against atomic power plants.

Demonstration gegen Atomkraftwerke.

Demonstration in 1983 for the prohibition of ABC weapons.

Demonstration für ein Verbot der ABC-Waffen 1983.

Although the United States of America possesses the oldest constitution in effect today, it has undergone considerable modfication and received new interpretations since World War II. Even before the war, the White House began to voice increasingly strong opinions on national economic and social questions. In the post-war era, conservative and progressive presidents alike increasingly expanded this role. There was not so much mutual influence between Europe and the U.S. as similarities and parallels which arose from the same problems.

The U.S. became more and more an interventionist social state. On issues where society remained passive, the government began to be active. This can easily be seen with racial segregation. When the Supreme Court declared racial segregation unconstitutional in 1954, nothing happened at first. On the contrary, racial segregation tended to increase in the following years. Also the economic equality of black Americans was in a deplorable state. In order to bring out a balance, the hitherto deprived minorities would first have to be given extensive preferential treatment. This occurred under John F. Kennedy and even more, under Lyndon B. Johnson, whose civil rights laws considerably increased the status of blacks. Johnson demonstrated that he was well disposed towards reform by establishing a new Department of Housing and Urban Development and by appointing the first black man in U.S. history to the Cabinet to head the department. Johnson's tenure brought the most reforms since the New Deal.

Johnson's "American Dream" was the vision of a great society and since this president had spent many years in the legislature, he was able to realize many of his plans for reform. During his presidency (1963 – 69), federal public spending increased substantially. His government wove the social safety net more tightly and made more and more Americans eligible for social security. The gap between rich and poor seemed to narrow during his time in office.[15]

ner Rede zum 40. Jahrestag der Beendigung des Krieges in Europa und der nationalsozialistischen Gewaltherrschaft am 8. Mai 1985 in Bonn. Und: „Die Bundesrepublik Deutschland ist ein weltweit geachteter Staat geworden."

Obwohl die Vereinigten Staaten von Amerika die älteste Verfassung besitzen, die heute in Kraft ist, hat auch diese Verfassung seit dem Zweiten Weltkrieg noch beträchtliche Veränderungen und neue Ausdeutungen erfahren. Schon vor dem Krieg hatte das Weiße Haus begonnen, in wirtschaftlichen und gesellschaftlichen Fragen der Nation stärker mitzureden; in der Nachkriegszeit haben konservative wie progressive Präsidenten diese Rolle immer mehr ausgedehnt. Es sind dabei zwischen den USA und Westeuropa vielleicht weniger Wechselwirkungen festzustellen, sondern vielmehr Ähnlichkeiten und Parallelen, die sich aus den gleichen Problemen ergaben.

Die USA wurden immer mehr zum interventionistischen Sozialstaat. Wo die Gesellschaft untätig blieb, fing der Staat an zu handeln. An der Rassentrennung läßt sich dies leicht zeigen: Als der Supreme Court 1954 die Rassentrennung für verfassungswidrig erklärte, geschah zunächst gar nichts, im Gegenteil, die gesellschaftliche Rassentrennung nahm in den nächsten Jahren eher noch zu. Auch mit der wirtschaftlichen Gleichstellung der schwarzen Amerikaner lag es im argen. Wollte man eine faktische Angleichung herbeiführen, mußte man die benachteiligten Minderheiten erst einmal deutlich bevorzugen. Dies geschah unter John F. Kennedy und, mehr noch, unter Lyndon B. Johnson, dessen Bürgerrechtsgesetze die Stellung des schwarzen Mannes beträchtlich anhoben. Johnson bewies seinen Reformwillen unter anderem mit der Neugründung eines Bundesministeriums für Wohnungsfragen und Stadtentwicklung, an dessen Spitze er erstmals in der Geschichte der USA einen Schwarzen berief. Johnsons Amtszeit wurde die reformträchtigste seit dem New Deal.

Johnsons „American Dream" war der Traum einer Großen Gesellschaft, und da dieser Präsident viele Jahre in der Legislative zugebracht hatte, vermochte er viele seiner Reformpläne durchzusetzen. Während seiner Amtszeit (1963 – 1969) stiegen die Sozialausgaben der Bundesregierung beträchtlich an. Seine Regierung flocht das soziale Netz dichter und brachte mehr und mehr Amerikaner unter den Schutz der Sozialversicherung; der Abstand zwischen arm und reich scheint in seiner Amtszeit kleiner geworden zu sein.[15]

But along with this, the powers of the executive became increasingly greater; they became so extensive that many Americans began to fear them. The major crises and battles of the twentieth century strengthened the executive at the expense of legislature. The traditional interplay of congressional government and presidential government was in danger of landing entirely in the hands of the executive. In the past, the legislature had won back in tranquil times those powers which it had had to give up to the executive during times of crisis. But the worldwide crises did not end. The external power of America also increased. America became an "imperial republic", led by an "imperial presidency". The executive had increased its power but it had not always proved that it could use it wisely. Despite appearances to the contrary, the White House had established a pseudomonarchistic type of government, a Byzantine political style; in addition there was secretiveness and even some incidents of political corruption. Yet exactly these negative examples such as "Watergate" (which resulted in Richard Nixon's resignation from office) or the "Iran-Contra affair" gave evidence of the nation's great capacity for self-correction stemming from the system of checks and balances devised by the framers of the constitution two hundred years ago. The United States has changed substantially internally, just as the world has undergone major changes. There are problems to be faced nation-wide, such as crime, poverty, discrimination, unemployment, decline of cities. But Americans are a people which is able to define its problems and address them, undaunted by adversities. "Useless memories and vain struggle," as Goethe said, are not part of their tradition and cannot cripple them. They are still a young nation, looking to the future.

Aber damit wurden auch die Vollmachten der Exekutive immer größer – sie wurden so weitreichend, daß viele Amerikaner sie zu fürchten begannen. Die großen Krisen und die großen Kriege des 20. Jahrhunderts haben die Exekutive gestärkt auf Kosten der Legislative. Das alte Wechselspiel von „congressional government" und „presidential government" drohte vollends in die Hände der Exekutive überzugehen. In der Vergangenheit hatte die Legislative in ruhigeren Zeiten die Macht zurückgewonnen, die sie in Krisenzeiten hatte an die Exekutive abgeben müssen; doch jetzt hörten die weltweiten Krisen nicht mehr auf. Auch die äußere Macht der USA wuchs und wuchs – Amerika wurde zur „imperial Republic", angeführt von einer „imperial presidency". Die Exekutive hat ihre Macht gestärkt; und sie hat nicht immer bewiesen, daß sie mit dieser Macht auch weise umzugehen wußte: Aller äußerlichen Lässigkeit zum Trotz hat sich im Weißen Haus eine pseudomonarchische Regierungsweise durchgesetzt, ein byzantinischer politischer Stil, dazu Geheimniskrämerei und gelegentlich gar politische Korruption – Negativbeispielen dafür, wie zum Beispiel der Amtsenthebung Nixons (Watergate) oder der Iran-Contra-Affäre, stellt diese große Nation ihre ungebrochene Kraft zur Selbstheilung entgegen, die im System der „checks und balances" gründet, welches die Verfassungsväter vor 200 Jahren entwarfen.

Die Vereinigten Staaten haben im 20. Jahrhundert in ihrem Innern beträchtlichen Wandel erfahren, wie auch die Welt um sie herum sich gewaltig verändert hat. Viele Probleme im Innern, wie zum Beispiel Verbrechen, Armut, Ungleichheit zwischen den Menschen, Arbeitslosigkeit, Niedergang der Städte harren noch einer Lösung. Aber die Amerikaner sind doch ein Volk, das imstande ist, seine Probleme zu begreifen und sie anzupacken. „Unnützes Erinnern und vergeblicher Streit", wie Goethe sagte, sind nicht Teil ihrer Tradition und vermögen sie nicht zu lähmen. Sie sind noch immer eine junge, zukunftsfrohe Nation.

Notes Anmerkungen

[1] „Munn vs. Illinois", 1877; abgedruckt in: R. Hofstadter (Hrsg.), Great Issues in American History. From Reconstruction to the Present Day, 1864–1969, New York, 1958, 1969, Seite 139 folgende, Seite 143.

[2] Zitiert nach C. Degler, The Age of the Economic Revolution 1876–1900, Glenville 1967, Seite 46 folgende.

[3] R. Hofstadter, The Age of Reform. From Bryan to F. D. R., New York 1955, Seite 136. Dazu auch H.-J. Puhle, Soziale Ungleichheit und Klassenstrukturen in den USA, in: H.-U. Wehler (Hrsg.), Klassen in der europäischen Sozialgeschichte, Göttingen 1979, Seite 233–277.

[4] R. Lepsius, Parteiensystem und Sozialstruktur: zum Problem der Demokratisierung der deutschen Gesellschaft, in: G. A. Ritter (Hrsg.), Die deutschen Parteien vor 1918, Köln 1975, Seite 56.

[5] E. Fraenkel, Deutschland und die westlichen Demokratien, Stuttgart 1964, Seite 33.

[6] Zitiert nach K. Wilde, Hundert Jahre Sozialversicherung in Deutschland, in: Aus Politik und Zeitgeschichte, Heft 47/81, Seite 4.

[7] E. R. Huber, Deutsche Verfassungsgeschichte seit 1789, Band 5, Stuttgart u. a. 1978, Seite 561.

[8] Dazu J. Kocka, Ursachen des Nationalsozialismus, in: Aus Politik und Zeitgeschichte, Heft 25/80, Seite 1–15.

[9] J. Garraty, The New Deal, National Socialism, and the Great Depression, in: American Historical Review 78 (October 1973), besonders S. 944, Anmerkung 71.

[10] E. Deuerlein (Hrsg.), Potsdam 1945. Quellen zur Konferenz der „Großen Drei", München 1963, Seite 353 folgende.

[11] Zitiert nach W. Benz (Hrsg.), Bewegt von der Hoffnung aller Deutschen, München 1979, Seite 14 folgende.

[12] Ebenda, Seite 40 folgende.

[13] Fraenkel (wie Anmerkung 5), Seiten 159 und 176 folgende; W. Benz, Deutsche Opposition gegen alliierte Versuche zur Reform des öffentlichen Dienstes 1945–1952, in: Vierteljahreshefte für Zeitgeschichte 29 (1981), Seite 216–245.

[14] Zitiert nach H. Fenske, Deutsche Verfassungsgeschichte. Vom Norddeutschen Bund bis heute, Berlin 1981, 2. Auflage 1984, Seite 108.

[15] 1929 lag das Familieneinkommen des bestverdienenden Fünftels aller amerikanischen Haushalte noch bei 54,4 Prozent, inzwischen ist es auf 42,9 Prozent gesunken (1984). Zum Vergleich: In der Bundesrepublik verdiente 1985 das bestverdienende Fünftel aller Haushalte 43,1 Prozent des Gesamteinkommens, das ärmste 7,3 Prozent; in den USA lauten die Vergleichszahlen (1984) 42,9 und 4,7 Prozent. Die Relation ärmstes Fünftel – reichstes Fünftel lautet für die Bundesrepublik 1:5,9, für die USA 1:9,1 (Zahlen nach W. Adams, Die Vereinigten Staaten von Amerika, Frankfurt/Main 1977, Seite 505, Tabelle 15; Statistical Abstract of the US, 1986, Seite 452; DIE ZEIT vom 27.2.1987, Seite 30).

Where past and present meet in the heart of the New York metropolis: The George Washington monument in front of the stock exchange commemorates the Constitution of 1787.

Wo sich Vergangenheit und Gegenwart im Herzen der Weltstadt New York begegnen: An die 1787 verkündete Verfassung erinnert das Denkmal George Washingtons vor der New Yorker Börse.

Appendix   Anhang

"Washington Giving the Laws to America": allegorical portrayal by an unidentified artist, in which Washington, holding the constitution in his arm, bears the features of the great Roman Republican, Cato the Younger.

„Washington gibt Amerika das Gesetz": Allegorische Darstellung eines unbekannten Künstlers, auf der George Washington, die Verfassung im Arm, mit den Gesichtszügen des großen römischen Republikaners Cato des Jüngeren abgebildet ist.

The centennial celebration of the
Declaration of Independence
on July 4, 1876,
in Philadelphia.

Die Zentenarfeier der
Unabhängigkeitserklärung
am 4. Juli 1876 in
Philadelphia.

158

In the 18th century, a total of 38 different German-language newspapers were already being published in Pennsylvania and the other colonies. Next to Christopher Saur, the most prominent German printer was Henry Miller, whose "Pennsylvanischer Staatsbote" published the German translation of the Declaration of Independence on July 9, 1776. Even several days earlier, the text was printed for distribution as a broadside by Steiner and Cist – probably on the evening of July 5th or early in the morning of July 6th. But even they were beaten to the draw by the publisher of the "Pennsylvania Evening Post," in which the complete text already appeared in the July 6th issue. And even that was preceded by a leaflet version printed by John Dunlap in Philadelphia and circulated either on the night of July 4th or the morning of July 5th.

Bereits im 18. Jahrhundert erschienen insgesamt 38 verschiedene deutschsprachige Zeitungen in Pennsylvanien und den anderen Kolonien. Neben Christopher Saur war der bedeutendste deutsche Drucker Henry Miller, dessen „Pennsylvanischer Staatsbote" am 9. Juli 1776 die deutsche Übersetzung der amerikanischen Unabhängigkeitserklärung veröffentlichte.
Der Zeitungsmeldung vorab war bei Steiner und Cist, wahrscheinlich in der Nacht vom 5. Juli oder am frühen Morgen des 6. Juli, der Text in Flugblatt-Form veröffentlicht worden.
Rascher war noch der amerikanische Verleger von „The Pennsylvania Evening Post", der bereits am 6. Juli den Text komplett abdruckte.
Auch hier war eine Flugblatt-Ausgabe vorausgegangen, die in der Nacht vom 4. Juli oder am frühen 5. Juli bei John Dunlap in Philadelphia erschien.

1776. Dienstags, den 9 July. Henrich Millers 813 Stück.

Pennsylvanischer Staatsbote.

Diese Zeitung kommt alle Wochen zweymal heraus, näml. Dienstags und Freytags, für Sechs Schillinge des Jahrs.

N.B. All ADVERTISEMENTS to be inserted in this Paper, or printed single by Henry Miller, Publisher hereof, are by him translated gratis.

Im Congreß, den 4ten July, 1776.

Eine Erklärung

durch die Repräsentanten der

Vereinigten Staaten von America,

im General-Congreß versammlet.

Wenn es im Lauf menschlicher Begebenheiten für ein Volk nöthig wird die Politischen Bande, wodurch es mit einem andern verknüpft gewesen, zu trennen, und unter den Mächten der Erden eine abgesonderte und gleiche Stelle einzunehmen, wozu selbiges die Gesetze der Natur und des Gottes der Natur berechtigen, so erfordern Anstand und Achtung für die Meinungen des menschlichen Geschlechts, daß es Die Ursachen anzeige, wodurch es zur Trennung getrieben wird.

Wir halten diese Wahrheiten für ausgemacht, daß alle Menschen gleich erschaffen worden, daß sie von ihrem Schöpfer mit gewissen unveräußerlichen Rechten begabt worden, worunter sind Leben, Freyheit und das Bestreben nach Glückseligkeit. Daß zur Versicherung dieser Rechte Regierungen unter den Menschen eingeführt worden sind, welche ihre gerechte Gewalt von der Einwilligung derer die regiert werden, herleiten; daß sobald einige Regierungsform diesen Endzwecken verderblich wird, es das Recht des Volks ist sie zu verändern oder abzuschaffen, und eine neue Regierung einzusetzen, die auf solche Grundsätze gegründet, und deren Macht und Gewalt solchergestalt gebildet wird, als ihnen zur Erhaltung ihrer Sicherheit und Glückseligkeit am schicklichsten zu seyn dünket. Zwar gebietet Klugheit, daß man langer Zeit eingeführte Regierungen nicht um leichter und vergänglicher Ursachen willen verändert werden sollen; und demnach hat die Erfahrung sich gezeigt, daß Menschen, so lang das Uebel noch zu ertragen ist, lieber leiden und dulden wollen, als sich durch Umstoßung solcher Regierungsformen, zu denen sie gewohnt sind, selbst Recht und Hülfe verschaffen. Wenn aber eine lange Reihe von Mißhandlungen und gewaltsamen Eingriffen, auf einen und eben den Gegenstand unabläßig gerichtet, einen Anschlag an den Tag legt sie unter unumschränkte Herrschaft zu bringen, so ist es ihr Recht, ja ihre Pflicht, solche Regierung abzuwerfen, und sich für ihre künftige Sicherheit neue Gewähren zu verschaffen. Diß war die Weise, wie die Colonien ihre Leiden geduldig ertrugen; und so ist jetzt die Nothwendigkeit beschaffen, welche sie zwinget ihre vorigen Regierungs-Systeme zu verändern. Die Geschichte des jetzigen Königs von Großbrittannien ist eine Geschichte von wiederholten Ungerechtigkeiten und gewaltsamen Eingriffen, welche alle die Errichtung einer absoluten Tyranney über diese Staaten zum geraden Endzweck haben. Diß zu beweisen, wollen wir der unpartheyischen Welt folgende Facta vorlegen:

Er hat seine Einstimmung zu den heilsamsten und zum Oeffentlichen Wohl nöthigsten Gesetzen versagt.

Er hat seinen Gouvernörs verboten, Gesetze von unverzüglicher und dringender Wichtigkeit heraus zu geben, es sey dann, daß sie so lange keine Kraft haben sollten, bis seine Einstimmung erhalten würde; und wenn ihre Kraft und Gültigkeit so aufgeschoben war, hat er solche gänzlich aus der Acht gelassen.

Er hat sich geweigert andere Gesetze zu bekräftigen zur Bequemlichkeit großer Districte von Leuten, wofern diese Leute das Recht der Repräsentation in der Gesetzgebung nicht fahren lassen wolten, ein Recht, das ihnen unschätzbar, und nur Tyrannen fürchterlich ist.

Er hat Gesetzgebende Körper an ungewöhnlichen, unbequemen und von der Niederlage ihrer öffentlichen Archiven entfernten Plätzen zusammen berufen, zu dem einzigen Zweck, um sie so lange zu plagen, bis sie sich zu seinen Maaßregeln bequemen würden.

Er hat die Häuser der Repräsentanten zu wiederholten malen aufgehoben, dafür, daß sie mit männlicher Standhaftigkeit seinen gewaltsamen Eingriffen auf die Rechten des Volks widerstanden haben.

Er hat, nach solchen Aufhebungen, sich eine lange Zeit widersetzt, daß andere erwählt werden solten; wodurch die Gesetzgebende Gewalt, die keiner Vernichtung fähig ist, zum Volk überhaupt wiederum zur Ausübung zurück gekehrt ist; mittlerweile der Staat allen äußerlichen Gefahren und innerlichen Zerrüttungen unterworfen blieb.

Er hat die Bevölkerung dieser Staaten zu verhindern gesucht; zu dem Zweck hat er die Gesetze zur Naturalisation der Ausländer gehindert; andere, zur Beförderung ihrer Auswanderung hieher, hat er sich geweigert heraus zu geben, und hat die Bedingungen für neue Anweisungen von Ländereyen erhöhet.

Er ist der Verwaltung der Gerechtigkeit verhinderlich gewesen, indem er seine Einstimmung zu Gesetzen versagt hat, um Gerichtliche Gewalt einzusetzen.

Er hat Richter von seinem Willen allein abhängig gemacht, in Absicht auf die Besitzung ihrer Aemter, und den Belauf und die Zahlung ihrer Gehalte.

Er hat eine Menge neuer Aemter errichtet, und einen Schwarm von Beamten hieher geschickt, um unsere Leute zu plagen, und das Mark ihres Vermögens zu verzehren.

Er hat unter uns in Friedenszeiten Stehende Armeen gehalten, ohne die Einstimmung unserer Gesetzgebungen.

Er hat sich bemühet die Kriegsmacht von der Bürgerlichen Macht unabhängig zu machen, ja über selbige zu erhöhen.

Er hat sich mit andern zusammen gethan, und einer Gerichtsbarkeit, die unserer Landsverfassung ganz fremd ist, und die unsere Gesetze nicht erkennen, zu unterwerfen; indem er seine Einstimmung zu ihren Acten angemaßter Gesetzgebung ertheilt hat, näml.

Um große Haufen von bewaffneten Truppen bey uns einzulegen:

Um solche durch ein Schein-Verhör vor Bestrafung zu schützen für einigerley Mordthaten, die sie an den Einwohnern dieser Staaten begehen würden:

Um unsere Handlung mit allen Theilen der Welt abzuschneiden:

Um Taxen auf uns zu legen, ohne unsere Einwilligung:

Um uns in vielen Fällen der Wohlthat eines Verhörs durch eine Jury zu berauben:

Um uns über See zu führen, für angegebene Verbrechen gerichtet zu werden:

Um das freye System Englischer Gesetze in einer benachbarten Provinz abzuschaffen, eine willkührliche Regierung darin einzusetzen, und deren Grenzen auszudehnen, um selbige zu gleicher Zeit zu einem Exempel sowol als auch zu einem ge-

schickten Werkzeug zu machen, dieselbe absolute Regierung in diese Colonien einzuführen:

Um unsere Freyheitsbriefe uns zu entziehen, unsere kostbarsten Gesetze abzuschaffen, und die Form unserer Regierungen von Grund aus zu verändern:

Um unsere eigenen Gesetzgebungen aufzuheben, und sich selbst zu erklären, als wenn sie mit voller Macht versehen wären, uns in allen Fällen Gesetze vorzuschreiben.

Er hat die Regierung allhier niedergelegt, indem er uns außer seinem Schutz erklärt hat, und gegen uns Krieg führet.

Er hat unsere Seen geplündert, unsere Küsten verheeret, unsere Städte verbrannt, und unser Volk ums Leben gebracht.

Er ist, zu dieser Zeit, beschäftigt mit Herübersendung grosser Armeen von fremden Mieth-Soldaten, um die Werke des Todes, der Zerstörung und Tyranney zu vollführen, die bereits mit solchen Umständen von Grausamkeit und Treulosigkeit angefangen worden, welche selbst in den barbarischen Zeiten ihres Gleichen nicht finden, und dem Haupt einer gesitteten Nation gänzlich unanständig sind.

Er hat unsere auf der hohen See gefangene Mitbürger gezwungen die Waffen gegen ihr Land zu tragen, um die Henker ihrer Freunde und Brüder zu werden, oder von ihren Händen den Tod zu erhalten.

Er hat unter uns häusliche Empörungen und Aufstände erregt, und gestrebt über unsere Grenz-Einwohner die unbarmherzigen wilden Indianer zu bringen, deren bekannter Gebrauch den Krieg zu führen ist, ohne Unterscheid von Alter, Geschlecht und Stand, alles niederzumetzeln.

Auf jeder Stufe dieser Drangsalen haben wir in den demüthigsten Ausdrücken um Hülfe und Erleichterung geflehet: Unsere wiederholten Bittschriften sind nur durch wiederholte Beleidigungen beantwortet worden. Ein Fürst, dessen Character so sehr jedes einen Tyrannen unterscheidendes Merkmaal trägt, ist unfähig der Regierer eines freyen Volks zu seyn.

Auch haben wir es nicht an unserer Achtsamkeit gegen unsere Brittische Brüder ermangeln lassen: Wir haben ihnen von Zeit zu Zeit Warnung ertheilt von den Versuchen ihrer Gesetzgebung eine unverantwortliche Gerichtsbarkeit über uns auszudehnen.

Wir haben ihnen die Umstände unserer Auswanderung und unserer Niederlassung allhier zu Gemüthe geführt. Wir haben uns zu ihrer angebornen Gerechtigkeit und Großmuth gewandt, und sie bey den Banden unserer gemeinschaftlichen Verwandschaft beschworen, diese gewaltsamen Eingriffe zu mißbilligen, welche unsere Verknüpfung und unsern Verkehr mit einander unvermeidlich unterbrechen würden. Auch sie sind gegen die Stimme der Gerechtigkeit und Blutsfreundschaft taub gewesen. Wir müssen uns derohalben die Nothwendigkeit gefallen lassen, welche unsere Trennung ankündigt, und sie, wie der Rest des menschlichen Geschlechts, im Krieg für Feinde, im Frieden für Freunde, halten.

Indem derohalben Wir, die Repräsentanten der Vereinigten Staaten von America, im General-Congreß versammlet, uns wegen der Redlichkeit unserer Gesinnungen auf den allerhöchsten Richter der Welt berufen, so Verkündigen wir hiemit feyerlich, und Erklären im Namen und aus Macht der guten Leute dieser Colonien, Daß diese Vereinigten Colonien Freye und Unabhängige Staaten sind, und von Rechtswegen seyn sollen; daß sie von aller Pflicht und Treuergebenheit gegen die Brittische Krone frey und losgesprochen sind, und daß alle Politische Verbindung zwischen ihnen und dem Staat von Großbrittannien hiemit gänzlich aufgehoben ist, und aufgehoben seyn soll; und daß als Freye und Unabhängige Staaten sie volle Macht und Gewalt haben, Krieg zu führen, Frieden zu machen, Allianzen zu schliessen, Handlung zu errichten, und alles und jedes andere zu thun, was Unabhängigen Staaten von Rechtswegen zukömmt. Und zur Behauptung und Unterstützung dieser Erklärung verpfänden wir, mit vestem Vertrauen auf den Schutz der Göttlichen Vorsehung, uns unter einander unser Leben, unser Vermögen und unser geheiligtes Ehrenwort.

Unterzeichnet auf Befehl und im Namen des Congresses,

John Hancock, Präsident.

Bescheiniget,
Carl Thomson, Secretär.

Im Congreß, den 4ten July, 1776.

Beschlossen, Daß das Kriegsamt bevollmächtiget werde, eine Anzahl Personen die selbiges nöthig finden wird, in Arbeit zu nehmen, um Flintensteine für das Beste Land zu machen; und zu dem Ende sich bey den respectiven Assemblies, Conventionen und Sicherheits-Räthen oder Committen der Vereinigten Americanischen Staaten, oder den Aufsichts-Committen der Counties und Städte so dazu gehören, zu melden, wegen der Namen und Wohnplätze solcher Personen die in vorgemeldeter Manufactur erfahren sind, und wegen der Plätze in ihren respectiven Staaten wo die besten Feuersteine zu bekommen sind, mit Mustern davon.

Auf Verordnung des Congresses,
John Hancock, Präsident.

Kriegs-Amt, Philadelphia, den 6ten July, 1776.
Alle Personen in den Vereinigten Americanischen Staaten, welche dem Congreß Nachricht geben können von einigen Quantitäten von Feuersteinen, oder von Personen die das Flintensteinmachen verstehen, werden ersucht sich in Person oder schriftlich bey den Kriegs- und Zeug-Commißion, am Kriegs-Amt, in der Markt-straße, nahe beym Eck von der Vierten-straße, zu melden. Alle Zeitungs drucker in den verschiedenen Staaten werden ersucht diese Anzeige einzurücken.

Richard Peters, jun. Secretär.

In einer Conferenz der Abgeordneten im Congreß für die Staaten von Newyork, Neu-Jersey und Pennsylvanien, der Sicherheits-Committee von Pennsylvanien, der Aufsichts- und Wahrnehmungs-Committee für die Stadt und Freyheiten von Philadelphia, und der Stabs Officiers von den Battalions gemeldeter Stadt, 2c. am Staathause zu Philadelphia, den 5ten Tag July, 1776, vermöge folgenden Schlusses des Congresses, nämlich:

Im Congreß, den 4ten July, 1776.

Beschlossen, Daß die Abgeordneten von Newyork, Neu-Jersey und Pennsylvanien, eine Committee seyen, mit der Sicherheits-Committe von Pennsylvanien, der Aufsichts-Committe von der Stadt und Freyheiten von Philadelphia, und den Stabs-Officiers der Battalions gemeldeter Stadt und Freyheiten, sich zu unterreden über die besten Mittel zur Vertheidigung der Colonien von Neu-Jersey und Pennsylvanien, und daß sie bevollmächtiget werden die Expressen zu senden wo es nöthig ist.

John Hancock, Präsident.

Thomas Mackean, Vorsitzer.
Beschlossen, Daß es den Conferirenden scheinet, daß alle Associirte Militzen von Pennsylvanien (ausgenommen die Grafschaften Westmoreland, Bedford und Northumberland) welche mit Waffen und Rüstungsstücken versehen werden können, alsofort ersucht werden sollen aufs schleunigste nach Trentaun (ausgenommen die Militz für Northampton County, welche geradeswegs nach Neu-Braunschwig marschiren soll) in Neu-Jersey zu marschiren, und daß gemeldete Militzen so lang im Dienst bleiben, bis die fliegende Armee von zehn tausend Mann zusammen gebracht werden kan bis abzulösen, es sey denn daß sie eher vom Congreß entlassen werden.

Beschlossen, Daß die Militz Companienweise nach dem Sammel-Platz marschire.

Beschlossen, Daß besagte Militz in Continental Sold genommen werde, und eben selbige Löhnung, Unterhalt und Rationen, wie die Continental-Truppen empfange, von der Zeit an da sie anfangen zu marschiren bis zu ihrer Zurückkunft zu ihren respectiven Wohnplätzen.

Beschlossen, Daß diejenigen von den drey Battallions Pennsylvanischer Truppen, die jetzt noch in der Provinz sind, beordert werden sogleich nach Neu-Braunschwick, in Neu-Jersey, zu marschiren.

Beschlossen, Daß die Sicherheits-Committee dieser Colonie so viel Zelten anschaffe als sie kan für gemeldte Militz.

Beschlossen, Daß die Aufsichts-Committeen, 2c. in den verschiedenen Grafschaften einen guten Kessel anschaffen für jede sechs Mann, und allen möglichen Beystand leisten damit gemeldte Militz wohl bewaffnet und ausgerüstet werde, und mit der grössten Beschleunigung marschire.

Thomas Mackean, Vorsitzer.

Im Congreß, Den 5ten July, 1776.
Beschlossen, Daß die Aufsichts-Committees für die verschiedenen Grafschaften in der Colonie Pennsylvanien angewiesen werden, solche Truppen, die sie für die fliegende Armee aufbringen mögen, zu beordern nach Trentaun zu marschiren, des gestrigen Schlusses des nach Philadelphia marschiren zu lassen, ungeachtet.

Beschlossen, Daß dieser Schluß der vorhergehende Schlüsse höchstens genehmiget, und dem guten Volk von Pensylvanien anempfiehlet, selbige zu vollziehen, mit eben der löblichen Bereitwilligkeit, welche sie bis daher geoffenbaret haben in Unterstützung der benachtheiligten Rechten und Freyheiten ihres Landes.

Auf Befehl des Congresses,
John. Hancock, Präsident.

Als am 5ten März im Oberparlament von England vorgeschlagen wurde, den König mittelst einer Anrede zu bitten den Marsch der Hessischen, Hanauischen und Braunschweigischen Völker durch gegenbefehle aufzuhalten, und zu verordnen sogleich alle Feindseligkeiten in America einzustellen, und den Grund in einer glücklichen und dauerhaften wiederannäherung zu legen zwischen den getrennten theilen selbiges zerrütteten Reichs; so entstanden darüber w.itläufige für- und gegenreden, in welchen der Herzog von Cumberland seinen sinn folgendermaßen ausdruckte:

My Lords,
Ich pflichte der vorgeschlagenen Anrede von herzen bey. Ich denke der edle Herzog [von Richmond] welcher selbige vorgeschlagen, hat dadurch den klarsten beweis von pflicht gegen den König abgelegt. Ich hoffe die parthey die jetzt nehme wird nicht ausgelegt werden als hegte ich die geringste unehrerbietigkeit für meinen bruder. Es ist die unüberlegte aufführung seiner staatsdiener die ich anklage. — Ach leider! sollte ich denn die zeit erleben zu sehen daß Braunschweiger, ehmals Verfechter der Freyheit, nun gebraucht werden die Colonisten zu unterjochen, und die landsgesetzmäßigen rechten von America zu vernichten! — Aber ich fühle ich werde so eiferig; ich will daher innehalten etwas weiter von der obhandenen Sache zu sagen. „

Providenz, den 22 Juny.
Letztern Mittwoch langten die durch Capitain Biddle aus den zwey transportschiffen von Schottland genommene Officiers hier an, und sind seither nach einem ort von sicherheit im lande geführt worden; in gleicher maß man mit einer anzahl zum Brittischen seewesen gehörenden Officiers, welche seith einiger zeit hier in verhaft gewesen, gethan.

Neuport, den 3 July.
Letztern Sonntag nahm einer von unsern Kreuzfahrern auf der Südseite von Long-Eyland eine grosse zu Bermuda gebaute schlupe von Halifax nach verschiedenen werkzeugen, 2c. gelaten, und nach diesem ort bestimmt; es befinden sich an bord derselbigen eine anzahl flüchtlinge von Boston, und unter denselben, wie es heißt. Herr Robert Auchmuty, letztheriger Admiralitäts-Richter zu Boston, und bruder des Ehrw. Doctors Auchmuty von dieser Stadt.

Philadelphia, den 9 July.
Durch die von Charlestaun in Süd-Carolina hier angekommenen Herren vernehmen wir, daß zwischen dem 7ten und 9ten Juny, ein 50 canonen

The PENNSYLVANIA EVENING POST

Price only Two Coppers.   Publifhed every *Tuefday, Thurfday,* and *Saturday* Evenings.

Vol. II.| SATURDAY, JULY 6, 1776.   [Num. 228.

In CONGRESS, July 4, 1776.
A Declaration by the Reprefentatives of the United States of America, in General Congrefs affembled.

WHEN, in the courfe of human events, it becomes neceffary for one people to diffolve the political bands which have connected them with another, and to affume, among the powers of the earth, the feparate and equal ftation to which the laws of nature and of nature's God intitle them, a decent refpect to the opinions of mankind requires that they fhould declare the caufes which impel them to the feparation.

We hold thefe truths to be felf-evident, That all men are created equal; that they are endowed, by their Creator, with certain unalienable rights; that among thefe are life, liberty, and the purfuit of happinefs. That to fecure thefe rights, governments are inftituted among men, deriving their juft powers from the confent of the governed; that whenever any form of government becomes deftructive of thefe ends, it is the right of the people to alter or to abolifh it, and to inftitute new government, laying its foundation on fuch principles, and organizing its powers in fuch form, as to them fhall feem moft likely to effect their fafety and happinefs. Prudence, indeed, will dictate that governments long eftablifhed fhould not be changed for light and tranfient caufes; and accordingly all experience hath fhewn, that mankind are more difpofed to fuffer, while evils are fufferable, than to right themfelves by abolifhing the forms to which they are accuftomed. But when a long train of abufes and ufurpations, purfuing invariably the fame object, evinces a defign to reduce them under abfolute defpotifm, it is their right, it is their duty, to throw off fuch government, and to provide new guards for their future fecurity. Such has been the patient fufferance of thefe colonies, and fuch is now the neceffity which conftrains them to alter their former fyftems of government. The hiftory of the prefent King of Great Britain is a hiftory of repeated injuries and ufurpations, all having in direct object the eftablifhment of an abfolute tyranny over thefe ftates. To prove this, let facts be fubmitted to a candid world.

He has refufed his affent to laws, the moft wholefome and neceffary for the public good.

He has forbidden his Governors to pafs laws of immediate and preffing importance, unlefs fufpended in their operation till his affent fhould be obtained; and, when fo fufpended, he has utterly neglected to attend to them.

He has refufed to pafs other laws for the accommodation of large diftricts of people, unlefs thofe people would relinquifh the right of reprefentation in the legiflature, a right ineftimable to them, and formidable to tyrants only.

He has called together legiflative bodies at places unufual, uncomfortable, and diftant from the depofitory of their public records, for the fole purpofe of fatiguing them into compliance with his meafures.

He has diffolved Reprefentative Houfes repeatedly, for oppofing with manly firmnefs his invafions on the rights of the people.

He has refufed for a long time, after fuch diffolutions, to caufe others to be elected; whereby the legiflative powers, incapable of annihilation, have returned to the people at large for their exercife; the ftate remaining in the mean time expofed to all the dangers of invafion from without, and convulfions within.

He has endeavoured to prevent the population of thefe ftates; for that purpofe obftructing the laws for naturalization of foreigners; refufing to pafs others to encourage their migrations hither, and raifing the conditions of new appropriations of lands.

He has obftructed the adminiftration of juftice, by refufing his affent to laws for eftablifhing judiciary powers.

He has made Judges dependant on his will alone, for the tenure of their offices, and the amount and payment of their falaries.

He has erected a multitude of new offices, and fent hither fwarms of officers to harrafs our people, and eat out their fubftance.

He has kept among us, in times of peace, ftanding armies, without the confent of our legiflatures.

He has affected to render the military independant of and fuperior to the civil power.

He has combined with others to fubject us to a jurifdiction foreign to our conftitution, and unacknowledged by our laws; giving his affent to their acts of pretended legiflation:

For quartering large bodies of armed troops among us:

For protecting them, by a mock trial, from punifhment for any murders which they fhould commit on the inhabitants of thefe ftates:

For cutting off our trade with all parts of the world:

For impofing taxes on us without our confent:

For depriving us, in many cafes, of the benefits of trial by jury:

For tranfporting us beyond feas to be tried for pretended offences:

For abolifhing the free fyftem of Englifh laws in a neighbouring province, eftablifhing therein an arbitrary government, and enlarging its boundaries, fo as to render it at once an example and fit inftrument for introducing the fame abfolute rule into thefe colonies:

For taking away our charters, abolifhing our moft valuable laws, and altering fundamentally the forms of our governments:

For fufpending our own legiflatures, and declaring themfelves invefted with power to legiflate for us in all cafes whatfoever.

He has abdicated government here, by declaring us out of his protection and waging war againft us.

He has plundered our feas, ravaged our coafts, burnt our towns, and deftroyed the lives of our people.

He is, at this time, tranfporting large armies of foreign mercenaries to complete the works of death, defolation, and tyranny, already begun with circumftances of cruelty and

perfidy scarcely paralleled in the most barbarous ages, and totally unworthy the head of a civilized nation.

He has constrained our fellow citizens taken captive on the high seas to bear arms against their country, to become the executioners of their friends and brethren, or to fall themselves by their hands.

He has excited domestic insurrections amongst us, and has endeavoured to bring on the inhabitants of our frontiers the merciless Indian Savages, whose known rule of warfare is an undistinguished destruction of all ages, sexes and conditions.

In every stage of these oppressions we have petitioned for redress in the most humble terms : Our repeated petitions have been answered only by repeated injury. A Prince, whose character is thus marked by every act which may define a tyrant, is unfit to be the ruler of a free people.

Nor have we been wanting in attentions to our British brethren. We have warned them from time to time of attempts by their legislature to extend an unwarrantable jurisdiction over us. We have reminded them of the circumstances of our emigration and settlement here. We have appealed to their native justice and magnanimity, and we have conjured them by the ties of our common kindred to disavow these usurpations, which would inevitably interrupt our connexions and correspondence. They too have been deaf to the voice of justice and of consanguinity. We must, therefore, acquiesce in the necessity, which denounces our separation, and hold them, as we hold the rest of mankind, enemies in war, in peace, friends.

We, therefore, the Representatives of the UNITED STATES OF AMERICA, in GENERAL CONGRESS assembled, appealing to the Supreme Judge of the world for the rectitude of our intentions, do, in the name, and by authority of the good people of these colonies, solemnly publish and declare, that these United Colonies are, and of right ought to be, FREE AND INDEPENDANT STATES ; that they are absolved from all allegiance to the British Crown, and that all political connexion between them and the state of Great-Britain is and ought to be totally dissolved ; and that, as FREE AND INDEPENDANT STATES, they have full power to levy war, conclude peace, contract alliances, establish commerce, and to do all other acts and things which INDEPENDANT STATES may of right do. And for the support of this declaration, with a firm reliance on the protection of Divine Providence, we mutually pledge to each other our lives, our fortunes, and our sacred honor.

Signed by ORDER and in BEHALF of CONGRESS,

JOHN HANCOCK, President.

Attest.   CHARLES THOMSON, Sec.

The Constitution
of the United States of America
September 17, 1787

Preamble

We the People of the United States, in Order to form a more perfect Union, establish Justice, insure domestic Tranquility, provide for the common defence, promote the general Welfare, and secure the Blessings of Liberty to ourselves and our Posterity, do ordain and establish this Constitution for the United States of America.

Article I

Section 1. All legislative Powers herein granted shall be vested in a Congress of the United States, which shall consist of a Senate and House of Representatives.

Section 2. The House of Representatives shall be composed of Members chosen every second Year by the People of the several States, and the Electors in each State shall have the Qualifications requisite for Electors of the most numerous Branch of the State Legislature.

No Person shall be a Representative who shall not have attained to the Age of twenty five Years, and been seven Years a Citizen of the United States, and who shall not, when elected, be an inhabitant of that State in which he shall be chosen.

Representatives and direct Taxes shall be apportioned among the several States which may be included within this Union, according to their respective Numbers, [which shall be determined by adding to the whole Number of free Persons, including those bound to Service for a Term of Years, and excluding Indians not taxed, three fifths of all other Persons.][1] The actual Enumeration shall be made within three Years after the first Meeting of the Congress of the United States, and within every subsequent Term of ten Years, in such Manner as they shall by Law direct. The Number of Representatives shall not exceed one for every thirty Thousand, but each State shall have at Least one Representative; and until such enumeration shall be made, the State of New Hampshire shall be entitled to chuse three, Massachusetts eight, Rhode-Island and Providence Plantations one, Connecticut five, New-York six, New Jersey four, Pennsylvania eight, Delaware one, Maryland six, Virginia ten, North Carolina five, South Carolina five, and Georgia three.[2]

When vacancies happen in the Representation from any State, the Executive Authority thereof shall issue Writs of Election to fill such Vacancies.

The House of Representatives shall chuse their Speaker and other Officers; and shall have the sole Power of Impeachment.

Section 3. The Senate of the United States shall be composed of two Senators from each State, [chosen by the Legislature thereof,][3] for six Years; and each Senator shall have one Vote.

Immediately after they shall be assembled in Consequence of the first Election, they shall be divided as equally as may be into three Classes. The Seats of the Senators of the first Class shall be vacated at the Expiration of the second Year, of the second Class at the Expiration of the fourth Year, and of the third Class at the Expiration of the sixth Year, so that one third may be chosen every second Year; [and if Vacancies happen by Resignation, or otherwise, dur-

Verfassung
der Vereinigten Staaten von Amerika
17. September 1787

Präambel

Wir, das Volk der Vereinigten Staaten, von der Absicht geleitet, unseren Bund zu vervollkommnen, die Gerechtigkeit zu verwirklichen, die Ruhe im Innern zu sichern, für die Landesverteidigung zu sorgen, das allgemeine Wohl zu fördern und das Glück der Freiheit uns selbst und unseren Nachkommen zu bewahren, setzen und begründen diese Verfassung für die Vereinigten Staaten von Amerika.

Artikel I

Abschnitt 1. Alle in dieser Verfassung verliehene gesetzgebende Gewalt ruht im Kongreß der Vereinigten Staaten, der aus einem Senat und einem Repräsentantenhaus besteht.

Abschnitt 2. Das Repräsentantenhaus beseht aus Abgeordneten, die alle zwei Jahre in den Einzelstaaten vom Volke gewählt werden. Die Wähler in jedem Staate müssen den gleichen Bedingungen genügen, die für die Wähler der zahlenmäßig stärksten Kammer der gesetzgebenden Körperschaft des Einzelstaats vorgeschrieben sind.

Niemand kann Abgeordneter werden, der nicht das Alter von 25 Jahren erreicht hat, sieben Jahre Bürger der Vereinigten Staaten gewesen und zur Zeit seiner Wahl Einwohner desjenigen Staates ist, in dem er gewählt wird.

Die Abgeordnetenmandate und die direkten Steuern werden auf die einzelnen Staaten, die diesem Bund angeschlossen sind, im Verhältnis zu ihrer Einwohnerzahl verteilt; [diese wird ermittelt, indem zur Gesamtzahl der freien Personen, einschließlich der in einem befristeten Dienstverhältnis stehenden, jedoch ausschließlich der nicht besteuerten Indianer, drei Fünftel der Gesamtzahl aller übrigen Personen hinzugezählt werden][1]. Die Zählung selbst erfolgt innerhalb von drei Jahren nach dem ersten Zusammentritt des Kongresses der Vereinigten Staaten und dann jeweils alle zehn Jahre nach Maßgabe eines hierfür zu erlassenden Gesetzes. Auf je dreißigtausend Einwohner darf nicht mehr als ein Abgeordneter kommen, doch soll jeder Staat durch wenigstens einen Abgeordneten vertreten sein; bis zur Durchführung dieser Zählung hat der Staat New Hampshire das Recht, drei zu wählen, Massachusetts acht, Rhode Island und Providence Plantations einen, Connecticut fünf, New York sechs, New Jersey vier, Pennsylvania acht, Delaware einen, Maryland sechs, Virginia zehn, North Carolina fünf, South Carolina fünf und Georgia drei.[2]

Wenn in der Vertretung eines Staates Abgeordnetensitze frei werden, dann schreibt dessen Regierung Ersatzwahlen aus, um die erledigten Mandate neu zu besetzen.

Das Repräsentantenhaus wählt aus seiner Mitte einen Präsidenten (Sprecher) und sonstige Parlamentsorgane. Es hat das alleinige Recht, Amtsanklage zu erheben.

Abschnitt 3. Der Senat der Vereinigten Staaten besteht aus je zwei Senatoren von jedem Einzelstaat, [die von dessen gesetzgebender Körperschaft][3] auf sechs Jahre gewählt werden. Jedem Senator steht eine Stimme zu.

Unmittelbar nach dem Zusammentritt nach der erstmaligen Wahl soll der Senat so gleichmäßig wie möglich in drei Gruppen aufgeteilt werden. Die Senatoren der ersten Gruppe haben nach Ablauf von zwei Jahren ihr Mandat niederzulegen, die der zweiten Gruppe nach Ablauf von vier Jahren und die der dritten Gruppe nach Ablauf von sechs Jahren, so daß jedes zweite Jahr ein Drittel neu zu wählen ist. [Falls durch Rücktritt oder aus einem anderen

ing the Recess of the Legislature of any State, the Executive thereof may make temporary Appointments until the next Meeting of the Legislature, which shall then fill such Vacancies.]⁴

No Person shall be a Senator who shall not have attained to the Age of thirty Years, and been nine Years a Citizen of the United States, and who shall not, when elected, be an Inhabitant of that State for which he shall be chosen.

The Vice President of the United States shall be President of the Senate, but shall have no Vote, unless they be equally divided.

The Senate shall chuse their other Officers, and also a President pro tempore, in the Absence of the Vice President, or when he shall exercise the Office of President of the United States.

The Senate shall have the sole Power to try all Impeachments. When sitting for that Purpose, they shall be on Oath or Affirmation. When the President of the United States is tried, the chief Justice shall preside: and no Person shall be convicted without the concurrence of two thirds of the Members present.

Judgment in Cases of Impeachment shall not extend further than to removal from Office, and disqualification to hold and enjoy any Office of honor, Trust or Profit under the United States: but the Party convicted shall nevertheless be liable and subject to Indictment, Trial, Judgment and Punishment, according to Law.

Section 4. The Times, Places and Manner of holding Elections for Senators and Representatives shall be prescribed in each State by the Legislature thereof; but the Congress may at any time by Law make or alter such Regulations, except as to the Places of chusing Senators.

[The Congress shall assemble at least once in every Year, and such Meeting shall be on the first Monday in December, unless they shall by Law appoint a different Day.]⁵

Section 5. Each House shall be the Judge of the Elections, Returns and Qualifications of its own Members, and a Majority of each shall constitute a Quorum to do Business; but a smaller Number may adjourn from day to day, and may be authorized to compel the Attendance of absent Members, in such Manner, and under such Penalties as each House may provide.

Each House may determine the Rules of its Proceedings, punish its Members for disorderly Behaviour, and, with the Concurrence of two thirds, expel a Member.

Each House shall keep a Journal of its Proceedings, and from time to time publish the same, excepting such Parts as may in their Judgment require Secrecy; and the Yeas and Nays of the Members of either House on any question shall, at the Desire of one fifth of those Present, be entered on the Journal.

Neither House, during the Session of Congress, shall, without the Consent of the other, adjourn for more than three days, nor to any other Place than that in which the two House shall be sitting.

Grunde außerhalb der Tagungsperiode der gesetzgebenden Körperschaft eines Einzelstaates Sitze frei werden, kann dessen Regierung vorläufige Ernennungen vornehmen, bis die gesetzgebende Körperschaft bei ihrem nächsten Zusammentritt die erledigten Mandate wieder besetzt.]⁴

Niemand kann Senator werden, der nicht das Alter von 30 Jahren erreicht hat, neun Jahre Bürger der Vereinigten Staaten gewesen und zur Zeit seiner Wahl Einwohner desjenigen Staates, ist, für den er gewählt wird.

Der Vizepräsident der Vereinigten Staaten ist Präsident des Senats. Er hat jedoch kein Stimmrecht, ausgenommen im Falle der Stimmengleichheit.

Der Senat wählt seine sonstigen Parlamentsorgane und auch einen Interimspräsidenten für den Fall, daß der Vizepräsident abwesend ist oder das Amt des Präsidenten der Vereinigten Staaten wahrnimmt.

Der Senat hat das alleinige Recht, über alle Amtsanklagen zu befinden. Wenn er zu diesem Zwecke zusammentritt, stehen die Senatoren unter Eid oder eidesstattlicher Verantwortlichkeit. Bei Verfahren gegen den Präsidenten der Vereinigten Staaten führt der Oberste Bundesrichter den Vorsitz. Niemand darf ohne Zustimmung von zwei Dritteln der anwesenden Mitglieder schuldig gesprochen werden.

In Fällen von Amtsanklagen lautet der Spruch höchstens auf Entfernung aus dem Amte und Aberkennung der Befähigung, ein Ehrenamt, eine Vertrauensstellung oder ein besoldetes Amt im Dienste der Vereinigten Staaten zu bekleiden oder auszuüben. Der für schuldig Befundene ist desungeachtet der Anklageerhebung, dem Strafverfahren, der Verurteilung und Strafverbüßung nach Maßgabe der Gesetze ausgesetzt und unterworfen.

Abschnitt 4. Zeit, Ort und Art der Durchführung der Senatoren- und Abgeordnetenwahlen werden in jedem Staate durch dessen gesetzgebende Körperschaft bestimmt. Jedoch kann der Kongreß jederzeit selbst durch Gesetz solche Bestimmungen erlassen oder ändern; nur die Orte der Durchführung der Senatorenwahlen sind davon ausgenommen.

[Der Kongreß tritt wenigstens einmal in jedem Jahre zusammen, und zwar am ersten Montag im Dezember, falls er nicht durch Gesetz einen anderen Tag bestimmt.]⁵

Abschnitt 5. Jedem Haus obliegt selbst die Überprüfung der Wahlen, der Abstimmungsergebnisse und der Wählbarkeitsvoraussetzungen seiner eigenen Mitglieder. In jedem Hause ist die Anwesenheit der Mehrheit der Mitglieder zur Beschlußfähigkeit erforderlich. Eine kleinere Zahl Anwesender darf jedoch die Sitzung von einem Tag auf den anderen vertagen und kann ermächtigt werden, das Erscheinen abwesender Mitglieder in der von jedem Haus vorgesehenen Form und mit dementsprechender Strafandrohung zu erzwingen.

Jedes Haus kann sich eine Geschäftsordnung geben, seine Mitglieder wegen ordnungswidrigen Verhaltens bestrafen und mit Zweidrittelmehrheit ein Mitglied ausschließen.

Jedes Haus führt ein fortlaufendes Verhandlungsprotokoll, das von Zeit zu Zeit zu veröffentlichen ist, ausgenommen solche Teile, die nach seinem Ermessen Geheimhaltung erfordern; die Ja- und die Nein-Stimmen der Mitglieder jedes Hauses zu jedweder Frage sind auf Antrag eines Fünftels der Anwesenden im Verhandlungsprotokoll zu vermerken.

Keines der beiden Häuser darf sich während der Sitzungsperiode des Kongresses ohne Zustimmung des andern auf mehr als drei Tage vertagen, noch an einem anderen als dem für beide Häuser bestimmten Sitzungsort zusammentreten.

Section 6. The Senators and Representatives shall receive a Compensation for their Services, to be ascertained by Law, and paid out of the Treasury of the United States. They shall in all Cases, except Treason, Felony and Breach of the Peace, be privileged from Arrest during their Attendance at the Session of their respective Houses, and in going to and returning from the same; and for any Speech or Debate in either House, they shall not be questioned in any other Place.

No Senator or Representative shall, during the Time for which he was elected, be appointed to any civil Office under the Authority of the United States, which shall have been created, or the Emoluments whereof shall have been encreased during such time; and no Person holding any Office under the United States, shall be a Member of either House during his Continuance in Office.

Section 7. All bills for raising Revenue shall originate in the House of Representatives; but the Senate may propose or concur with Amendments as on other Bills.

Every Bill which shall have passed the House of Representatives and the Senate, shall, before it become a Law, be presented to the President of the United States. If he approve he shall sign it, but if not he shall return it, with his Objections to that House in which it shall have originated, who shall enter the Objections at large on their Journal, and proceed to reconsider it. If after such Reconsideration two thirds of that House shall agree to pass the Bill, it shall be sent, together with the Objections, to the other House, by which it shall likewise be reconsidered, and if approved by two thirds of that House, it shall become a Law. But in all such Cases the Votes of both Houses shall be determined by Yeas and Nays, and the Names of the Persons voting for and against the Bill shall be entered on the Journal of each House respectively. If any Bill shall not be returned by the President within ten Days (Sundays excepted) after it shall have been presented to him, the Same shall be a Law, in like Manner as if he had signed it, unless the Congress by their Adjournment prevent its Return, in which Case it shall not be a Law.

Every Order, Resolution, or Vote to which the Concurrence of the Senate and House of Representatives may be necessary (except on a question of Adjournment) shall be presented to the President of the United States; and before the Same shall take Effect, shall be approved by him, or being disapproved by him, shall be repassed by two thirds of the Senate and House of Representatives, according to the Rules and Limitations prescribed in the Case of a Bill.

Section 8. The Congress shall have Power to lay and collect Taxes, Duties, Imposts and Excises, to pay the Debts and provide for the common Defence and general Welfare of the United States; but all Duties, Imposts and Excises shall be uniform throughout the United States;

To borrow Money on the credit of the United States;

To regulate Commerce with foreign Nations, and among the several States, and with the Indian Tribes;

To establish an uniform rule of Naturalization, and uniform Laws on the subject of Bankruptcies throughout the United States;

Abschnitt 6. Die Senatoren und Abgeordneten erhalten für ihre Tätigkeit eine Entschädigung, die gesetzlich festgelegt und vom Schatzamt der Vereinigten Staaten ausbezahlt werden soll. Sie sind in allen Fällen, außer bei Verrat, Verbrechen und Friedensbruch, vor Verhaftung geschützt, solange sie an einer Sitzung ihres jeweiligen Hauses teilnehmen oder sich auf dem Wege dorthin oder auf dem Heimweg befinden; kein Mitglied darf wegen seiner Reden oder Äußerungen in einem der Häuser andernorts zur Rechenschaft gezogen werden.

Kein Senator oder Abgeordneter darf während der Zeit, für die er gewählt wurde, in irgendeine Beamtenstellung im Dienste der Vereinigten Staaten berufen werden, die während dieser Zeit geschaffen oder mit erhöhten Bezügen ausgestattet wurde; und niemand, der ein Amt im Dienste der Vereinigten Staaten bekleidet, darf während seiner Amtsdauer Mitglied eines der beiden Häuser sein.

Abschnitt 7. Alle Gesetzesvorlagen zur Aufbringung von Haushaltmitteln gehen vom Repräsentantenhaus aus; der Senat kann jedoch wie bei anderen Gesetzesvorlagen Abänderungs- und Ergänzungsvorschläge einbringen.

Jede Gesetzesvorlage wird nach ihrer Verabschiedung durch das Repräsentantenhaus und den Senat, ehe sie Gesetzeskraft erlangt, dem Präsidenten der Vereinigten Staaten vorgelegt. Wenn er sie billigt, so solll er sie unterzeichnen, andernfalls jedoch mit seinen Einwendungen an jenes Haus zurückverweisen, von dem sie ausgegangen ist; dieses nimmt die Einwendungen ausführlich zu Protokoll und tritt erneut in die Beratung ein. Wenn nach dieser erneuten Lesung zwei Drittel des betreffenden Hauses für die Verabschiedung der Vorlage stimmen, so wird sie zusammen mit den Einwendungen dem anderen Hause zugesandt, um dort gleichfalls erneut beraten zu werden; wenn sie die Zustimmung von zwei Dritteln auch dieses Hauses findet, wird sie Gesetz. In allen solchen Fällen aber erfolgt die Astimmung in beiden Häuser nach Ja- und Nein-Stimmen, und die Namen derer, die für und gegen die Gesetzesvorlage stimmen, werden im Protokoll des betreffenden Hauses vermerkt. Falls eine Gesetzesvorlage vom Präsidenten nicht innerhalb von zehn Tagen (Sonntage nicht eingerechnet) nach Übermittlung zurückgegeben wird, erlangt sie in gleicher Weise Gesetzeskraft, als ob er sie unterzeichnet hätte, es sei denn, daß der Kongreß durch Vertagung die Rückgabe verhindert hat; in diesem Fall erlangt sie keine Gesetzeskraft.

Jede Anordnung, Entschließung oder Abstimmung, für die Übereinstimmung von Senat und Repräsentantenhaus erforderlich ist (ausgenommen zur Frage einer Vertagung), muß dem Präsidenten der Vereinigten Staaten vorgelegt und, ehe sie wirksam wird, von ihm gebilligt werden; falls er ihre Billigung ablehnt, muß sie von Senat und Repräsentantenhaus mit Zweidrittelmehrheit nach Maßgabe der für Gesetzesvorlagen vorgeschriebenen Regeln und Fristen neuerlich verabschiedet werden.

Abschnitt 8. Der Kongreß hat das Recht:

Steuern, Zölle, Abgaben und Akzisen aufzuerlegen und einzuziehen, um für die Erfüllung der Zahlungsverpflichtungen, für die Landesverteidigung und das allgemeine Wohl der Vereinigten Staaten zu sorgen; alle Zölle, Abgaben und Akzisen sind aber für das gesamte Gebiet der Vereinigten Staaten einheitlich festzusetzen;

auf Rechnung der Vereinigten Staaten Kredit aufzunehmen;

den Handel mit fremden Ländern, zwischen den Einzelstaaten und mit den Indianerstämmen zu regeln;

für das gesamte Gebiet der Vereinigten Staaten eine einheitliche Einbürgerungsordnung und ein einheitliches Konkursrecht zu schaffen;

To coin Money, regulate the Value thereof, and of foreign Coin, and fix the Standard of Weights and Measures;

To provide for the Punishment of counterfeiting the Securities and current Coin of the United States;

To establish Post Offices and post Roads;

To promote the Progress of Science and useful Arts, by securing for limited Times to Authors and Inventors the exclusive Right to their respective Writings and Discoveries;

To constitute Tribunals inferior to the supreme Court;

To define and punish Piracies and Felonies committed on the high Seas, and Offences against the Law of Nations;

To declare War, grant Letters of Marque and Reprisal, and make Rules concerning Captures on Land and Water;

To raise and support Armies, but not Appropriation of Money to that Use shall be for a longer Term than two Years;

To provide and maintain a Navy;

To make rules for the Government and Regulation of the land and naval Forces;

To provide for calling forth the Militia to execute the Laws of the Union, suppress Insurrections and repel Invasions;

To provide for organizing, arming, and disciplining, the Militia, and for governing such Part of them as may be employed in the Service of the United States, reserving to the States respectively, the Appointment of the Officers, and the Authority of training the Militia according to the discipline prescribed by Congress;

To exercise exclusive Legislation in all Cases whatsoever, over such District (not exceeding ten Miles square) as may, by Cession of particular States, and the Acceptance of Congress, become the Seat of the Government of the United States, and to exercise like Authority over all Places purchased by the Consent of the Legislature of the State in which the Same shall be, for the Erection of Forts, Magazines, Arsenals, dock-Yards, and other needful buildings; – And

To make all Laws which shall be necessary and proper for carrying into Execution the foregoing Powers, and all other Powers vested by this Constitution in the Government of the United States, or in any Department or Officer thereof.

Section 9. The Migration or Importation of such Persons as any of the States now existing shall think proper to admit, shall not be prohibited by the Congress prior to the Year one thousand eight hundred and eight, but a Tax or duty may be imposed on such Importation, not exceeding ten dollars for each Person[6].

The Privilege of the Writ of Habeas Corpus shall not be suspended, unless when in Cases of Rebellion or Invasion the public safety may require it.

No Bill of Attainder or ex post facto Law shall be passed.

No Capitation, or other direct, Tax shall be laid, unless in Proportion to the Census or Enumeration herein before directed to be taken[7].

Münzen zu prägen, ihren Wert und den fremder Währungen zu bestimmen und Maße und Gewichte zu normen;

Strafbestimmungen für die Fälschung von Staatsobligationen und gültigen Zahlungsmitteln der Vereinigten Staaten zu erlassen;

Postämter und Poststraßen einzurichten;

den Fortschritt von Kunst und Wissenschaft dadurch zu fördern, daß Autoren und Erfindern für beschränkte Zeit das ausschließliche Recht an ihren Publikationen und Entdeckungen gesichert wird;

dem Obersten Bundesgericht nachgeordnete Gerichte zu bilden;

Seeräuberei und andere Kapitalverbrechen auf hoher See sowie Verletzungen des Völkerrechts begrifflich zu bestimmen und zu ahnden;

Krieg zu erklären, Kaperbriefe auszustellen und Vorschriften über das Prisen- und Beuterecht zu Wasser und zu Lande zu erlassen;

Armeen aufzustellen und zu unterhalten; die Bewilligung von Geldmitteln hierfür soll jedoch nicht für länger als auf zwei Jahre erteilt werden;

eine Flotte zu bauen und zu unterhalten;

Reglements für Führung und Dienst der Land- und Seestreitkräfte zu erlassen;

Vorkehrungen für das Aufgebot der Miliz zu treffen, um den Bundesgesetzen Geltung zu verschaffen, Aufstände zu unterdrücken und Invasionen abzuwehren;

Vorkehrungen zu treffen für Aufbau, Bewaffnung und Ausbildung der Miliz und die Führung derjenigen ihrer Teile, die im Dienst der Vereinigten Staaten Verwendung finden, wobei jedoch den Einzelstaaten die Ernennung der Offiziere und die Aufsicht über die Ausbildung der Miliz nach den Vorschriften des Kongresses vorbehalten bleiben;

die ausschließliche und uneingeschränkte Gesetzgebung für jenes Gebiet (das nicht größer als zehn Quadratmeilen sein soll) auszuüben, das durch Abtretung seitens einzelner Staaten und Annahme seitens des Kongresses zum Sitz der Regierung der Vereinigten Staaten ausersehen wird, und gleiche Hoheitsrechte in allen Gebieten auszuüben, die zwecks Errichtung von Befestigungen, Magazinen, Arsenalen, Werften und anderen notwendigen Bauwerken mit Zustimmung der gesetzgebenden Körperschaft desjenigen Staates, in dem diese angelegt werden sollen, angekauft werden; – und

alle zur Ausübung der vorstehenden Befugnisse und aller anderen Rechte, die der Regierung der Vereinigten Staaten, einem ihrer Zweige oder einem einzelnen Beamten auf Grund dieser Verfassung übertragen sind, notwendigen und zweckdienlichen Gesetze zu erlassen.

Abschnitt 9. Die Einwanderung oder Hereinholung solcher Personen, deren Zulassung einer der derzeit bestehenden Staaten für angebracht hält, darf vom Kongreß vor dem Jahre 1808 nicht verboten werden, doch kann eine solche Hereinholung mit Steuer oder Zoll von nicht mehr als zehn Dollar für jede Person belegt werden[6].

Der Anspruch eines Verhafteten auf Ausstellung eines richterlichen Vorführungsbefehls darf nicht suspendiert werden, es sei denn, daß die öffentliche Sicherheit dies im Falle eines Aufstandes oder einer Invasion erforderlich macht.

Kein Ausnahmegesetz, das eine Verurteilung ohne Gerichtsverfahren zum Inhalt hat, oder Strafgesetz mit rückwirkender Kraft soll verabschiedet werden.

Kopfsteuern oder sonstige direkte Steuern dürfen nur nach Maßgabe der Ergebnisse der Schätzung oder Volkszählung, wie im vorhergehenden angeordnet, auferlegt werden[7].

No Tax or Duty shall be laid on Articles exported from any State.

No Preference shall be given by any Regulation of Commerce or Revenue to the Ports of one State over those of another; nor shall Vessels bound to, or from, one State, be obliged to enter, clear, or pay Duties in another.

No money shall be drawn from the Treasury, but in Consequence of Appropriations made by Law; and a regular Statement and Account of the Receipts and Expenditures of all public Money shall be published from time to time.

No Title of Nobility shall be granted by the United States: And no Person holding any Office of Profit or Trust under them, shall, without the Consent of the Congress, accept of any present, Emolument, Office, or Title, of any kind whatever, from any King, Prince, or foreign State.

Section 10. No State shall enter into any Treaty, Alliance, or Confederation; grant Letters of Marque and Reprisal; coin Money; emit Bills of Credit; make any Thing but gold and silver Coin a Tender in Payment of Debts; pass any Bill of Attainder, ex post facto Law, or Law impairing the Obligation of Contracts, or grant any Title of Nobility.

No State shall, without the Consent of the Congress, lay any Imposts or Duties on Imports or Exports, except what may be absolutely necessary for executing it's inspection laws; and the net Produce of all Duties and Imposts, laid by any State on Imports or Exports, shall be for the Use of the Treasury of the United States; and all such Laws shall be subject to the Revision and Controul of the Congress.

No State shall, without the Consent of Congress, lay any Duty of Tonnage, keep Troops, or Ships of War in time of Peace, enter into any Agreement or Compact with another State, or with a foreign Power, or engage in War, unless actually invaded, or in such imminent Danger as will not admit of delay.

Waren, die aus einem Einzelstaat ausgeführt werden, dürfen nicht mit Steuern oder Zöllen belegt werden.

Eine Begünstigung der Häfen eines Einzelstaates gegenüber denen eines anderen durch handels- oder abgabenrechtliche Vorschriften darf nicht gewährt werden; und Schiffe mit Bestimmungs- oder Abgangshafen in einem der Staaten dürfen nicht gezwungen werden, in einem anderen anzulegen, zu klarieren oder Gebühren zu entrichten.

Geld darf der Staatskasse nur auf Grund gesetzlicher Bewilligungen entnommen werden; über alle Einkünfte und Ausgaben der öffentlichen Hand ist der Öffentlichkeit von Zeit zu Zeit ordnungsgemäß Rechnung zu legen.

Adelstitel dürfen durch die Vereinigten Staaten nicht verliehen werden. Niemand, der ein besoldetes oder Ehrenamt in ihrem Dienst bekleidet, darf ohne Zustimmung des Kongresses ein Geschenk, Entgelt, Amt oder einen Titel irgendeiner Art von einem König, Fürsten oder fremden Staat annehmen.

Abschnitt 10. Kein Einzelstaat darf einem Vertrag, Bündnis oder einer Konföderation beitreten, Kaperbriefe ausstellen, Münzen prägen, Banknoten ausgeben, etwas anderes als Gold- und Silbermünzen zum gesetzlichen Zahlungsmittel erklären, ein Ausnahmegesetz, das eine Verurteilung ohne Gerichtsverfahren zum Inhalt hat, oder ein Strafgesetz mit rückwirkender Kraft oder ein Gesetz, das Vertragsverpflichtungen beeinträchtigt, verabschieden oder einen Adelstitel verleihen.

Kein Einzelstaat darf ohne Zustimmung des Kongresses Abgaben oder Zölle auf Ein- oder Ausfuhr legen, soweit dies nicht zur Durchführung der Überwachungsgesetze unbedingt nötig ist; über den Reinertrag, der einem Staat aus Zöllen und Abgaben auf Ein- oder Ausfuhr zufließt, verfügt das Schatzamt der Vereinigten Staaten; alle derartigen Gesetze unterliegen der Revisions- und Aufsichtsbefugnis des Kongresses.

Kein Staat darf ohne Zustimmung des Kongresses Tonnengelder erheben, in Friedenszeiten Truppen oder Kriegsschiffe unterhalten, Vereinbarungen oder Verträge mit einem der anderen Staaten oder mit einer fremden Macht schließen oder sich in einen Krieg einlassen, es sei denn, er werde tatsächlich angegriffen oder die Gefahr drohe so unmittelbar, daß sie keinen Aufschub duldet.

Article II

Section 1. The executive Power shall be vested in a President of the United States of America. He shall hold his Office during the Term of four Years, and, together with the Vice President, chosen for the same Term, be elected, as follows.

Each State shall appoint, in such Manner as the Legislature thereof may direct, a Number of Electors, equal to the whole Number of Senators and Representatives to which the State may be entitled in the Congress: but no Senator or Representative, or Person holding an Office of Trust or Profit under the United States, shall be appointed an Elector.

[The Electors shall meet in their respective States, and vote by Ballot for two Persons, of whom one at least shall not be an Inhabitant of the same State with themselves. And they shall make a List of all the Persons voted for, and of the Number of Votes for each; which list they shall sign and certify, and transmit sealed to the Seat of the Government of the United States, directed to the President of the Senate. The President of the Senate shall, in the Presence of the Senate and House of Representatives, open all the Certificates, and the Votes shall then be counted. The person having the greatest Number of Votes shall be the President, if such Number be a

Artikel II

Abschnitt 1. Die vollziehende Gewalt liegt bei dem Präsidenten der Vereinigten Staaten von Amerika. Seine Amtszeit beträgt vier Jahre, und er wird zugleich mit dem für dieselbe Amtsperiode zu wählenden Vizepräsidenten auf folgende Weise gewählt:

Jeder Einzelstaat bestimmt in der von seiner gesetzgebenden Körperschaft vorgeschriebenen Weise eine Anzahl von Wahlmännern, die der Gesamtzahl der dem Staat im Kongreß zustehenden Senatoren und Abgeordneten gleich ist; jedoch darf kein Senator oder Abgeordneter oder eine Person, die ein besoldetes oder Ehrenamt im Dienste der Vereinigten Staaten bekleidet, zum Wahlmann bestellt werden.

[Die Wahlmänner treten in ihren Staaten zusammen und stimmen durch Stimmzettel für zwei Personen, von denen mindestens eine nicht Einwohner desselben Staates sein darf wie sie selbst. Sie führen in einer Liste alle Personen auf, für die Stimmen abgegeben worden sind, und die Anzahl der ihnen zugefallenen Stimmen; diese Liste unterzeichnen und beglaubigen sie und übersenden sie versiegelt an den Sitz der Regierung der Vereinigten Staaten, zu Händen des Senatspräsidenten. Der Präsident des Senats öffnet vor Senat und Repräsentantenhaus alle diese beglaubigten Listen; anschließend sind die Stimmen zu zählen. Derjenige, der die größte Stimmenzahl auf sich vereinigt, soll Präsident sein, wenn

Majority of the whole Number of Electors appointed; and if there be more than one who have such Majority, and have an equal Number of Votes, then the House of Representatives shall immediately chuse by Ballot one of them for President; and if no Person have a Majority, then from the five highest on the List the said House shall in like Manner chuse the President. But in chusing the President, the Votes shall be taken by States, the Representation from each State having one Vote; A quorum for this purpose shall consist of a Member or Members from two thirds of the States, and a Majority of all the States shall be necessary to a Choice. In every Case, after the Choice of the President, the Person having the greatest Number of Votes of the Electors shall be the Vice President. But if there should remain two or more who have equal Votes, the Senate shall chuse from them by Ballot the Vice President.][8]

The Congress may determine the time of chusing the Electors, and the Day on which they shall give their Votes; which Day shall be the same throughout the United States.

No Person except a natural born Citizen, or a Citizen of the United States, at the time of the Adoption of this Constitution, shall be eligible to the Office of President; neither shall any Person be eligible to that Office who shall not have attained to the Age of thirty five Years, and been fourteen Years a Resident within the United States.

In Case of the Removal of the President from Office, or of his Death, Resignation, or Inability to discharge the Powers and Duties of the said Office[9], the Same shall devolve on the Vice President, and the Congress may by Law provide for the Case of Removal, Death, Resignation or Inability, both of the President and Vice President, declaring what Officer shall then act as President, and such Officer shall act accordingly, until the Disability be removed, or a President shall be elected.[10]

The President shall, at stated Times, receive for his Services, a Compensation, which shall neither be encreased nor diminished during the Period for which he shall have been elected, and he shall not receive within that Period any other Emolument from the United States, or any of them.

Before he enter on the Execution of his Office, he shall take the following Oath or Affirmation: – "I do solemnly swear (or affirm) that I will faithfully execute the Office of President of the United States, and will do the best of my Ability, preserve, protect and defend the Constitution of the United States."

Section 2. The President shall be Commander in Chief of the Army and Navy of the United States, and of the Militia of the several States, when called into the actual Service of the United States; he may require the Opinion, in writing, of the principal Officer in each of the executive Departments, upon any Subject relating to the Duties of their respective Offices, and he shall have Power to grant Reprieves and Pardons for Offenses against the United States, except in Cases of Impeachment.

He shall have Power, by and with the Advice and Consent of the Senate, to make Treaties, provided two thirds of the Senators present concur; and he shall nominate, and by and with the Advice and Consent of the Senate, shall appoint Ambassadors, other public Ministers and Consuls, Judges of the supreme Court, and all other Officers of the United States, whose Appointments are not herein otherwise provided for, and which shall be established by Law: but the Congress may by Law vest the Appointment of such inferior

diese Zahl der Mehrheit der Gesamtzahl der bestellten Wahlmänner entspricht; wenn aber mehrere eine derartige Mehrheit erreichen und die gleiche Anzahl von Stimmen erhalten, dann soll das Repräsentantenhaus sogleich einen von ihnen durch Stimmzettel zum Präsidenten wählen; und wenn niemand eine derarige Mehrheit erreicht hat, soll das genannte Haus in gleicher Weise aus den fünf führenden Personen auf der Liste den Präsidenten wählen. Bei dieser Präsidentschaftsstichwahl wird jedoch nach Staaten abgestimmt, wobei die Vertretung jedes Staates eine Stimme hat; zur Beschlußfähigkeit ist für diesen Zweck die Anwesenheit von je einem oder mehreren Abgeordneten von zwei Dritteln der Staaten und zum Wahlentscheid eine Mehrheit aller Einzelstaaten erforderlich. In jedem Fall soll nach der Wahl des Präsidenten derjenige, der die größte Anzahl der Wahlmännerstimmen auf sich vereinigt, Vizepräsident sein. Wenn aber zwei oder mehrere die gleiche Stimmenzahl aufweisen, soll der Senat unter ihnen durch Stimmzettel den Vizepräsidenten auswählen.][8]

Der Kongreß kann den Zeitpunkt für die Wahl der Wahlmänner und den Tag ihrer Stimmenabgabe festsetzen; dieser Tag soll im ganzen Bereich der Vereinigten Staaten derselbe sein.

In das Amt des Präsidenten können nur in den Vereinigten Staaten geborene Bürger oder Personen, die zur Zeit der Annahme dieser Verfassung Bürger der Vereinigten Staaten waren, gewählt werden; es kann niemand in dieses gewählt werden, der nicht das Alter von 35 Jahren erreicht und seinen Wohnsitz seit 14 Jahren im Gebiete der Vereinigten Staaten gehabt hat.

Im Falle der Amtsenthebung des Präsidenten oder seines Todes, Rücktritts oder der Unfähigkeit zur Wahrnehmung der Befugnisse und Obliegenheiten seines Amtes[9] geht es auf den Vizepräsidenten über. Der Kongreß kann durch Gesetz für den Fall der Amtsenthebung, des Todes, des Rücktritts oder der Amtsunfähigkeit sowohl des Präsidenten als auch des Vizepräsidenten Vorsorge treffen und bestimmen, welcher Beamte dann die Geschäfte des Präsidenten wahrnehmen soll, und dieser Beamte versieht dann die Geschäfte so lange, bis die Amtsunfähigkeit behoben oder ein Präsident gewählt worden ist[10].

Der Präsident erhält zu festgesetzten Zeiten für seine Dienste eine Vergütung. Diese darf während der Zeit, für die er gewählt ist, weder vermehrt noch vermindert werden, und er darf während dieses Zeitraumes auch keine sonstigen Einkünfte von den Vereinigten Staaten oder einem der Einzelstaaten beziehen.

Ehe er sein Amt antritt, soll er diesen Eid oder dieses Gelöbnis leisten: „Ich schwöre (oder gelobe) feierlich, daß ich das Amt des Präsidenten der Vereinigten Staaten getreulich verwalten und die Verfassung der Vereinigten Staaten nach besten Kräften erhalten, schützen und verteidigen will."

Abschnitt 2. Der Präsident ist Oberbefehlshaber der Armee und der Flotte der Vereinigten Staaten und der Miliz der Einzelstaaten, wenn diese zur aktiven Dienstleistung für die Vereinigten Staaten aufgerufen wird; er kann von den Leitern der einzelnen Abteilungen der Bundesregierung die schriftliche Stellungnahme zu Angelegenheiten aus dem Dienstbereich der betreffenden Behörde verlangen, und er hat, außer in Amtsanklagefällen, das Recht, Strafaufschub und Begnadigung für Straftaten gegen die Vereinigten Staaten zu gewähren.

Er hat das Recht, auf Anraten und mit Zustimmung des Senats Verträge zu schließen, vorausgesetzt, daß zwei Drittel der anwesenden Senatoren zustimmen. Er nominiert auf Anraten und mit Zustimmung des Senats Botschafter, Gesandte und Konsuln, die Richter des Obersten Bundesgerichts und alle sonstigen Beamten der Vereinigten Staaten, deren Bestellung hierin nicht anderweitig geregelt ist und deren Ämter durch Gesetz geschaffen werden; doch kann der Kongreß nach seinem Ermessen die Ernennung von unteren Beamten durch Gesetz dem Präsidenten allein, den

Officers, as they think proper, in the President alone, in the Courts of Law, or in the Heads of Departments.

The President shall have Power to fill up all Vacancies that happen during the Recess of the Senate, by granting Commissions which shall expire at the End of their next Session.

Section 3. He shall from time to time give to the Congress Information of the State of the Union, and recommend to their Consideration such Measures as he shall judge necessary and expedient; he may, on extraordinary Occasions, convene both Houses, or either of them, and in Case of Disagreement between them, with Respect to the Time of Adjournment, he may adjourn them to such Time as he shall think proper; he shall receive Ambassadors and other public Ministers; he shall take Care that the Laws be faithfully executed, and shall Commission all Officers of the United States.

The President, Vice President and all civil Officers of the
Section 4. The President, Vice President and all civil Officers of the United States, shall be removed from Office on Impeachment for, and Conviction of, Treason, Bribery, or other high Crimes and Misdemeanors.

Article III

Section 1. The judicial Power of the United States, shall be vested in one supreme Court, and in such inferior Courts as the Congress may from time to time ordain and establish. The Judges, both of the supreme and inferior Courts, shall hold their Offices during good Behaviour, and shall, at stated Times, receive for their Services, a Compensation, which shall not be deminished during their Continuance in Office.

Section 2. The judicial Power shall extend to all Cases, in Law and Equity, arising under this Constitution, the Laws of the United States, and Treaties made, or which shall be made, under their authority; – to all Cases affecting Ambassadors, other public Ministers and Consuls; – to all Cases of admiralty and maritime Jurisdiction; – to Controversies to which the United States shall be a Party; – to Controversies between two or more States; – between a State and Citizens of another State;[11] – between citizens of different States, – between Citizens of the same State claiming Lands under Grants of different States, and between a state, or the Citizens thereof, and foreign States, Citizens or Subjects.

In all cases affecting Ambassadors, other public Ministers and Consuls, and those in which a State shall be Party, the supreme Court shall have original Jurisdiction. In all the other Cases before mentioned, the supreme Court shall have appellate Jurisdiction, both as to Law and Fact, with such Exceptions, and under such Regulations as the Congress shall make.

The Trial of all Crimes, except in Cases of Impeachment, shall be by Jury; and such Trial shall be held in the State where the said Crimes shall have been committed; but when not committed within any State, the Trial shall be at such Place or Places as the Congress may by law have directed.

Section 3. Treason against the United States, shall consist only in levying War against them, or in adhering to their Enemies, giving them Aid and Comfort. No Person shall be convicted of Treason unless on the Testimony of two Witnesses to the same overt Act, or on Confession in open Court.

Gerichtshöfen oder den Leitern der Bundesbehörden übertragen. Der Präsident hat die Befugnis, alle während der Senatsferien freiwerdenden Beamtenstellen im Wege des Amtsauftrags zu besetzen, der mit dem Ende der nächsten Sitzungsperiode erlischt.

Abschnitt 3. Er hat von Zeit zu Zeit dem Kongreß über die Lage der Union Bericht zu erstatten und Maßnahmen zur Beratung zu empfehlen, die er für notwendig und nützlich erachtet. Er kann bei außerordentlichen Anlässen beide oder eines der Häuser einberufen, und er kann sie, falls sie sich über die Zeit der Vertagung nicht einigen können, bis zu einem ihm geeignet erscheinenden Zeitpunkt vertagen. Er empfängt Botschafter und Gesandte. Er hat Sorge zu tragen, daß die Gesetze gewissenhaft vollzogen werden, und er erteilt allen Beamten der Vereinigten Staaten die Ernennungsurkunden.

Abschnitt 4. Der Präsident, der Vizepräsident und alle Zivilbeamten der Vereinigten Staaten werden ihres Amtes enthoben, wenn sie wegen Verrats, Bestechung oder anderer Verbrechen und Vergehen unter Amtsanklage gestellt und für schuldig befunden worden sind.

Artikel III

Abschnitt 1. Die richterliche Gewalt der Vereinigten Staaten liegt bei einem Obersten Bundesgerichtshof und bei solchen unteren Gerichten, deren Errichtung der Kongreß von Fall zu Fall anordnen wird. Die Richter sowohl des Obersten Bundesgerichts als auch der unteren Gerichte sollen im Amte bleiben, solange ihre Amtsführung einwandfrei ist, und zu bestimmten Zeiten für ihre Dienste eine Vergütung erhalten, die während ihrer Amtsdauer nicht herabgesetzt werden darf.

Abschnitt 2. Die richterliche Gewalt erstreckt sich auf alle Fälle nach dem Gesetzes- und dem Billigkeitsrecht, die sich aus dieser Verfassung, den Gesetzen der Vereinigten Staaten und den Verträgen ergeben, die in ihrem Namen abgeschlossen wurden oder künftig geschlossen werden; – auf alle Fälle, die Botschafter, Gesandte und Konsuln betreffen; – auf alle Fälle der Admiralitäts- und Seegerichtsbarkeit; – auf Streitigkeiten, in denen die Vereinigten Staaten Streitpartei sind; – auf Streitigkeiten zwischen zwei oder mehreren Einzelstaaten; – zwischen einem Einzelstaat und den Bürgern eines anderen Einzelstaates[11]; – zwischen Bürgern verschiedener Einzelstaaten; – zwischen Bürgern desselben Einzelstaates, die auf Grund von Zuweisungen seitens verschiedener Einzelstaaten Ansprüche auf Land erheben; – und zwischen einem Einzelstaat oder dessen Bürgern und fremden Staaten, Bürgern oder Untertanen.

In allen Fällen, die Botschafter, Gesandtre und Konsuln betreffen, und in solchen, in denen ein Einzelstaat Partei ist, übt das Oberste Bundesgericht ursprüngliche Gerichtsbarkeit aus. In allen anderen zuvor erwähnten Fällen ist das Oberste Bundesgericht Appellationsinstanz sowohl hinsichtlich der rechtlichen als auch der Tatsachenbeurteilung gemäß den vom Kongreß festzulegenden Ausnahme- und Verfahrensbestimmungen.

Alle Strafverfahren mit Ausnahme von Fällen der Amtsanklage sind von einem Geschworenengericht durchzuführen, und die Verhandlung findet in dem Einzelstaat statt, in dem die fragliche Straftat begangen worden ist. Wenn eine Straftat aber nicht im Gebiet eines der Einzelstaaten begangen worden ist, so findet die Verhandlung an dem Ort oder den Orten statt, die der Kongreß durch Gesetz bestimmen wird.

Abschnitt 3. Als Verrat gegen die Vereinigten Staaten gilt nur die Kriegsführung gegen sie oder die Unterstützung ihrer Feinde durch Hilfeleistung und Begünstigung. Niemand darf des Verrates schuldig befunden werden, es sei denn auf Grund der Aussage zweier Zeugen über dieselbe offenkundige Handlung oder auf Grund eines Geständnisses in öffentlicher Gerichtssitzung.

The Congress shall have Power to declare the Punishment of Treason, but no Attainder of Treason shall work Corruption of Blood, or Forfeiture except during the Life of the Person attainted.

Article IV

Section 1. Full Faith and Credit shall be given in each State to the public Acts, Records, and judicial Proceedings of every other State. And the Congress may by general Laws prescribe the Manner in which such Acts, Records and Proceedings shall be proved, and the Effect thereof.

Section 2. The Citizens of each State shall be entitled to all Privileges and Immunities of Citizens in the several States.[12]

A Person charged in any State with Treason, Felony, or other Crime, who shall flee from Justice, and be found in another State, shall on Demand of the executive Authority of the State from which he fled, be delivered up, to be removed to the State having Jurisdiction of the Crime.

[No Person held to Service or Labour in one State, under the Laws thereof, escaping into another, shall, in Consequence of any Law or Regulation therein, be discharged from such Service or Labour, but shall be delivered up on Claim of the Party to whom such Service or Labour may be due.][13]

Section 3. New States may be admitted by the Congress into this Union; but no new State shall be formed or erected within the Jurisdiction of any other State; nor any State be formed by the Junction of two or more States, or Parts of States, without the Consent of the Legislatures of the States concerned as well as of the Congress.

The Congress shall have Power to dispose of and make all needful Rules and Regulations respecting the Territory or other Property belonging to the United States; and nothing in this Constitution shall be so construed as to Prejudice any Claims of the United States, or of any particular State.

Section 4. The United States shall guarantee to every State in this Union a Republican Form of Government, and shall protect each of them against Invasion; and on Application of the Legislature, or of the Executive (when the Legislature cannot be convened) against domestic Violence.

Article V

The Congress, whenever two thirds of both Houses shall deem it necessary, shall propose Amendments to this Constitution, or, on the Application of the Legislatures of two thirds of the several States, shall call a convention for proposing Amendments, which, in either Case, shall be valid to all Intents and Purposes, as Part of this Constitution, when ratified by the Legislatures of three fourths of the several States, or by conventions in three fourths thereof, as the one or the other. Mode of Ratification may be proposed by the Congress; Provided that no Amendment which may be made prior to the Year One thousand eight hundred and eight shall in any Manner affect the first and fourth Clauses in the Ninth Section of the first Article;[14] and that no State, without its Consent, shall be deprived of its equal Suffrage in the Senate.

Der Kongreß hat das Recht, die Strafe für Verrat festzusetzen. Die Rechtsfolgen des Verrats sollen jedoch nicht über die Lebenszeit des Verurteilten hinaus Ehrverlust oder Vermögensverfall bewirken.

Artikel IV

Abschnitt 1. Gesetze, Urkunden und richterliche Entscheidungen jedes Einzelstaates genießen in jedem anderen Staat volle Würdigung und Anerkennung. Der Kongreß kann durch allgemeine Gesetzgebung bestimmen, in welcher Form der Nachweis derartiger Gesetze, Urkunden und richterlicher Entscheidungen zu führen ist und welche Geltung ihnen zukommt.

Abschnitt 2. Die Bürger eines jeden Einzelstaates genießen alle Vorrechte und Freiheiten der Bürger anderer Einzelstaaten[12].

Wer in irgendeinem Einzelstaate des Verrats oder eines Verbrechens oder Vergehens angeklagt wird, sich der Strafverfolgung durch Flucht entzieht und in einem anderen Staat aufgegriffen wird, muß auf Verlangen der Regierung des Staates, aus dem er entflohen ist, ausgeliefert und nach dem Staat geschafft werden, unter dessen Gerichtsbarkeit dieses Verbrechen fällt.

[Niemand, der in einem Einzelstaate nach dessen Gesetzen zu Dienst oder Arbeit verpflichtet ist und in einen anderen Staat flieht, darf auf Grund dort geltender Gesetze oder Bestimmungen von dieser Dienst- oder Arbeitspflicht befreit werden. Er ist vielmehr auf Verlangen desjenigen, dem er zu Dienst oder Arbeit verpflichtet ist, auszuliefern.][13]

Abschnitt 3. Neue Staaten können vom Kongreß in diesen Bund aufgenommen werden. Jedoch darf kein neuer Staat innerhalb des Hoheitsbereichs eines anderen Staates gebildet oder errichtet werden. Auch darf kein neuer Staat durch die Vereinigung von zwei oder mehr Einzelstaaten oder Teilen von Einzelstaaten ohne die Zustimmung sowohl der gesetzgebenden Körperschaften der betreffenden Einzelstaaten als auch des Kongresses gebildet werden.

Der Kongreß hat das Recht, über die Ländereien und sonstiges Eigentum der Vereinigten Staaten zu verfügen und alle erforderlichen Anordnungen und Vorschriften hierüber zu erlassen; und keine Bestimmung dieser Verfassung soll so ausgelegt werden, daß durch sie Ansprüche der Vereinigten Staaten oder irgendeines Einzelstaates präjudiziert würden.

Abschnitt 4. Die Vereinigten Staaten gewährleisten jedem Staat innerhalb dieses Bundes eine republikanische Regierungsform; sie schützen jeden von ihnen gegen feindliche Einfälle und auf Antrag seiner gesetzgebenden Körperschaft oder Regierung (wenn die gesetzgebende Körperschaft nicht einberufen werden kann) auch gegen innere Gewaltakte.

Artikel V

Der Kongreß schlägt, wenn beide Häuser es mit Zweidrittelmehrheit für notwendig halten, Verfassungsänderungen vor oder beruft auf Ansuchen der gesetzgebenden Körperschaften von zwei Dritteln der Einzelstaaten einen Konvent zur Ausarbeitung von Abänderungsvorschlägen ein, die in beiden Fällen nach Sinn und Absicht als Teile dieser Verfassung Rechtskraft erlangen, wenn sie in drei Vierteln der Einzelstaaten von den gesetzgebenden Körperschaften oder den Konventen ratifiziert werden, je nachdem, welche Form der Ratifikation vom Kongreß vorgeschlagen wird. Jedoch darf keine Abänderung vor dem Jahre 1808 in irgendeiner Weise den 1. und 4. Absatz des 9. Abschnittes des I. Artikels berühren[14]; und keinem Staat darf ohne seine Zustimmung das gleiche Stimmrecht im Senat entzogen werden.

Article VI

All Debts contracted and Engagements entered into, before the Adoption of this Constitution, shall be as valid against the United States under this Constitution, as under the Confederation.[15]

This Constitution, and the Laws of the United States, shall be the supreme Law of the Land; and the Judges in every State shall be bound thereby, any Thing in the Constitution or Laws of any State to the Contrary notwithstanding.

The Senators and Representatives before mentioned, and the Members of the several State Legislatures, and all executive and judicial Officers, both of the United States and of the several States, shall be bound by Oath or Affirmation, to support this Constitution; but no religious Test shall ever be required as a Qualification to any Office or public Trust under the United States.

Artikel VI

Alle vor Annahme dieser Verfassung aufgelaufenen Schulden und eingegangenen Verpflichtungen sind für die Vereinigten Staaten unter dieser Verfassung ebenso rechtsverbindlich wie unter den Konföderationsartikeln[15].

Diese Verfassung, die in ihrem Verfolg zu erlassenden Gesetze der Vereinigten Staaten sowie alle im Namen der Vereinigten Staaten abgeschlossenen oder künftig abzuschließenden Verträge sind das oberste Gesetz des Landes; und die Richter in jedem Einzelstaat sind ungeachtet entgegenstehender Bestimmungen in der Verfassung oder den Gesetzen eines Einzelstaates daran gebunden.

Die vorerwähnten Senatoren und Abgeordneten, die Mitglieder der gesetzgebenden Körperschaften der Einzelstaaten und alle Verwaltungs- und Justizbeamten sowohl der Vereinigten Staaten als auch der Einzelstaaten haben sich durch Eid oder Gelöbnis zur Wahrung dieser Verfassung zu verpflichten. Doch darf niemals ein religiöser Bekenntnisakt zur Bedingung für den Antritt eines Amtes oder einer öffentlichen Vertrauensstellung im Dienst der Vereinigten Staaten gemacht werden.

Article VII

The Ratification of the Conventions of nine States, shall be sufficient for the Establishment of this Constitution between the States so ratifying the Same.

Done in Convention by the Unanimous Consent of the States present the Seventeenth Day of September in the Year of our Lord one thousand seven hundred and Eighty seven and of the Independence of the United States of America the Twelfth.

In witness whereof We have hereunto subscribed our Names.

G. Washington, *President and deputy from Virginia; Attest* William Jackson, *Secretary; Delaware:* Geo. Read, Gunning Bedford, jr., John Dickinson, Richard Bassett, Jaco. Broom; *Maryland:* James McHenry, Daniel of St. Thomas Jenifer, Daniel Carroll; *Virginia:* John Blair, James Madison, Jr.; *North Carolina:* Wm. Blount, Richd. Dobbs Spaight, Hu Williamson; *South Carolina:* J. Rutledge, Charles Cotesworth Pinckney, Charles Pinckney, Pierce Butler; *Georgia:* William Few, Abr. Baldwin; *New Hampshire:* John Langdon, Nicholas Gilman; *Massachusetts:* Nathaniel Gorham, Rufus King; *Connecticut:* Wm. Saml. Johnson, Roger Sherman; *New York:* Alexander Hamilton; *New Jersey:* Wil. Livingston, David Brearley, Wm. Paterson, Jona. Dayton; *Pennsylvania:* B. Franklin, Thomas Mifflin, Robt. Morris, Geo. Clymer, Thos. FitzSimons, Jared Ingersoll, James Wilson, Gouv. Morris.

Artikel VII

Die Ratifikation durch neun Staatskonvente ist ausreichend, diese Verfassung für die ratifizierenden Staaten in Kraft zu setzen.

Gegeben im Konvent mit einmütiger Zustimmung der anwesenden Staaten am 17. Tage des Monats September im Jahre des Herrn 1787 und im 12. Jahre der Unabhängigkeit der Vereinigten Staaten von Amerika; zu Urkund dessen wir hier unsere Namen unterzeichnen.

G. Washington, *President and deputy from Virginia; Attest* William Jackson, *Secretary; Delaware:* Geo. Read, Gunning Bedford, jr., John Dickinson, Richard Basset, Jaco. Broom; *Maryland:* James McHenry, Daniel of St. Thomas Jenifer, Daniel Carroll; *Virginia:* John Blair, James Madison, Jr.; *North Carolina:* Wm. Blount, Richd. Dobbs Spaight, Hu Williamson; *South Carolina:* J. Rutledge, Charles Cotesworth Pinckney, Charles Pinckney, Pierce Butler; *Georgia:* William Few, Abr. Baldwin; *New Hampshire:* John Langdon, Nicholas Gilman; *Massachusetts:* Nathaniel Gorham, Rufus King; *Connecticut:* Wm. Saml. Johnson, Roger Sherman; *New York:* Alexander Hamilton; *New Jersey:* Wil. Livingston, David Brearley, Wm. Paterson, Jona. Dayton; *Pennsylvania:* B. Franklin, Thomas Mifflin, Robt. Morris, Geo. Clymer, Thos. FitzSimons, Jared Ingersoll, James Wilson, Gouv. Morris.

---

[1] Superseded by the Fourteenth Amendment.
[2] Last clause superseded.
[3] Superseded by the Seventeenth Amendment.
[4] Modified by the Seventeenth Amendment.
[5] Superseded by the Twentieth Amendment.
[6] Superseded.
[7] Modified by the Sixteenth Amendment.
[8] Superseded by the Twelfth Amendment.
[9] Modified by the Twenty-fifth Amendment.
[10] Modified by the Twentieth Amendment.
[11] Modified by the Eleventh Amendment.
[12] Superseded by the Fourteenth Amendment.
[13] Superseded by the Thirteenth Amendment.
[14] Superseded.
[15] Augmented by the Fourteenth Amendment.

[1] Absatz 3 durch den XIV. Zusatzartikel geändert.
[2] Letzter Satz überholt.
[3] Durch den XVII. Zusatzartikel geändert.
[4] Durch den XVII. Zusatzartikel geändert.
[5] Durch den XX. Zusatzartikel geändert.
[6] Überholt.
[7] Vgl. den XVI. Zusatzartikel.
[8] Durch den XII. Zusatzartikel ersetzt.
[9] Durch den XXV. Zusatzartikel geändert.
[10] Vgl. den XX. Zusatzartikel.
[11] Durch den XI. Zusatzartikel eingeschränkt.
[12] Durch den XIV. Zusatzartikel erweitert.
[13] Durch den XIII. Zusatzartikel überholt.
[14] Überholt.
[15] Durch den XIV. Zusatzartikel erweitert.

The Bill of Rights
December 15, 1791

Article I[1]

Congress shall make no law respecting an establishment of religion, or prohibiting the free exercise thereof; or abridging the freedom of speech, or of the press; or the right of the people peaceably to assemble, and to petition the Government for a redress of grievances.

Article II

A well regulated Militia, being necessary to the security of a free State, the right of the people to keep and bear Arms, shall not be infringed.

Article III

No Soldier shall, in time of peace be quartered in any house, without the consent of the Owner, nor in time of war, but in a manner to be prescribed by law.

Article IV

The right of the people to be secure in their persons, houses, papers, and effects, against unreasonable searches and seizures, shall not be violated, and no Warrants shall issue, but upon probable cause, supported by Oath or affirmation, and particularly describing the place to be searched, and the persons or things to be seized.

Article V

No person shall be held to answer for a capital, or otherwise infamous crime, unless on a presentment or indictment of a Grand Jury, except in cases arising in the land or naval forces, or in the Militia, when in actual service in time of War or public danger; nor shall any person be subject for the same offense to be twice put in jeopardy of life or limb; nor shall be compelled in any criminal case to be a witness against himself, nor be deprived of life, liberty, or property, without due process of law; nor shall private property be taken for public use, without just compensation.

Article VI

In all criminal prosecutions, the accused shall enjoy the right to a speedy and public trial, by an impartial jury of the State and district wherein the crime shall have been committed, which district shall have been previously ascertained by law, and to be informed of the

Die Bill of Rights
15. Dezember 1791

Artikel I[1]

Der Kongreß darf kein Gesetz erlassen, das die Einführung einer Staatsreligion zum Gegenstand hat, die freie Religionsausübung verbietet, die Rede- und Pressefreiheit oder das Recht des Volkes einschränt, sich friedlich zu versammeln und die Regierung durch Petition um Abstellung von Mißständen zu ersuchen.

Artikel II

Da eine gut ausgebildete Miliz für die Sicherheit eines freien Staates erforderlich ist, darf das Recht des Volkes, Waffen zu besitzen und zu tragen, nicht beeinträchtigt werden.

Artikel III

Kein Soldat darf in Friedenszeiten ohne Zustimmung des Eigentümers in einem Hause einquartiert werden und in Kriegszeiten nur in der gesetzlich vorgeschriebenen Weise.

Artikel IV

Das Recht des Volkes auf Sicherheit der Person und der Wohnung, der Urkunden und des Eigentums, vor willkürlicher Durchsuchung, Verhaftung und Beschlagnahme darf nicht verletzt werden, umd Haussuchungs- und Haftbefehle dürfen nur bei Vorliegen eines eidlich oder eidesstattlich erhärteten Rechtsgrundes ausgestellt werden und müssen die zu durchsuchende Örtlichkeit und die in Gewahrsam zu nehmenden Personen oder Gegenstände genau bezeichnen.

Artikel V

Niemand darf wegen eines Kapitalverbrechens oder eines sonstigen schimpflichen Verbrechens zur Verantwortung gezogen werden, es sei denn auf Grund eines Antrages oder einer Anklage durch ein Großes Geschworenengericht. Hiervon ausgenommen sind Fälle, die sich bei den Land- und Seestreitkräften oder bei der Miliz ereignen, wenn diese in Kriegszeit oder bei öffentlichem Notstand im aktiven Dienst stehen. Niemand darf wegen derselben Straftat zweimal durch ein Verfahren in Gefahr des Leibes und des Lebens gebracht werden. Niemand darf in einem Strafverfahren zur Aussage gegen sich selbst gezwungen noch des Lebens, der Freiheit oder des Eigentums ohne vorheriges ordentliches Gerichtsverfahren nach Recht und Gesetz beraubt werden. Privateigentum darf nicht ohne angemessene Entschädigung für öffentliche Zwecke eingezogen werden.

Artikel VI

In allen Strafverfahren hat der Angeklagte Anspruch auf einen unverzüglichen und öffentlichen Prozeß vor einem unparteiischen Geschworenengericht desjenigen Staates und Bezirks, in welchem die Straftat begangen wurde, wobei der zuständige Bezirk vorher auf gesetzlichem Wege zu ermitteln ist. Er hat weiterhin Anspruch

nature and cause of the accusation; to be confronted with the witnesses against him; to have compulsory process for obtaining witnesses in his favour, and to have the Assistance of Counsel for his defense.

Article VII

In Suits at common law, where the value in controversy shall exceed twenty dollars, the right of trial by jury shall be preserved, and no fact tried by a jury, shall be otherwise re-examined in any Court of the United States, than according to the rules of the common law.

Article VIII

Excessive bail shall not be required, nor excessive fines imposed, nor cruel and unusual punishments inflicted.

Article IX

The enumeration in the constitution, of certain rights, shall not be construed to deny or disparage others retained by the people.

Article X

The powers not delegated to the United States by the Constitution, nor prohibited by it to the States, are reserved to the States respectively, or to the people.

Later Amendments

Article XI
January 8, 1798

The judicial power of the United States shall not be construed to extend to any suit in law or equity, commenced or prosecuted against one of the United States by Citizens of another State, or by Citizens or Subjects of any foreign State.

Article XII
September 25, 1804

The Electors shall meet in their respective states, and vote by ballot for President and Vice-President, one of whom, at least, shall not be an inhabitant of the same state with themselves; they shall name in their ballots the person voted for as President, and in distinct ballots the person voted for as Vice-President, and they shall make distinct lists of all persons voted for as President, and of all persons voted for as Vice-President, and of the number of votes for each, which lists they shall sign and certify, and transmit sealed to the seat of the government of the United States, directed to the President of the Senate; – The President of the Senate shall, in the presence of the Senate and House of Representatives, open all the certificates and the votes shall then be counted; – The person having the greatest number of votes for President, shall be the President, if such number be a majority of the whole number of Electors appointed; and if no person have such majority, then from the persons having the highest numbers not exceeding three on the list of those voted for as President, the House of Representatives shall choose immediately, by ballot, the President. But in choosing the

darauf, über die Art und Gründe der Anklage unterrichtet und den Belastungszeugen gegenübergestellt zu werden, sowie auf Zwangsvorladung von Entlastungszeugen und einen Rechtsbeistand zu seiner Verteidigung.

Artikel VII

In Zivilprozessen, in denen der Streitwert zwanzig Dollar übersteigt, besteht ein Anrecht auf ein Verfahren vor einem Geschworenengericht, und keine Tatsache, über die von einem derartigen Gericht befunden wurde, darf von einem Gerichtshof der Vereinigten Staaten nach anderen Regeln als denen des gemeinen Rechts erneut einer Prüfung unterzogen werden.

Artikel VIII

Übermäßige Bürgschaften dürfen nicht gefordert, übermäßige Geldstrafen nicht auferlegt und grausame oder ungewöhnliche Strafen nicht verhängt werden.

Artikel IX

Die Aufzählung bestimmter Rechte in der Verfassung darf nicht dahin gehend ausgelegt werden, daß durch sie andere dem Volke vorbehaltene Rechte versagt oder eingeschränkt werden.

Artikel X

Die Machtbefugnisse, die von der Verfassung weder den Vereinigten Staaten übertragen noch den Einzelstaaten entzogen werden, bleiben den Einzelstaaten oder dem Volke vorbehalten.

Spätere Zusatzartikel

Artikel XI
8. Januar 1798

Die richterliche Gewalt der Vereinigten Staaten darf nicht dahin gehend ausgelegt werden, daß sie sich auf Klagen nach dem Gesetzes- oder Billigkeitsrecht erstreckt, die gegen einen der Vereinigten Staaten von Bürgern eines anderen Einzelstaates oder von Bürgern oder Untertanen eines ausländischen Staates angestrengt oder durchgefochten werden.

Artikel XII
25. September 1804

Die Wahlmänner treten in ihren Staaten zusammen und stimmen durch Stimmzettel für einen Präsidenten und einen Vizepräsidenten, von denen mindestens einer nicht Einwohner desselben Staates sein darf wie sie selbst. Sie bezeichnen auf ihrem Stimmzettel die Person, die sie zum Präsidenten wählen wollen, und auf einem gesonderten Zettel die Person, die sie zum Vizepräsidenten wählen wollen. Sie führen in getrennten Listen alle Personen auf, die Stimmen für die Präsidentschaft und für die Vizepräsidentschaft erhalten haben, und die Anzahl der ihnen zugefallenen Stimmen; diese Listen unterzeichnen, beglaubigen und übersenden sie versiegelt an den Sitz der Regierung der Vereinigten Staaten, zu Händen des Senatspräsidenten. Der Präsident des Senats öffnet vor Senat und Repräsentantenhaus alle diese beglaubigten Listen; anschließend sind die Stimmen zu zählen; derjenige, der die größte Stimmenzahl für die Präsidentschaft auf sich vereinigt, soll Präsident sein, wenn diese Zahl der Mehrheit der Gesamtzahl der bestellten Wahlmänner entspricht; wenn niemand eine derartige Mehrheit erreicht hat, soll das Repräsentantenhaus sogleich aus den höchstenfalls drei Personen, die auf der Liste der für die Präsidentschaft abgegebenen Stimmen die größten Stimmenzahlen

President, the votes shall be taken by states, the representation from each state having one vote; a quorum for this purpose shall consist of a member or members from two-thirds of the states, and a majority of all the states shall be necessary to a choice. [And if the House of Representatives shall not choose a President whenever the right of choice shall devolve upon them, before the fourth day of March next following, then the Vice-President shall act as President, as in the case of the death or other constitutional disability of the President.][2] The person having the greatest number of votes as Vice-President, shall be the Vice-President, if such number be a majority of the whole number of Electors appointed, and if no person have a majority, then from the two highest numbers on the list, the Senate shall choose the Vice-President; a quorum for the purpose shall consist of two-thirds of the whole number of Senators, and a majority of the whole number shall be necessary to a choice. But no person constitutionally ineligible to the office of President shall be eligible to that of Vice-President of the United States.

Article XIII
December 18, 1865

Section 1. Neither slavery nor involuntary servitude, except as a punishment for crime whereof the party shall have been duly convicted, shall exist within the United States, or any place subject to their jurisdiction.

Section 2. Congress shall have power to enforce this article by appropriate legislation.

Article XIV
July 28, 1868

Section 1. All persons born or naturalized in the United States, and subject to the jurisdiction thereof, are citizens of the United States and of the State wherein they reside. No State shall make or enforce any law which shall abridge the privileges or immunities of citizens of the United States; nor shall any State deprive any person of life, liberty, or property, without due process of law; nor deny to any person within its jurisdiction the equal protection of the laws.

Section 2. Representatives shall be apportioned among the several States according to their respective numbers, counting the whole number of persons in each State, excluding Indians not taxed. But when the right to vote at any election for the choice of electors for President and Vice President of the United States, Representatives in Congress, the Executive and Judicial officers of a State, or the members of the Legislature thereof, is denied to any of the male inhabitants of such State, being twenty-one years of age, and citizens of the United States, or in any way abridged, except for participation in rebellion, or other crime, the basis of representation therein shall be reduced in the proportion which the number of such male citizens shall bear to the whole number of male citizens twenty-one years of age in such State.

aufweisen, durch Stimmzettel den Präsidenten wählen. Bei dieser Präsidentschaftsstichwahl wird jedoch nach Staaten abgestimmt, wobei die Vertretung jedes Staates eine Stimme hat. Zur Beschlußfähigkeit ist für diesen Zweck die Anwesenheit von je einem oder mehreren Mitgliedern von zwei Dritteln der Staaten und zum Wahlentscheid eine Mehrheit aller Einzelstaaten erforderlich. [Wenn das Wahlrecht dem Repräsentantenhaus zufällt und es nicht vor dem darauffolgenden 4. März einen Präsidenten wählt, so amtiert der Vizepräsident als Präsident wie im Falle des Todes oder einer sonstigen durch die Verfassung bezeichneten Amtsunfähigkeit des Präsidenten][2]. Derjenige, der die größte Stimmenzahl für die Vizepräsidentschaft auf sich vereinigt, soll Vizepräsident sein, wenn diese Zahl der Mehrheit der Gesamtzahl der bestellten Wahlmänner entspricht; wenn niemand eine derartige Mehrheit erreicht hat, soll der Senat aus den zwei Personen, die auf der Liste die größten Stimmenzahlen aufweisen, den Vizepräsidenten wählen; zur Beschlußfähigkeit ist für diesen Zweck die Anwesenheit von zwei Dritteln der Gesamtzahl der Senatoren und zum Wahlentscheid eine Mehrheit ihrer Gesamtzahl erforderlich. Wer jedoch nach der Verfassung nicht für das Amt des Präsidenten wählbar ist, darf auch nicht in das Amt des Vizepräsidenten der Vereinigten Staaten gewählt werden.

Artikel XIII
18. Dezember 1865

Abschnitt 1. Weder Sklaverei noch Zwangsdienstbarkeit darf, außer als Strafe für ein Verbrechen, dessen die betreffende Person in einem ordentlichen Verfahren für schuldig befunden worden ist, in den Vereinigten Staaten oder in irgendeinem Gebiet unter ihrer Gesetzeshoheit bestehen.

Abschnitt 2. Der Kongreß hat das Recht, diesen Zusatzartikel durch entsprechende Gesetze zur Durchführung zu bringen.

Artikel XIV
28. Juli 1868

Abschnitt 1. Alle Personen, die in den Vereinigten Staaten geboren oder eingebürgert sind und ihrer Gesetzeshoheit unterstehen, sind Bürger der Vereinigten Staaten und des Einzelstaates, in dem sie ihren Wohnsitz haben. Keiner der Einzelstaaten darf Gesetze erlassen oder durchführen, die die Vorrechte oder Freiheiten von Bürgern der Vereinigten Staaten beschränken, und kein Staat darf irgend jemandem ohne ordentliches Gerichtsverfahren nach Recht und Gesetz Leben, Freiheit oder Eigentum nehmen oder irgend jemandem innerhalb seines Hoheitsbereiches den gleichen Schutz durch das Gesetz versagen.

Abschnitt 2. Die Abgeordneten werden auf die einzelnen Staaten im Verhältnis zu ihrer Einwohnerzahl verteilt, wobei in jedem Staat die Gesamtzahl aller Personen mit Ausnahme der nicht besteuerten Indianer zugrunde gelegt wird. Wenn aber das Wahlrecht bei irgendeiner Wahl zur Bestimmung der Wahlmänner für den Präsidenten und Vizepräsidenten der Vereinigten Staaten, der Abgeordneten im Kongreß, der Verwaltungs- und Justizbeamten eines Einzelstaates oder der Mitglieder seiner gesetzgebenden Körperschaft irgendwelchen männlichen Einwohnern dieses Staates, die über einundzwanzig Jahre alt und Bürger der Vereinigten Staaten sind, abgesprochen oder irgendwie beschränkt wird, außer wenn dies wegen Teilnahme an einem Aufstand oder wegen eines sonstigen Verbrechens geschieht, so ist die Grundzahl für die Vertretung daselbst im selben Verhältnis zu vermindern, in dem die Zahl solcher männlichen Bürger zur Gesamtzahl der männlichen Bürger über einundzwanzig Jahre in diesem Staate steht.

Section 3. No person shall be a Senator or Representative in Congress, or elector of President and Vice President, or hold any office, civil or military, under the United States, or under any State, who, having previously taken an oath, as a member of Congress, or as an officer of the United States, or as a member of any State legislature, or as an executive or judicial officer of any State, to support the Constitution of the United States , shall have engaged in insurrection or rebellion against the same, or given aid and comfort to the enemies thereof. But Congress may by a vote of two-thirds of each House, remove such disability.

Section 4. The validity of the public debt of the United States, authorized by law, including debts incurred for payment of pensions and bounties for services in suppressing insurrection or rebellion, shall not be questioned. But neither the United States nor any State shall assume or pay any debt or obligation, incurred in aid of insurrection or rebellion against the United States, or any claim for the loss or emancipation of any slave; but all such debts, obligations, and claims shall be held illegal and void.

Section 5. The Congress shall have power to enforce, by appropriate legislation, the provisions of this article.

Abschnitt 3. Niemand darf Senator oder Abgeordneter im Kongreß oder Wahlmann für die Wahl des Präsidenten oder Vizepräsidenten sein, irgendein ziviles oder militärisches Amt im Dienste der Vereinigten Staaten oder eines Einzelstaates bekleiden, der, nachdem er als Mitglied des Kongresses oder als Beamter der Vereinigten Staaten oder als Mitglied der gesetzgebenden Körperschaft eines der Einzelstaaten oder als Verwaltungs- oder Justizbeamter in einem der Einzelstaaten auf die Einhaltung der Verfassung der Vereinigten Staaten vereidigt worden ist, an einem Aufstand oder Aufruhr gegen sie teilgenommen oder ihre Feinde unterstützt oder begünstigt hat. Doch kann der Kongreß mit Zweidrittelmehrheit in jedem der beiden Häuser diese Amtsunfähigkeit aufheben.

Abschnitt 4. Die Rechtsgültigkeit der gesetzlich genehmigten Staatsschulden der Vereinigten Staaten mit Einschluß der Verpflichtungen, die aus der Zahlung von Pensionen und Sonderzuwendungen für Teilnahme an der Unterdrückung von Aufstand und Aufruhr erwachsen sind, darf nicht in Frage gestellt werden. Doch dürfen weder die Vereinigten Staaten noch irgendein Einzelstaat eine Schuld oder Verbindlichkeit übernehmen oder einlösen, die aus der Unterstützung eines Aufstands oder Aufruhrs gegen die Vereinigten Staaten erwachsen ist, oder irgendeinem Ersatzanspruch für den Verlust oder die Freilassung eines Sklaven stattgeben; vielmehr sind alle derartigen Schulden, Verbindlichkeiten und Ansprüche ungesetzlich und nichtig.

Abschnitt 5. Der Kongreß ist befugt, die Bestimmungen dieses Zusatzartikels durch entsprechende Gesetze zur Durchführung zu bringen.

Article XV
March 30, 1870

Section 1. The right of citizens of the United States to vote shall not be denied or abridged by the United States or by any State on account of race, color, or previous condition of servitude.

Section 2. The Congress shall have power to enforce this article by appropriate legislation.

Article XVI
February 25, 1913

The Congress shall have power to lay and collect taxes on incomes, from whatever source derived, without apportionment among the several States, and without regard to any census or enumeration.

Article XVII
May 31, 1913

The Senate of the United States shall be composed of two Senators from each State, elected by the people thereof, for six years; and each Senator shall have one vote. The electors in each State shall have the qualifications requisite for electors of the most numerous branch of the State legislatures.

When vacancies happen in the representation of any State in the Senate, the executive authority of such State shall issue writs of election to fill such vacancies: Provided, That the legislature of any State may empower the executive thereof to make temporary appointments until the people fill the vacancies by election as the legislature may direct.

This amendment shall not be so construed as to affect the election or term of any Senator chosen before it becomes valid as part of the Constitution.

Artikel XV
30. März 1870

Abschnitt 1. Das Wahlrecht der Bürger der Vereinigten Staaten darf von den Vereinigten Staaten oder einem Einzelstaat nicht auf Grund der Rassenzugehörigkeit, der Hautfarbe oder des vormaligen Dienstbarkeitsverhältnisses versagt oder beschränkt werden.

Abschnitt 2. Der Kongreß ist befugt, diesen Zusatzartikel durch entsprechende Gesetze zur Durchführung zu bringen.

Artikel XVI
25. Februar 1913

Der Kongreß hat das Recht, Steuern auf Einkommen beliebiger Herkunft zu legen und einzuziehen, ohne sie proportional auf die einzelnen Staaten aufteilen zu müssen oder an eine Schätzung oder Volkszählung gebunden zu sein.

Artikel XVII
31. Mai 1913

Der Senat der Vereinigten Staaten besteht aus je zwei Senatoren von jedem Einzelstaat, die von dessen Bevölkerung auf sechs Jahre gewählt werden. Jedem Senator steht eine Stimme zu. Die Wähler in jedem Staate müssen den gleichen Bedingungen genügen, die für die Wähler der zahlenmäßig stärksten Kammer der gesetzgebenden Körperschaften der Einzelstaaten vorgeschrieben sind.

Wenn in der Vertretung eines Staates Senatssitze frei werden, dann schreibt dessen Regierung Ersatzwahlen aus, um die erledigten Mandate neu zu besetzen. Doch kann die gesetzgebende Körperschaft jedes Einzelstaates dessen Regierung ermächtigen, vorläufige Ernennungen vorzunehmen, bis das Volk die freigewordenen Sitze durch Wahlen gemäß den Anweisungen der gesetzgebenden Körperschaften neu besetzt.

Dieser Zusatzartikel darf nicht so ausgelegt werden, daß dadurch die Wahl oder die Amtsperiode eines Senators berührt wird, der bereits gewählt war, bevor dieser Zusatzartikel als Teil der Verfassung in Kraft tritt.

Article XVIII
January 29, 1919

[*Section 1.* After one year from the ratification of this article the manufacture, sale, or transportation of intoxicating liquors within, the importation therof into, or the exportation thereof from the United States and all territory subject to the jurisdiction thereof for beverage purposes is hereby prohibited.

Section 2. The congress and the several States shall have concurrent power to enforce this article by appropriate legislation.

Section 3. This article shall be inoperative unless it shall have been ratified as an amendment to the Constitution by the legislatures of the several States, as provided in the Constitution, within seven years from the date of the submission hereof to the States by the Congress.][3]

Article XIX
August 26, 1920

The right of citizens of the United States to vote shall not be denied or abridged by the United States or by any State on account of sex. congress shall have power to enforce this article by appropriate legislation.

Article XX
February 6, 1933

Section 1. The terms of the President and Vice President shall end at noon on the 20th day of January, and the terms of Senators and Representatives at noon on the 3d day of January, of the years in which such terms would have ended if this article had not been ratified; and the terms of their successors shall then begin.

Section 2. The Congress shall assemble at least once in every year, and such meeting shall begin at noon on the 3d day of January, unless they shall by law appoint a different day.

Section 3. If, at the time fixed for the beginning of the term of the President, the President elect shall have died, the Vice President elect shall become President. If a President shall not have been chosen before the time fixed for the beginning of his term, or if the President elect shall have failed to qualify, then the Vice President elect shall act as President until a President shall have qualified; and the Congress may by law provide for the case wherein neither a President elect nor a Vice President elect shall have qualified, declaring who shall then act as President, or the manner in which one who is to act shall be selected, and such person shall act accordingly until a President or Vice President shall have qualified.

Section 4. The Congress may by law provide for the case of the death of any of the persons from whom the House of Representatives may choose a President whenever the right of choice shall have devolved upon them, and for the case of the death of any of the persons from whom the Senate may choose a Vice President whenever the right of choice shall have devolved upon them.

Section 5. Sections 1 and 2 shall take effect on the 15th day of October following the ratification of this article.

Section 6. This article shall be inoperative unless it shall have been ratified as an amendment to the Constitution by the legislatures of three-fourths of the several States within seven years from the date of its submission.

Artikel XVIII
29. Januar 1919

[*Abschnitt 1.* Nach Ablauf eines Jahres von der Ratifikation dieses Artikels an ist die Herstellung, der Verkauf oder der Transport alkoholischer Flüssigkeiten für Getränkezwecke innerhalb der Vereinigten Staaten, ihre Einfuhr in die oder ihre Ausfuhr aus den Vereinigten Staaten nebst allen ihrer Hoheit unterstehenden Gebieten hiermit verboten.

Abschnitt 2. Der Kongreß und die Einzelstaaten sind gleichermaßen befugt, diesen Zusatzartikel durch entsprechende Gesetze zur Durchführung zu bringen.

Abschnitt 3. Dieser Zusatzartikel ist unwirksam, wenn er nicht, wie in der Verfassung vorgesehen, durch die gesetzgebenden Körperschaften der Einzelstaaten binnen sieben Jahren, gerechnet vom Zeitpunkt seiner Übermittlung an die Staaten durch den Kongreß, als Verfassungszusatz ratifiziert wird][3].

Artikel XIX
26. August 1920

Das Wahlrecht der Bürger der Vereinigten Staaten darf von den Vereinigten Staaten oder einem Einzelstaat nicht auf Grund des Geschlechts versagt oder beschränkt werden.
Der Kongreß ist befugt, diesen Zusatzartikel durch entsprechende Gesetze zur Durchführung zu bringen.

Artikel XX
6. Februar 1933

Abschnitt 1. Die Amtsperioden des Präsidenten und Vizepräsidenten enden am Mittag des 20. Tages des Monats Januar und die Amtsperioden der Senatoren und Abgeordneten am Mittag des 3. Tages des Monats Januar des jeweiligen Jahres, in dem diese Amtsperioden geendet hätten, wenn dieser Artikel nicht ratifiziert worden wäre; sodann beginnt die Amtsperiode ihrer Nachfolger.

Abschnitt 2. Der Kongreß tritt wenigstens einmal in jedem Jahr zusammen, und zwar beginnt diese Sitzung am Mittag des 3. Tages des Monats Januar, falls er nicht durch Gesetz einen anderen Tag bestimmt.

Abschnitt 3. Wenn zu der für den Beginn der Amtsperiode des Präsidenten festgesetzten Zeit der gewählte Präsident verstorben sein sollte, dann wird der gewählte Vizepräsident Präsident. Wenn vor dem für den Beginn der Amtsperiode festgesetzten Zeitpunkt kein Präsident gewählt worden sein sollte oder wenn der gewählte Präsident die Voraussetzungen der Amtsfähigkeit nicht erfüllt, dann nimmt der gewählte Vizepräsident die Geschäfte des Präsidenten wahr, bis ein amtsfähiger Präsident ermittelt ist. Für den Fall, daß weder ein gewählter Präsident noch ein gewählter Vizepräsident amtsfähig ist, kann der Kongreß durch Gesetz bestimmen, wer dann die Geschäfte des Präsidenten wahrnehmen soll, oder das Verfahren festlegen, nach dem derjenige, der die Geschäfte wahrnehmen soll, auszuwählen ist. Dieser übt daraufhin die Geschäfte aus, bis ein amtsfähiger Präsident oder Vizepräsident ermittelt ist.

Abschnitt 4. Der Kongreß kann durch Gesetz Bestimmungen erlassen für den Fall des Ablebens einer der Personen, aus deren Mitte das Repräsentantenhaus einen Präsidenten wählen kann, wenn ihm das Wahlrecht zufällt, sowie für den Fall des Ablebens einer der Personen, aus deren Mitte der Senat einen Vizepräsidenten wählen kann, wenn ihm das Wahlrecht zufällt.

Abschnitt 5. Der erste und zweite Abschnitt sollen am 15. Tage des Monats Oktober, der der Ratifikation dieses Artikels folgt, in Kraft treten.

Abschnitt 6. Dieser Zusatzartikel ist unwirksam, wenn er nicht durch die gesetzgebenden Körperschaften von drei Vierteln der Einzelstaaten binnen sieben Jahren, gerechnet vom Zeitpunkt seiner Übermittlung, als Verfassungszusatz ratifiziert wird.

Article XXI
December 5, 1933

Section 1. The eighteenth article of amendment to the Constitution of the United States is hereby repealed.

Section 2. The transportation or importation into any State, Territory, or possession of the United States for delivery to use therein of intoxicating liquors, in violation of the laws thereof, is hereby prohibited.

Section 3. This article shall be inoperative unless it shall have been ratified as an amendment to the Constitution by conventions in the several States, as provided in the Constitution, within seven years from the date of the submission hereof to the States by the Congress.

Article XXII
February 26, 1951

Section 1. No person shall be elected to the office of the President more than twice, and no person who has held the office of President, or acted as President, for more than two years of a term to which some other person was elected President shall be elected to the office of the President more then once. But this Article shall not apply to any person holding the office of President when this Article was proposed by the Congress, and shall not prevent any person who may be holding the office of President, or acting as President, during the term within which this Article becomes operative from holding the office of President or acting as President during the remainder of such term.

Section 2. This article shall be inoperative unless it shall have been ratified as an amendment to the Constitution by the legislatures of three-fourths of the several States within seven years from the date of its submission to the States by the Congress.

Article XXIII
March 29, 1961

Section 1. The district constituting the seat of the United States shall appoint in such manner as the Congress may direct:
A number of electors of President and Vice President equal to the whole number of Senators and Representatives in Congress to which the District would be entitled if it were a State, but in no event more than the least populous State; they shall be in addition to those appointed by the States, but they shall be considered, for the purposes of the election of President and Vice President, to be electors appointed by a State; and they shall meet in the District and perform such duties as provided by the twelfth article of amendment.

Section 2. The Congress shall have power to enforce this article by appropriate legislation.

Article XXIV
January 23, 1964

Section 1. The right of citizens of the United States to vote in any primary or other election for President or Vice President, for electors for President or Vice President, or for Senator or Representative in Congress, shall not be denied or abridged by the United States or any State by reason of failure to pay any poll tax or other tax.

Artikel XXI
5. Dezember 1933

Abschnitt 1. Der achtzehnte Zusatzartikel zur Verfassung der Vereinigten Staaten wird hiermit aufgehoben.

Abschnitt 2. Der Transport oder die Einfuhr von alkoholischen Getränken in einen Einzelstaat, ein Territorium oder eine Besitzung der Vereinigten Staaten zwecks Abgabe oder dortigem Gebrauch ist hiermit verboten, wenn dies gegen ein dort gültiges Gesetz verstößt.

Abschnitt 3. Dieser Artikel ist unwirksam, wenn er nicht, wie in der Verfassung vorgesehen, durch die Konvente der Einzelstaaten binnen sieben Jahren, gerechnet vom Zeitpunkt seiner Übermittlung an die Staaten durch den Kongreß, als Verfassungszusatz ratifiziert wird.

Artikel XXII
26. Februar 1951

Abschnitt 1. Niemand darf mehr als zweimal in das Amt des Präsidenten gewählt werden; und niemand, der länger als zwei Jahre der Amtszeit, für die ein anderer zum Präsidenten gewählt wurde, das Amt des Präsidenten innehatte oder dessen Geschäfte wahrnahm, darf mehr als einmal in das Amt des Präsidenten gewählt werden. Dieser Zusatzartikel findet jedoch keine Anwendung auf jemanden, der das Amt des Präsidenten zu dem Zeitpunkt innehatte, zu dem dieser Zusatzartikel durch den Kongreß vorgeschlagen wurde, noch hindert er jemanden, der das Amt des Präsidenten in der Periode innehat oder wahrnimmt, in der dieser Zusatzartikel in Kraft tritt, daran, für den Rest dieser Amtsperiode das Amt des Präsidenten innezuhaben oder dessen Geschäfte wahrzunehmen.

Abschnitt 2. Dieser Zusatzartikel ist unwirksam, wenn er nicht durch die gesetzgebenden Körperschaften von drei Vierteln der Einzelstaaten binnen sieben Jahren, gerechnet vom Zeitpunkt seiner Übermittlung an die Staaten durch den Kongreß, als Verfassungszusatz ratifiziert wird.

Artikel XXIII
29. März 1961

Abschnitt 1. Der Bezirk, der als Sitz der Regierung der Vereinigten Staaten dient, bestimmt in vom Kongreß vorzuschreibender Weise:
Eine Anzahl von Wahlmännern für die Wahl des Präsidenten und Vizepräsidenten entsprechend der Gesamtzahl der Senatoren und Abgeordneten, die dem Bezirk im Kongreß zuständen, falls er ein Staat wäre, jedoch keinesfalls mehr als der Einzelstaat mit den wenigsten Einwohnern; diese sind den von den Einzelstaaten bestimmten hinzuzuzählen, aber für die Zwecke der Wahl des Präsidenten und Vizepräsidenten als von einem Einzelstaat bestimmte Wahlmänner zu betrachten; und sie treten in dem Bezirk zusammen und versehen solche Pflichten, wie im zwölften Zusatzartikel vorgesehen.

Abschnitt 2. Der Kongreß ist befugt, diesen Zusatzartikel durch entsprechende Gesetze zur Durchführung zu bringen.

Artikel XXIV
23. Januar 1964

Abschnitt 1. Das Recht der Bürger der Vereinigten Staaten, in Vor- oder anderen Wahlen ihre Stimme für den Präsidenten oder Vizepräsidenten, für die Wahlmänner bei der Wahl des Präsidenten oder Vizepräsidenten, oder für Senatoren oder Abgeordnete im Kongreß abzugeben, darf von den Vereinigten Staaten oder einem Einzelstaat nicht auf Grund eines Wahl- oder anderen Steuersäumnisses versagt oder beschränkt werden.

Section 2. The Congress shall have power to enforce this article by appropriate legislation.

Article XXV
February 10, 1967

Section 1. In case of the removal of the President from office or of his death or resignation, the Vice President shall become President.

Section 2. Whenever there is a vacancy in the office of the Vice President shall nominate a Vice President who shall take office upon confirmation by a majority vote of both Houses of Congress.

Section 3. Whenever the President transmits to the President pro tempore of the Senate and the Speaker of the House of Representatives his written declaration that he is unable to discharge the powers and duties of his office, and until he transmits to them a written declaration to the contrary, such powers and duties shall be discharged by the Vice President as Acting President.

Section 4. Whenever the Vice President and a majority of either the principal officers of the executive departments or of such other body as Congress may by law provide, transmit to the President pro tempore of the Senate and the Speaker of the House of Representatives their written declaration that the President is unable to discharge the powers and duties of his office, the Vice President shall immediately assume the powers and duties of the office as Acting President.

Thereafter, when the President transmits to the President pro tempore of the Senate and the Speaker of the House of Representatives his written declaration that no inability exists, he shall resume the powers and duties of his office unless the Vice President and a majority of either the principal officers of the executive department or of such other body as Congress may by law provide, transmit within four days to the President pro tempore of the Senate and the Speaker of the House of Representatives their written declaration that the President is unable to discharge the powers and duties of his office. Thereupon Congress shall decide the issue, assembling within forty-eight hours for that purpose if not in session. If the Congress, within twenty-one days after receipt of the latter written declaration, or, if Congress is not in session, within twenty-one days after Congress is required to assemble, determines by two-thirds vote of both Houses that the President is unable to discharge the powers and duties of his office, the Vice President shall continue to discharge the same as Acting President; otherwise, the President shall resume the powers and duties of his office.

Article XXVI
July 1, 1971

Section 1. The right of citizens of the United States, who are eighteen years of age or older, to vote shall not be denied or abridged by the United States or by any State on account of age.

Section 2. The Congress shall have power to enforce this article by appropriate legislation.

---

[1] The first ten Amendments comprise the "Bill of Rights".
[2] Superseded by the Twentieth Amendment.
[3] Superseded by the Twenty-first Amendment.

Abschnitt 2. Der Kongreß ist befugt, diesen Zusatzartikel durch entsprechende Gesetze zur Durchführung zu bringen.

Artikel XXV
10. Februar 1967

Abschnitt 1. Im Falle der Amtsenthebung, des Todes oder des Rücktritts des Präsidenten wird der Vizepräsident Präsident.

Abschnitt 2. Sofern das Amt des Vizepräsidenten frei wird, benennt der Präsident einen Vizepräsidenten, der das Amt nach Bestätigung durch Mehrheitsbeschluß beider Häuser des Kongresses antritt.

Abschnitt 3. Sofern der Präsident dem Präsidenten pro tempore des Senates und dem Sprecher des Repräsentantenhauses eine schriftliche Erklärung des Inhalts übermittelt, daß er unfähig ist, die Befugnisse und Obliegenheiten seines Amtes wahrzunehmen, und bis er ihnen eine schriftliche Erklärung gegenteiligen Inhalts übermittelt, werden diese Befugnisse und Obliegenheiten vom Vizepräsidenten als amtierendem Präsidenten wahrgenommen.

Abschnitt 4. Sofern der Vizepräsident und eine Mehrheit entweder der Leiter der Ministerien der Bundesregierung oder einer anderen vom Kongreß durch Gesetz zu benennenden Körperschaft dem Präsidenten pro tempore des Senates und dem Sprecher des Repräsentantenhauses eine schriftliche Erklärung des Inhalts übermitteln, daß der Präsident unfähig ist, die Befugnisse und Obliegenheiten seines Amtes wahrzunehmen, übernimmt der Vizepräsident unverzüglich die Befugnisse und Obliegenheiten des Amtes als amtierender Präsident.

Wenn danach der Präsident dem Präsidenten pro tempore des Senats und dem Sprecher des Repräsentantenhauses eine schriftliche Erklärung des Inhalts übermittelt, daß keine Amtsunfähigkeit besteht, gehen die Befugnisse und Obliegenheiten seines Amtes wieder auf ihn über, es sei denn, der Vizepräsident und eine Mehrheit entweder der Leiter der Ministerien der Bundesregierung oder einer anderen vom Kongreß durch Gesetz zu benennenden Körperschaft übermitteln binnen vier Tagen dem Präsidenten pro tempore des Senats und dem Sprecher des Repräsentantenhauses eine schriftliche Erklärung des Inhalts, daß der Präsident unfähig ist, die Befugnisse und Obliegenheiten seines Amtes wahrzunehmen. In diesem Falle entscheidet der Kongreß die Sache und tritt zu diesem Zwecke, falls er sich nicht in Session befindet, binnen 48 Stunden zusammen. Wenn der Kongreß innerhalb 21 Tagen nach Erhalt der letztgenannten schriftlichen Erklärung, oder, sofern er nicht tagt, innerhalb 21 Tagen nach dem vorgeschriebenen Zeitpunkt des Zusammentretens des Kongresses, mit Zweidrittelmehrheit beider Häuser entscheidet, daß der Präsident unfähig ist, die Befugnisse und Obliegenheiten seines Amtes wahrzunehmen, nimmt der Vizepräsident dieselben weiterhin als amtierender Präsident wahr; andernfalls übernimmt der Präsident wiederum die Befugnisse und Obliegenheiten seines Amtes.

Artikel XXVI
1. Juli 1971

Abschnitt 1. Das Wahlrecht der Bürger der Vereinigten Staaten, die 18 Jahre oder darüber sind, darf von den Vereinigten Staaten oder einem Einzelstaat nicht auf Grund des Alters versagt oder beschränkt werden.

Abschnitt 2. Der Kongreß ist befugt, diesen Zusatzartikel durch entsprechende Gesetze zur Durchführung zu bringen.

---

[1] Die Zusatzartikel I–X bilden die sogenannte „Bill of Rights".
[2] Durch den XX. Zusatzartikel aufgehoben.
[3] Durch den XXI. Zusatzartikel aufgehoben.

The Constitution of the German Empire (Constitution of Weimar)
Dated August 11, 1919[1]

Effective August 14, 1919

Part Two.
Fundamental Rights and Fundamental Duties of the Germans.
Division One. The Individual.

Article 109

All Germans are equal before the law. Men and women have fundamentally the same civic rights and duties.
Public-law privileges or disadvantages of birth or of rank are to be abolished. Titles of nobility are considered only as part of the name and may no longer be conferred.
Titles may be conferred only when they designate an office or calling; academic degrees are not hereby affected.
Orders and decorations may not be bestowed by the state.
No German may accept a title or order from a foreign government.

Article 110

Citizenship in the Empire and in the Lands is acquired and lost in accordance with the provisions of an Imperial statute. Every citizen of a Land is at the same time a citizen of the Empire.
Every German has in each Land of the Empire the same rights and duties as the citizens of the Land itself.

Article 111

All Germans enjoy freedom of travel and domicile throughout the whole Empire. Every one has the right to stay and settle at any desired place in the Empire, to acquire land, and to pursue any livelihood. Restrictions require an Imperial statute.

Die Verfassung des Deutschen Reichs (Weimarer Verfassung)
Vom 11. August 1919[1]

In Kraft getreten am 14. August 1919

Zweiter Hauptteil.
Grundrechte und Grundpflichten der Deutschen.
Erster Abschnitt. Die Einzelperson.

Artikel 109

Alle Deutschen sind vor dem Gesetz gleich.
Männer und Frauen haben grundsätzlich dieselben staatsbürgerlichen Rechte und Pflichten.
Öffentlich-rechtliche Vorrechte oder Nachteile der Geburt oder des Standes sind aufzuheben. Adelsbezeichnungen gelten nur als Teil des Namens und dürfen nicht mehr verliehen werden.
Titel dürfen nur verliehen werden, wenn sie ein Amt oder einen Beruf bezeichnen; akademische Grade sind hierdurch nicht betroffen.
Orden und Ehrenzeichen dürfen vom Staat nicht verliehen werden.
Kein Deutscher darf von einer ausländischen Regierung Titel oder Orden annehmen.

Artikel 110

Die Staatsangehörigkeit im Reiche und in den Ländern wird nach den Bestimmungen eines Reichsgesetzes erworben und verloren. Jeder Angehörige eines Landes ist zugleich Reichsangehöriger.
Jeder Deutscher hat in jedem Lande des Reichs die gleichen Rechte und Pflichten wie die Angehörigen des Landes selbst.

Artikel 111

Alle Deutschen genießen Freizügigkeit im ganzen Reiche. Jeder hat das Recht, sich an beliebigem Orte des Reichs aufzuhalten und niederzulassen, Grundstücke zu erwerben und jeden Nahrungszweig zu betreiben. Einschränkungen bedürfen eines Reichsgesetzes.

Article 112

Every German is entitled to emigrate to foreign countries. Emigration can be restricted only by an Imperial statute.

As against foreign countries all citizens of the Empire within and without the territory of the Empire have a claim to the protection of the Empire.

No German may be delivered up to a foreign government for prosecution or punishment.

Article 113

The foreign-language elements of the population of the Empire may not be restricted by legislation and administration in their free, ethnological development, especially in the use of their mother tongue in education, nor in internal administration and the administration of justice.

Article 114

The freedom of the person is inviolable. A restriction or deprivation of personal freedom by public power is permissible only upon statutory grounds.

Persons who are deprived of their freedom are to be notified not later than the next following day by what authorities and upon what grounds the deprivation of freedom has been ordered; without delay opportunity is to be given them to object to the deprivation of their freedom.

Article 115

The home of every German is for him an asylum and inviolable. Exceptions are permissible only upon statutory grounds.

Article 116

An act can be punishable only when the penality was fixed by statute before the act was committed.

Article 117

The privacy of letters and also that of the mail, telegraph and telephone are inviolable. Exceptions can be allowed only by Imperial statue.

Article 118

Every German has the right, within general statutory limitations, to express his opinion freely by word of mouth, writing, printing, picture or otherwise. No relationship of labor or employment may hinder him in this right, and no one may wrong him if he makes use of this right.

A censorship is not had; however, divergent provisions for moving pictures may be made by statute. And statutory measures are permissible for the suppression of trashy and obscene literature, and for the protection of young persons in public performances and exhibitions.

Division Two. The Community Life.

Article 119

Marriage stands, as the foundation of family life and of the preservation and increase of the nation, under the special protection of the Constitution. It rests upon the equality of rights of both sexes. The keeping pure, the wholesomeness, and the social advancement of the family are a task of the state and of the communes. Families of many children have a claim to financial relief. Motherhood has a claim to the protection and care of the state.

Artikel 112

Jeder Deutsche ist berechtigt, nach außerdeutschen Ländern auszuwandern. Die Auswanderung kann nur durch Reichsgesetz beschränkt werden.

Dem Ausland gegenüber haben alle Reichsangehörigen inner-und außerhalb des Reichsgebiets Anspruch auf den Schutz des Reichs.

Kein Deutscher darf einer ausländischen Regierung zur Verfolgung oder Bestrafung überliefert werden.

Artikel 113

Die fremdsprachigen Volksteile des Reichs dürfen durch die Gesetzgebung und Verwaltung nicht in ihrer freien, volkstümlichen Entwicklung, besonders nicht im Gebrauch ihrer Muttersprache beim Unterricht sowie bei der inneren Verwaltung und der Rechtspflege beeinträchtigt werden.

Artikel 114

Die Freiheit der Person ist unverletzlich. Eine Beeinträchtigung oder Entziehung der persönlichen Freiheit durch die öffentliche Gewalt ist nur auf Grund von Gesetzen zulässig.

Personen, denen die Freiheit entzogen wird, sind spätestens am darauffolgenden Tage in Kenntnis zu setzen, von welcher Behörde und aus welchen Gründen die Entziehung der Freiheit angeordnet worden ist; unverzüglich soll ihnen Gelegenheit gegeben werden, Einwendungen gegen ihre Freiheitsentziehung vorzubringen.

Artikel 115

Die Wohnung jedes Deutschen ist für ihn eine Freistätte und unverletzlich. Ausnahmen sind nur auf Grund von Gesetzen zulässig.

Artikel 116

Eine Handlung kann nur dann mit einer Strafe belegt werden, wenn die Strafbarkeit gesetzlich bestimmt war, bevor die Handlung begangen wurde.

Artikel 117

Das Briefgeheimnis sowie das Post-, Telegraphen- und Fernsprechgeheimnis sind unverletzlich. Ausnahmen können nur durch Reichsgesetz zugelassen werden.

Artikel 118

Jeder Deutsche hat das Recht, innerhalb der Schranken der allgemeinen Gesetze seine Meinung durch Wort, Schrift, Druck, Bild oder in sonstiger Weise frei zu äußern. An diesem Rechte darf ihn kein Arbeits- oder Anstellungsverhältnis hindern, und niemand darf ihn benachteiligen, wenn er von diesem Rechte Gebrauch macht.

Eine Zensur findet nicht statt, doch können für Lichtspiele durch Gesetz abweichende Bestimmungen getroffen werden. Auch sind zur Bekämpfung der Schund- und Schmutzliteratur sowie zum Schutze der Jugend bei öffentlichen Schaustellungen und Darbietungen gesetzliche Maßnahmen zulässig.

Zweiter Abschnitt. Das Gemeinschaftsleben.

Artikel 119

Die Ehe steht als Grundlage des Familienlebens und der Erhaltung und Vermehrung der Nation unter dem besonderen Schutz der Verfassung. Sie beruht auf der Gleichberechtigung der beiden Geschlechter.

Die Reinerhaltung, Gesundung und soziale Förderung der Familie ist Aufgabe des Staats und der Gemeinden. Kinderreiche Familien haben Anspruch auf ausgleichende Fürsorge.

Die Mutterschaft hat Anspruch auf den Schutz und die Fürsorge des Staats.

Article 120

The rearing of the rising generations to physical, mental and social fitness is the supreme duty and natural right of the parents, over whose activities the political community watches.

Article 121

Legislation is to create for illegitimate children the same conditions for physical, mental and social development as for legitimate children.

Article 122

Young persons are to be protected against exploitation and also against moral, mental or physical neglect. State and Commune have to adopt the necessary measures.

Rules for care by way of compulsion can be made by virtue of statue only.

Article 123

All Germans have the right to assemble peaceably and unarmed, without notice or special permission.

Assemblies in the open can, by Imperial statue, be made subject to notice, and can be forbidden in case of immediate danger to the public safety.

Article 124

All Germans have the right to form societies or associations for purposes that are not contrary to the criminal laws. This right can not be restricted by preventive measures. The same provisions apply to religious societies and associations.

The right of incorporation is open to every society conformably to the provisions of the civil law. It may not be denied a society on the ground that it pursues a political, socio-political or religious purpose.

Article 125

Freedom of elections and secrecy of elections are guaranteed. The election statutes shall determine the details.

Article 126

Every German has the right to petition, in writing, with requests or complaints, the proper authorities or the popular representative body. This right can be exercised by individuals as well as by several together.

Article 127

Communes and Communal Unions have the right of self-administration within the limits of the statutes.

Article 128

All citizens without distinction are eligible for public offices in accordance with the statutes and according to their ability and their attainments.

All exceptional provisions against women officials are removed.

The underlying principles of official relationships are to be regulated by Imperial statute.

Article 129

The appointment of the officials is for life, in so far as is not otherwise provided by statute. Pensions and care of surviving dependents are regulated by statute. The duly acquired rights of the officials are inviolable. For the claims of the officials to property rights the process of law is open.

The officials can be provisionally suspended from office, or temporarily or permanently retired, or transferred to another office with a lower salary only in conformity with the statutory requirements and forms.

Artikel 120

Die Erziehung des Nachwuchses zur leiblichen, seelischen und gesellschaftlichen Tüchtigkeit ist oberste Pflicht und natürliches Recht der Eltern, über deren Betätigung die staatliche Gemeinschaft wacht.

Artikel 121

Den unehelichen Kindern sind durch die Gesetzgebung die gleichen Bedingungen für ihre leibliche, seelische und gesellschaftliche Entwicklung zu schaffen wie den ehelichen Kindern.

Artikel 122

Die Jugend ist gegen Ausbeutung sowie gegen sittliche, geistige oder körperliche Verwahrlosung zu schützen. Staat und Gemeinde haben die erforderlichen Einrichtungen zu treffen.

Fürsorgemaßregeln im Wege des Zwanges können nur auf Grund des Gesetzes angeordnet werden.

Artikel 123

Alle Deutschen haben das Recht, sich ohne Anmeldung oder besondere Erlaubnis friedlich und unbewaffnet zu versammeln. Versammlungen unter freiem Himmel können durch Reichsgesetz anmeldepflichtig gemacht werden und bei unmittelbarer Gefahr für die öffentliche Sicherheit verboten werden.

Artikel 124

Alle Deutschen haben das Recht, zu Zwecken, die den Stafgesetzen nicht zuwiderlaufen, Vereine oder Gesellschaften zu bilden. Dies Recht kann nicht durch Vorbeugungsmaßregeln beschränkt werden. Für religiöse Vereine und Gesellschaften gelten dieselben Bestimmungen.

Der Erwerb der Rechtsfähigkeit steht jedem Verein gemäß den Vorschriften des bürgerlichen Rechts frei. Er darf einem Verein nicht aus dem Grunde versagt werden, daß er einen politischen, sozialpolitischen oder religiösen Zweck verfolgt.

Artikel 125

Wahlfreiheit und Wahlgeheimnis sind gewährleistet. Das Nähere bestimmen die Wahlgesetze.

Artikel 126

Jeder Deutsche hat das Recht, sich schriftlich mit Bitten oder Beschwerden an die zuständige Behörde oder an die Volksvertretung zu wenden. Dieses Recht kann sowohl von einzelnen als auch von mehreren gemeinsam ausgeübt werden.

Artikel 127

Gemeinden und Gemeindeverbände haben das Recht der Selbstverwaltung innerhalb der Schranken der Gesetze.

Artikel 128

Alle Staatsbürger ohne Unterschied sind nach Maßgabe der Gesetze und entsprechend ihrer Befähigung und ihren Leistungen zu den öffentlichen Ämtern zuzulassen.

Alle Ausnahmebestimmungen gegen weibliche Beamte werden beseitigt.

Die Grundlagen des Beamtenverhältnisses sind durch Reichsgesetz zu regeln.

Artikel 129

Die Anstellung der Beamten erfolgt auf Lebenszeit, soweit nicht durch Gesetz etwas anderes bestimmt ist. Ruhegehalt und Hinterbliebenenversorgung werden gesetzlich geregelt. Die wohlerworbenen Rechte der Beamten sind unverletzlich. Für die vermögensrechtlichen Ansprüche des Beamten steht der Rechtsweg offen. Die Beamten können nur unter den gesetzlich bestimmten Voraussetzungen und Formen vorläufig ihres Amtes enthoben, einstweilen oder endgültig in den Ruhestand oder in ein anderes Amt mit geringerem Gehalt versetzt werden.

For every disciplinary sentence there must be open a remedy by way of appeal, and the possibility of a rehearing. In the personal record of the official, notations of facts unfavorable to him are to be made only after an opportunity has been given him to express himself about them. The official is to be granted an inspection of his personal record.

The inviolability of the duly acquired rights and the keeping open of the process of law for the claims to property rights are to be guaranteed especially to the professional soldiers too. In other respects their position shall be regulated by Imperial statute.

Article 130

The officials are servants of the whole body politic, not of a party.

To all officials are guaranteed the freedom of their political beliefs and the freedom of association.

The officials are entitled to special bodies representing them as officials, in accordance with detailed Imperial statutory provisions.

Article 131

If an official in the discharge of the public power entrusted to him breaches his official duties towards a third party, the responsibility rests fundamentally with the state or body in whose service he stands. The right of redress against the official is reserved. The ordinary process of law may not be excluded.

It is the duty of the competent legislature to provide details.

Article 132

Every German has the duty, in accordance with the statutes, to accept honorary offices.

Article 133

All citizens are bound, in accordance with the statutes, to perform personal services for the state and the Commune.

The military duty is directed along the lines of the Imperial Military Statute. This shall also provide how far particular fundamental rights are to be restricted for members of the armed forces for the performance of their duties and for the maintenance of discipline.

Article 134

All citizens, without distinction, contribute to all public burdens in proportion to their means, as provided by statutes.

Division Three. Religion and Religious Societies.

Article 135

All inhabitants of the Empire enjoy full freedom of religious belief and conscience. Undisturbed public worship is guaranteed by the Constitution and is under the protection of the state. The general statutes are not hereby affected.

Article 136[2]

The civil and civic rights and duties are neither qualified nor restricted by the exercise of religious freedom.

The enjoyment of civil and civic rights and the admission to public offices are independent of religious belief.

No one is obliged to reveal his religious conviction. The authorities have the right to ask about membership in a religious society only so far as rights and duties are dependent thereon or a statutory statistical inquiry demands it.

Gegen jedes dienstliche Straferkenntnis muß ein Beschwerdeweg und die Möglichkeit eines Wiederaufnahmeverfahrens eröffnet sein. In die Nachweise über die Person des Beamten sind Eintragungen über ihm ungünstigen Tatsachen erst vorzunehmen, wenn dem Beamten Gelegenheit gegeben war, sich über sie zu äußern. Dem Beamten ist Einsicht in seine Personalnachweise zu gewähren.

Die Unverletzlichkeit der wohlerworbenen Rechte und die Offenhaltung des Rechtswegs für die vermögensrechtlichen Ansprüche werden besonders auch den Berufssoldaten gewährleistet. Im übrigen wird ihre Stellung durch Reichsgesetz geregelt.

Artikel 130

Die Beamten sind Diener der Gesamtheit, nicht einer Partei.

Allen Beamten wird die Freiheit ihrer politischen Gesinnung und die Vereinigungsfreiheit gewährleistet.

Die Beamten erhalten nach näherer reichsgesetzlicher Bestimmung besondere Beamtenvertretungen.

Artikel 131

Verletzt ein Beamter in Ausübung der ihm anvertrauten öffentlichen Gewalt die ihm einem Dritten gegenüber obliegende Amtspflicht, so trifft die Verantwortlichkeit grundsätzlich den Staat oder die Körperschaft, in deren Dienste der Beamte steht. Der Rückgriff gegen den Beamten bleibt vorbehalten. Der ordentliche Rechtsweg darf nicht ausgeschlossen werden.

Die nähere Regelung liegt der zuständigen Gesetzgebung ob.

Artikel 132

Jeder Deutsche hat nach Maßgabe der Gesetze die Pflicht zur Übernahme ehrenamtlicher Tätigkeiten.

Artikel 133

Alle Staatsbürger sind verpflichtet, nach Maßgabe der Gesetze persönliche Dienste für den Staat und die Gemeinde zu leisten.

Die Wehrpflicht richtet sich nach den Bestimmungen des Reichswehrgesetzes. Dieses bestimmt auch, wieweit für Angehörige der Wehrmacht zur Erfüllung ihrer Aufgaben und zur Erhaltung der Manneszucht einzelne Grundrechte einzuschränken sind.

Artikel 134

Alle Staatsbürger ohne Unterschied tragen im Verhältnis ihrer Mittel zu allen öffentlichen Lasten nach Maßgabe der Gesetze bei.

Dritter Abschnitt. Religion und Religionsgesellschaften.

Artikel 135

Alle Bewohner des Reichs genießen volle Glaubens- und Gewissensfreiheit. Die ungestörte Religionsausübung wird durch die Verfassung gewährleistet und steht unter staatlichem Schutz. Die allgemeinen Staatsgesetze bleiben hiervor unberührt.

Artikel 136[2]

Die bürgerlichen und staatsbürgerlichen Rechte und Pflichten werden durch die Ausübung der Religionsfreiheit weder bedingt noch beschränkt.

Der Genuß bürgerlicher und staatsbürgerlicher Rechte sowie die Zulassung zu öffentlichen Ämtern sind unabhängig von dem religiösen Bekenntnis.

Niemand ist verpflichtet, seine religiöse Überzeugung zu offenbaren. Die Behörden haben nur soweit das Recht, nach der Zugehörigkeit zu einer Religionsgesellschaft zu fragen, als davon Rechte und Pflichten abhängen oder eine gesetzlich angeordnete statistische Erhebung dies erfordert.

No one may be forced into a church ceremony or celebration or into participation in religious exercises or into the use of a religious form of oath.

Article 137

There exists no state church.

The freedom to form religious societies is guaranteed. The union of religious societies within the territory of the empire is subject to no restrictions.

Every religious society regulates and administers its affairs independently within the limits of the law applicable to everybody. It bestows its offices without the co-operation of the state or the civil Commune.

Religious societies become incorporated in accordance with the general provisions of the civil law.

The religious societies remain public corporations in so far as they were such heretofore. Other religious societies are, upon their request, to be granted like rights if they, by their constitution and the number of their members, offer a guaranty of permanence. If several of that class of public-law religious societies join in a union, this union is also a public corporation.

The religious societies which are public corporations are entitled to raise taxes upon the basis of the civil tax lists, in accordance with the provisions of the Land laws.

The associations which have for their object the common cultivation of a view of the world are treated like the religious societies.

As far as the carrying out of these provisions demands further regulation, the same shall be made by Land legislation.

Article 138

Contributions by the state to religious societies, which rest upon statute, treaty or special legal title, shall be commuted by Land legislation. The principles therefor shall be set up by the Empire.

Ownership and other rights of religious societies and unions in their institutions, foundations and other properties designated for purposes of worship, education and charity are guaranteed.

Article 139

Sunday and state holidays remain protected by statute as days of rest from labor and of spiritual edification.

Article 140

To the members of the armed forces is to be granted the necessary free time for the fulfillment of their religious duties.

Article 141

In so far as the need for religious services and cure of souls in the army, hospitals, penal institutions or other public institutions exists, the religious societies are to be admitted for the holding of religious exercises, in connection with which there is to be no compulsion.

Division Four. Education and Schools.

Article 142

Art and science and the teaching of them are free. The state vouchsafes them protection and participates in their cultivation.

Niemand darf zu einer kirchlichen Handlung oder Feierlichkeit oder zur Teilnahme an religiösen Übungen oder zur Benutzung einer religiösen Eidesformel gezwungen werden.

Artikel 137

Es besteht keine Staatskirche.

Die Freiheit der Vereinigung zu Religionsgesellschaften wird gewährleistet. Der Zusammenschluß von Religionsgesellschaften innerhalb des Reichsgebiets unterliegt keinen Beschränkungen. Jede Religionsgesellschaft ordnet und verwaltet ihre Angelegenheiten selbständig innerhalb der Schranken des für alle geltenden Gesetzes. Sie verleiht ihre Ämter ohne Mitwirkung des Staates oder der bürgerlichen Gemeinde.

Religionsgesellschaften erwerben die Rechtsfähigkeit nach den allgemeinen Vorschriften des bürgerlichen Rechtes.

Die Religionsgesellschaften bleiben Körperschaften des öffentlichen Rechtes, soweit sie solche bisher waren. Anderen Religionsgesellschaften sind auf ihren Antrag gleiche Rechte zu gewähren, wenn sie durch ihre Verfassung und die Zahl ihrer Mitglieder die Gewähr der Dauer bieten. Schließen sich mehrere derartige öffentlich-rechtliche Religionsgesellschaften zu einem Verbande zusammen, so ist auch dieser Verband eine öffentlich-rechtliche Körperschaft.

Die Religionsgesellschaften, welche Körperschaften des öffentlichen Rechtes sind, sind berechtigt, auf Grund der bürgerlichen Steuerlisten nach Maßgabe der landesrechtlichen Bestimmungen Steuern zu erheben.

Den Religionsgesellschaften werden die Vereinigungen gleichgestellt, die sich die gemeinschaftliche Pflege einer Weltanschauung zur Aufgabe gemacht haben.

Soweit die Durchführung dieser Bestimmungen eine weitere Regelung erfordert, liegt diese der Landesgesetzgebung ob.

Artikel 138

Die auf Gesetz, Vertrag oder besonderen Rechtstiteln beruhenden Staatsleistungen an die Religionsgesellschaften werden durch die Landesgesetzgebung abgelöst. Die Grundsätze hierfür stellt das Reich auf.

Das Eigentum und andere Rechte der Religionsgesellschaften und religiösen Vereine an ihren für Kultus-, Unterrichts- und Wohltätigkeitszwecke bestimmten Anstalten, Stiftungen und sonstigen Vermögen werden gewährleistet.

Artikel 139

Der Sonntag und die staatlich anerkannten Feiertage bleiben als Tage der Arbeitsruhe und der seelischen Erhebung gesetzlich geschützt.

Artikel 140

Den Angehörigen der Wehrmacht ist die nötige freie Zeit zur Erfüllung ihrer religiösen Pflichten zu gewähren.

Artikel 141

Soweit das Bedürfnis nach Gottesdiensten und Seelsorge im Heer, in Krankenhäusern, Strafanstalten oder sonstigen öffentlichen Anstalten besteht, sind die Religionsgesellschaften zur Vornahme religiöser Handlungen zuzulassen, wobei jeder Zwang fernzuhalten ist.

Vierter Abschnitt. Bildung und Schule.

Artikel 142

Die Kunst, die Wissenschaft und ihre Lehre sind frei. Der Staat gewährt ihnen Schutz und nimmt an ihrer Pflege teil.

Article 143

The education of young persons is to be provided for by means of public institutions. In their establishment Empire, Lands and Communes work together.

The education of teachers is to be regulated uniformly for the Empire, in accordance with the principles which are applied generally to higher education.

The teachers in public schools have the rights and duties of state officials.

Article 144

The entire school system stands under the supervision of the state; it can call upon the co-operation of the Communes. The supervision of schools is exercised by high, professionally trained officials.

Article 145

There exists universal compulsory education. Its accomplishment shall be served, fundamentally by elementary schools with at least eight school years, and by connecting continuation schools until the completed eighteenth year of life. The instruction and the school supplies in the elementary and continuation schools shall be furnished free of charge.

Article 146

The public school system is to be planned organically. Upon a primary school common to all there shall be built up the intermediate and higher school system. For this building-up the variety of vocations is to be the guide, and for the reception of a child into a particular school the guide shall be his aptitude and inclination, and not the economic and social position or the religious belief of his parents.

Within the Communes, however, there are to be established, upon request of those entitled to instruction, elementary schools of their faith or of their view of the world, in so far as thereby an organized school system – also in the sense of Paragraph One of this Article – is not impaired. The will of those entitled to instruction is to be considered as much as possible. Land legislation shall provide for details in accordance with the principles of an Imperial statute.

For the admission of the less well-to-do the intermediate and higher schools, public means are to be furnished by Empire, Lands and Communes, especially assistance for parents in rearing children who are deemed fit for training in intermediate and higher schools, until the finishing of the training.

Article 147

Private schools as substitutes for public schools need the approval of the state and are under the Land statutes. The approval is to be given if the private schools, in their educational aims and arrangements and also in the scientific development of their teaching forces, do not stand below the public schools and a separation of the scholars according to the means of the parents is not furthered. The approval is to be denied if the economic status and legal status of the teaching forces are not sufficiently secured.

Private elementary schools are permissible only if there exists for a minority of those entitled to instruction, whose will is to be considered according to Article 146, Paragraph Two, no public elementary school of their faith or of their view of the world in the Commune, or if the educational administrative authorities recognize a special pedagogical interest.

Private preparatory schools are to be abolished.

For private schools which do not serve as substitutes for public schools the law remains as it is.

Artikel 143

Für die Bildung der Jugend ist durch öffentliche Anstalten zu sorgen. Bei ihrer Einrichtung wirken Reich, Länder und Gemeinden zusammen.

Die Lehrerbildung ist nach den Grundsätzen, die für die höhere Bildung allgemein gelten, für das Reich einheitlich zu regeln.

Die Lehrer an öffentlichen Schulen haben die Rechte und Pflichten der Staatsbeamten.

Artikel 144

Das gesamte Schulwesen steht unter der Aufsicht des Staates; er kann die Gemeinden daran beteiligen. Die Schulaufsicht wird durch hauptamtlich tätige, fachmännisch vorgebildete Beamte ausgeübt.

Artikel 145

Es besteht allgemeine Schulpflicht. Ihrer Erfüllung dient grundsätzlich die Volksschule mit mindestens acht Schuljahren und die anschließende Fortbildungsschule bis zum vollendeten achtzehnten Lebensjahre. Der Unterricht und die Lernmittel in den Volksschulen und Fortbildungsschulen sind unentgeltlich.

Artikel 146

Das öffentliche Schulwesen ist organisch auszugestalten. Auf einer für alle gemeinsamen Grundschule baut sich das mittlere und höhere Schulwesen auf. Für diesen Aufbau ist die Mannigfaltigkeit der Lebensberufe, für die Aufnahme eines Kindes in eine bestimmte Schule sind seine Anlage und Neigung, nicht die wirtschaftliche und gesellschaftliche Stellung oder das Religionsbekenntnis seiner Eltern maßgebend.

Innerhalb der Gemeinden sind indes auf Antrag von Erziehungsberechtigten Volksschulen ihres Bekenntnisses oder ihrer Weltanschauung einzurichten, soweit hierdurch ein geordneter Schulbetrieb, auch im Sinne des Abs. 1, nicht beeinträchtigt wird. Der Wille der Erziehungsberechtigten ist möglichst zu berücksichtigen. Das Nähere bestimmt die Landesgesetzgebung nach den Grundsätzen eines Reichsgesetzes.

Für den Zugang Minderbemittelter zu den mittleren und höheren Schulen sind durch Reich, Länder und Gemeinden öffentliche Mittel bereitzustellen, insbesondere Erziehungsbeihilfen für die Eltern von Kindern, die zur Ausbildung auf mittleren und höheren Schulen für geeignet erachtet werden, bis zur Beendigung der Ausbildung.

Artikel 147

Private Schulen als Ersatz für öffentliche Schulen bedürfen der Genehmigung des Staates und unterstehen den Landesgesetzen. Die Genehmigung ist zu erteilen, wenn die Privatschulen in ihren Lehrzielen und Einrichtungen sowie in der wissenschaftlichen Ausbildung ihrer Lehrkräfte nicht hinter den öffentlichen Schulen zurückstehen und eine Sonderung der Schüler nach den Besitzverhältnissen der Eltern nicht gefördert wird. Die Genehmigung ist zu versagen, wenn die wirtschaftliche und rechtliche Stellung der Lehrkräfte nicht genügend gesichert ist.

Private Volksschulen sind nur zuzulassen, wenn für eine Minderheit von Erziehungsberechtigten, deren Wille nach Artikel 146 Abs. 2 zu berücksichtigen ist, eine öffentliche Volksschule ihres Bekenntnisses oder ihrer Weltanschauung in der Gemeinde nicht besteht oder die Unterrichtsverwaltung ein besonderes pädagogisches Interesse anerkennt.

Private Vorschulen sind aufzuheben.

Für private Schulen, die nicht als Ersatz für öffentliche Schulen dienen, verbleibt es bei dem geltenden Recht.

Article 148

In all schools moral training, civic sentiment, personal and vocational efficiency are to be aimed at, in the spirit of German nationality and of the reconciliation of nations.

In the instruction in public schools care is to be taken not to hurt the feelings of persons of a different way of thinking.

Civics and labor are to be taught in the schools. Every pupil shall receive a copy of the Constitution upon completion of the compulsory education.

National education, including national universities, is to be fostered by Empire, Lands and Communes.

Article 149

Religious instruction shall be a regular subject of the school curricula, except in non-confessional (secular) schools. The imparting of it shall be regulated within the limits of the school legislation. Religious instruction shall be imparted in conformity with the principles of the respective religious society, without prejudice to the right of supervision of the state.

The imparting of religious instruction and the use of church forms are optional with the instructors, and the participation [by the pupil] in religious studies and in church festivities and ceremonies is left to the decision of him who has to settle the matter of the religious education of the child.

The theological faculties in the universities remain in existence.

Article 150

The monuments of art, of history and of nature and also scenery enjoy the protection and care of the state.

It is a matter of the Empire to prevent the exportation of German art treasures to foreign countries.

Division Five. The Economic Life.

Article 151

The ordering of the economic life must conform to the principles of justice, with the assurance to all of an existence worthy of a human being as the goal. Within these limits the economic freedom of the individual is to be secured.

Statutory compulsion is permissible only for the realization of threatened rights or in the service of superior demands of the public weal.

The freedom of trade and industry is guaranteed in accordance with Imperial statutes.

Article 152

In economic intercourse freedom of contract prevails in accordance with the statutes.

Usury is forbidden. Transactions which are contrary to good morals are void.

Article 153

Property is guaranteed by the Constitution. Its content and its limitations shall be defined by the statutes.

Expropriation can be had only for the common welfare and upon statutory grounds. It is had with adequate compensation, in so far as an Imperial statute does not otherwise provide. In case of dispute about the amount of the compensation the ordinary courts are to be open for relief, in so far as Imperial statutes do not otherwise provide. Expropriation by the Empire as against Lands, Communes and associations serving the public can be had only with compensation.

Artikel 148

In allen Schulen ist sittliche Bildung, staatsbürgerliche Gesinnung, persönliche und berufliche Tüchtigkeit im Geiste des deutschen Volkstums und der Völkerversöhnung zu erstreben.

Beim Unterricht in öffentlichen Schulen ist Bedacht zu nehmen, daß die Empfindungen Andersdenkender nicht verletzt werden.

Staatsbürgerkunde und Arbeitsunterricht sind Lehrfächer der Schulen. Jeder Schüler erhält bei Beendigung der Schulpflicht einen Abdruck der Verfassung.

Das Volksbildungswesen, einschließlich der Volkshochschulen, soll von Reich, Ländern und Gemeinden gefördert werden.

Artikel 149

Der Religionsunterricht ist ordentliches Lehrfach der Schulen mit Ausnahme der bekenntnisfreien (weltlichen) Schulen. Seine Erteilung wird im Rahmen der Schulgesetzgebung geregelt. Der Religionsunterricht wird in Übereinstimmung mit den Grundsätzen der betreffenden Religionsgemeinschaften unbeschadet des Aufsichtsrechts des Staates erteilt.

Die Erteilung religiösen Unterrichts und die Vornahme kirchlicher Verrichtungen bleibt der Willenserklärung der Lehrer, die Teilnahme an religiösen Unterrichtsfächern und an kirchlichen Feiern und Handlungen der Willenserklärungen desjenigen überlassen, der über die religiöse Erziehung des Kindes zu bestimmen hat.

Die theologischen Fakultäten an den Hochschulen bleiben erhalten.

Artikel 150

Die Denkmäler der Kunst, der Geschichte und der Natur sowie die Landschaft genießen den Schutz und die Pflege des Staates.

Es ist Sache des Reichs, die Abwanderung deutschen Kunstbesitzes in das Ausland zu verhüten.

Fünfter Abschnitt. Das Wirtschaftsleben.

Artikel 151

Die Ordnung des Wirtschaftslebens muß den Grundsätzen der Gerechtigkeit mit dem Ziel der Gewährleistung eines menschenwürdigen Daseins für alle entsprechen. In diesen Grenzen ist die wirtschaftliche Freiheit des einzelnen zu sichern.

Gesetzlicher Zwang ist nur zulässig zur Verwirklichung bedrohter Rechte oder im Dienst überragender Forderungen des Gemeinwohls.

Die Freiheit des Handels und Gewerbes wird nach Maßgabe der Reichsgesetze gewährleistet.

Artikel 152

Im Wirtschaftsverkehr gilt Vertragsfreiheit nach Maßgabe der Gesetze.

Wucher ist verboten. Rechtsgeschäfte, die gegen die guten Sitten verstoßen, sind nichtig.

Artikel 153

Das Eigentum wird von der Verfassung gewährleistet. Sein Inhalt und seine Schranken ergeben sich aus den Gesetzen.

Eine Enteignung kann nur zum Wohle der Allgemeinheit und auf gesetzlicher Grundlage vorgenommen werden. Sie erfolgt gegen angemessene Entschädigung, soweit nicht ein Reichsgesetz etwas anderes bestimmt. Wegen der Höhe der Entschädigung ist im Streitfalle der Rechtsweg bei den ordentlichen Gerichten offenzuhalten, soweit Reichsgesetze nichts anderes bestimmen. Enteignung durch das Reich gegenüber Ländern, Gemeinden und gemeinnützigen Verbänden kann nur gegen Entschädigung erfolgen.

Property obligates. Its use is to be at the same time service for the best good of the public.

Article 154

The right of inheritance is guaranteed in accordance with the civil law.

The portion of the state in an estate of inheritance shall be fixed by the statutes.

Article 155

The distribution and use of the land shall be supervised by the state in a way to avoid abuse and with the aim to secure to every German a healthful habitation and to all German families, according to their needs, especially those with many children, a homestead for dwelling and economic purposes. Those who have taken part in war are especially to be considered in the homestead law which is to be enacted.

Real estate, whose acquisition is necessary for meeting the needs of a dwelling, for the advancement of settlements and reclamation of land, or for the encouragement of agriculture, can be expropriated. Entailments are to be abolished.

The cultivation and exploitation of the land are a duty of the owner to the community. The increase in value of the land, which is brought about without the expenditure of labor or capital on the property, is to inure to the benefit of the community.

All treasures of the ground and all economically useful forces of nature stand under the supervision of the state. Private *jura regalia* are to be transferred to the state by way of legislation.

Article 156

The Empire can, by statute, without prejudice to compensation, in an appropriate application of the provisions relating to expropriation, transfer into public ownership private economic enterprises adapted to socialization. It can engage itself, the lands or the Communes in the administration of economic enterprises and associations, or secure to itself in other ways a controlling influence therein.

The Empire can further, in case of urgent need, for the purpose of common-economics, by statute, combine economic enterprises and associations upon the basis of self-administration, with the aim to secure the co-operation of all producing elements of the people, to engage employers and employees in the administration, and to regulate production, manufacture, distribution, utilization, price-fixing, and importation and exportation of economic products according to common-economic principles.

The co-operative societies and their confederations are, upon their request, to be incorporated into the common-economics, upon consideration of their form of organization and of their peculiar nature.

Article 157

Labor stands under the special protection of the Empire. The Empire shall create a uniform labor law.

Article 158

Intellectual labor, copyright, the rights of inventors and artists enjoy the protection and care of the Empire.

Recognition and protection are to be secured for the creations of german science, art and technics in foreign countries also, by international agreement.

Article 159

The freedom of combination for the maintenance and advancement of the conditions of labor and economics is guaranteed for everybody and for all vocations. All agreements and measures which seek to restrict or to interfere with this freedom are contrary to law.

Eigentum verpflichtet. Sein Gebrauch soll zugleich Dienst sein für das Gemeine Beste.

Artikel 154

Das Erbrecht wird nach Maßgabe des bürgerlichen Rechtes gewährleistet.

Der Anteil des Staates am Erbgut bestimmt sich nach den Gesetzen.

Artikel 155

Die Verteilung und Nutzung des Bodens wird von Staats wegen in einer Weise überwacht, die Mißbrauch verhütet und dem Ziele zustrebt, jedem Deutschen eine gesunde Wohnung und allen deutschen Familien, besonders den kinderreichen, eine ihren Bedürfnissen entsprechende Wohn- und Wirtschaftsheimstätte zu sichern. Kriegsteilnehmer sind bei dem zu schaffenden Heimstättenrecht besonders zu berücksichtigen.

Grundbesitz, dessen Erwerb zur Befriedigung des Wohnungsbedürfnisses, zur Förderung der Siedlung und Urbarmachung oder zur Hebung der Landwirtschaft nötig ist, kann enteignet werden. Die Fideikommisse sind aufzulösen.

Die Bearbeitung und Ausnutzung des Bodens ist eine Pflicht des Grundbesitzers gegenüber der Gemeinschaft. Die Wertsteigerung des Bodens, die ohne eine Arbeits- oder Kapitalaufwendung auf das Grundstück entsteht, ist für die Gesamtheit nutzbar zu machen.

Alle Bodenschätze und alle wirtschaftlich nutzbaren Naturkräfte stehen unter Aufsicht des Staates. Private Regale sind im Wege der Gesetzgebung auf den Staat zu überführen.

Artikel 156

Das Reich kann durch Gesetz, unbeschadet der Entschädigung, in sinngemäßer Anwendung der für Enteignung geltenden Bestimmungen, für die Vergesellschaftung geeignete private wirtschaftliche Unternehmungen in Gemeineigentum überführen. Es kann sich selbst, die Länder oder die Gemeinden an der Verwaltung wirtschaftlicher Unternehmungen und Verbände beteiligen oder sich daran in anderer Weise einen bestimmenden Einfluß sichern.

Das Reich kann ferner im Falle dringenden Bedürfnisses zum Zwecke der Gemeinwirtschaft durch Gesetz wirtschaftliche Unternehmungen und Verbände auf der Grundlage der Selbstverwaltung zusammenschließen mit dem Ziele, die Mitwirkung aller schaffenden Volksteile zu sichern, Arbeitgeber und Arbeitnehmer an der Verwaltung zu beteiligen und Erzeugung, Herstellung, Verteilung, Verwendung, Preisgestaltung sowie Ein- und Ausfuhr der Wirtschaftsgüter nach gemeinwirtschaftlichen Grundsätzen zu regeln.

Die Erwerbs- und Wirtschaftsgenossenschaften und deren Vereinigungen sind auf ihr Verlangen unter Berücksichtigung ihrer Verfassung und Eigenart in die Gemeinwirtschaft einzugliedern.

Artikel 157

Die Arbeitskraft steht unter dem besonderen Schutz des Reichs. Das Reich schafft ein einheitliches Arbeitsrecht.

Artikel 158

Die geistige Arbeit, das Recht der Urheber, der Erfinder und der Künstler genießt den Schutz und die Fürsorge des Reichs.

Den Schöpfungen deutscher Wissenschaft, Kunst und Technik ist durch zwischenstaatliche Vereinbarung auch im Ausland Geltung und Schutz zu verschaffen.

Artikel 159

Die Vereinigungsfreiheit zur Wahrung und Förderung der Arbeits- und Wirtschaftsbedingungen ist für jedermann und für alle Berufe gewährleistet. Alle Abreden und Maßnahmen, welche diese Freiheit einzuschränken oder zu behindern suchen, sind rechtswidrig.

Artikel 160

Wer in einem Dienst- oder Arbeitsverhältnis als Angestellter oder Arbeiter steht, hat das Recht auf die zur Wahrnehmung staatsbürgerlicher Rechte und, soweit dadurch der Betrieb nicht erheblich geschädigt wird, zur Ausübung ihm übertragener öffentlicher Ehrenämter nötige freie Zeit. Wieweit ihm der Anspruch auf Vergütung erhalten bleibt, bestimmt das Gesetz.

Artikel 161

Zur Erhaltung der Gesundheit und Arbeitsfähigkeit, zum Schutz der Mutterschaft und zur Vorsorge gegen die wirtschaftlichen Folgen von Alter, Schwäche und Wechselfällen des Lebens schafft das Reich ein umfassendes Versicherungswesen unter maßgebender Mitwirkung der Versicherten.

Artikel 162

Das Reich tritt für eine zwischenstaatliche Regelung der Rechtsverhältnisse der Arbeiter ein, die für die gesamte arbeitende Klasse der Menschheit ein allgemeines Mindestmaß der sozialen Rechte erstrebt.

Artikel 163

Jeder Deutsche hat unbeschadet seiner persönlichen Freiheit die sittliche Pflicht, seine geistigen und körperlichen Kräfte so zu betätigen, wie es das Wohl der Gesamtheit erfordert.

Jedem Deutschen soll die Möglichkeit gegeben werden, durch wirtschaftliche Arbeiten seinen Unterhalt zu erwerben. Soweit ihm angemessene Arbeitsgelegenheit nicht nachgewiesen werden kann, wird für seinen notwendigen Unterhalt gesorgt. Das Nähere wird durch besondere Reichsgesetze bestimmt.

Artikel 164

Der selbständige Mittelstand in Landwirtschaft, Gewerbe und Handel ist in Gesetzgebung und Verwaltung zu fördern und gegen Überlastung und Aufsaugung zu schützen.

Artikel 165

Die Arbeiter und Angestellten sind dazu berufen, gleichberechtigt in Gemeinschaft mit den Unternehmern an der Regelung der Lohn- und Arbeitsbedingungen sowie an der gesamten wirtschaftlichen Entwicklung der produktiven Kräfte mitzuwirken. Die beiderseitigen Organisationen und ihre Vereinbarungen werden anerkannt.

Die Arbeiter und Angestellten erhalten zur Wahrnehmung ihrer sozialen und wirtschaftlichen Interessen gesetzliche Vertretungen in Betriebsarbeiterräten sowie in nach Wirtschaftsgebieten gegliederten Bezirksarbeiterräten und in einem Reichsarbeiterrat.

Die Bezirksarbeiterräte und der Reichsarbeiterrat treten zur Erfüllung der gesamten wirtschaftlichen Aufgaben und zur Mitwirkung bei der Ausführung der Sozialisierungsgesetze mit den Vertretungen der Unternehmer und sonst beteiligter Volkskreise zu Bezirkswirtschaftsräten und zu einem Reichswirtschaftsrat zusammen. Die Bezirkswirtschaftsräte und der Reichswirtschaftsrat sind so zu gestalten, daß alle wichtigen Berufsgruppen entsprechend ihrer wirtschaftlichen und sozialen Bedeutung darin vertreten sind.

Sozialpolitische und wirtschaftspolitische Gesetzentwürfe von grundlegender Bedeutung sollen von der Reichsregierung vor ihrer Einbringung dem Reichswirtschaftsrat zur Begutachtung vorgelegt werden. Der Reichswirtschaftsrat hat das Recht, selbst solche Gesetzesvorlagen zu beantragen. Stimmt ihnen die Reichsregierung nicht zu, so hat sie trotzdem die Vorlage unter Darlegung ihres Standpunktes beim Reichstag einzubringen. Der Reichswirtschaftsrat kann die Vorlage durch eines seiner Mitglieder vor dem Reichstag vertreten lassen.

Article 160

Whoever stands in a relationship of service or labor as an employee or worker has the right to the free time necessary for the exercise of his civic rights and, in so far as the business is not materially thereby interfered with, for the discharge of public honorary offices assigned to him. The statue shall provide how far he retains a claim to compensation.

Article 161

For the conservation of health and the ability to work, for the protection of motherhood and for providing against the economic results of old age, infirmity and the vicissitudes of life, the Empire shall create a comprehensive system of insurance, under dominant co-operation of the insured.

Article 162

The Empire shall advocate an international regulation of the legal status of the workers, which shall endeavor to obtain a universal minimum measure of social rights for the whole working class of mankind.

Article 163

Every German has, without prejudice to his personal freedom, the moral duty so to employ his intellectual and physical powers as the welfare of the whole demands.

Every German is to be given the possibility to earn his living by economic work. In so far as it cannot be shown that he has an adequate opportunity to work his necessary maintenance will be provided for. Details shall be provided by special Imperial statutes.

Article 164

In legislation and administration the independent middle class in agriculture, crafts, industry, trade and commerce is to be fostered and protected against being overburdened and being sucked up.

Article 165

Workers and employees are called to take part, with equal rights in co-operation with the employers, in the regulation of the conditions of wages, salaries and work and also in the whole economic development of the productive forces. The organizations on both sides and their agreements shall be recognized.

The workers and employees shall receive, for the purpose of looking after their social and economic interests, statutory representation in Factory workers' Councils, and also in District Workers' Councils organized according to economic areas, and in an Imperial Workers' Council.

The District Workers' Councils and the Imperial Workers' Council shall meet, for the purpose of fulfilling all the economic tasks and of co-operating in the carrying out of the socialization statutes, with the representatives of the employers and other interested circles of the people as District Economic Councils and as an Imperial Economic Council. The District Economic Councils and the Imperial Economic Council are to be so organized that all important business groups are represented therein according to their economic and social importance.

Socio-political and econome-political bills of fundamental importance are, before their introduction, to be submitted by the Imperial Government to the Imperial Economic Council for its opinion. The Imperial Economic Council itself has the right to propose such bills. If the Imperial Government does not agree to them, it has nevertheless to introduce the bills in the Reichstag together with the presentation of its standpoint. The Imperial Economic Council can have the bill represented in the Reichstag by one of its members.

There can be granted to workers' Councils and Economic councils functions of control and administration in the areas assigned to them.

The formation and the task of the Workers' Councils and of the Economic Councils and also their relation to other social self-administrative bodies are exclusive matters of the Empire.

[1] However, the Weimar Constitution was for all practical purposes formally rescinded by the "Ermächtigungsgesetz" of March 24, 1933.

[2] By means of Article 140 of the Basic Law, Articles 136 – 139 and 141 of the Weimar Constitution became an integral part of the Basic Law.

Whereas the texts of the American documents are reproduced in their entirety here, it would go beyond the scope of this book to reprint the complete Constitution of the Weimar Republic with its total of 181 Articles. It was therefore necessary to limit ourselves to the sections concerning "basic rights". The complete text is available as a paperback in many West German bookstores.

Den Arbeiter- und Wirtschaftsräten können auf den ihnen überwiesenen Gebieten Kontroll- und Verwaltungsbefugnisse übertragen werden.

Aufbau und Aufgabe der Arbeiter- und Wirtschaftsräte sowie ihr Verhältnis zu anderen sozialen Selbstverwaltungskörpern zu regeln, ist ausschließlich Sache des Reichs.

[1] Formell wurde die Weimarer Verfassung nicht außer Kraft gesetzt, faktisch jedoch durch das „Ermächtigungsgesetz" vom 24. März 1933 aufgehoben.

[2] Die Artikel 136 bis 139, 141 wurden gemäß Artikel 140 GG Bestandteil des Grundgesetzes.

Im Gegensatz zu der Wiedergabe der amerikanischen Dokumente mußte bei dem vorstehenden Abdruck der Weimarer Verfassung eine Auswahl getroffen werden. Der vollständige Nachdruck mit den insgesamt 181 Artikeln würde den Rahmen dieses Buches sprengen. Wir bitten um Verständnis, wenn wir uns auf die für unsere Untersuchung wichtigen Abschnitte über „Die Grundrechte" beschränkten. Der komplette Text ist im freien Handel in Taschenbuchform jederzeit zugänglich, zumindest in der Bundesrepublik Deutschland.

The Basic Law for the Federal Republic of Germany
23 May 1949

Contents

The Parliamentary Council, meeting in public session at Bonn am Rhein on 23 May 1949, confirmed the fact that the Basic Law for the Federal Republic of Germany, which was adopted by the Parliamentary Council on 8 May 1949, was ratified in the week of 16 to 22 May 1949 by the diets of more than two thirds of the participating constituent states (Laender).

By virtue of this fact the Parliamentary Council, represented by its Presidents, has signed and promulgated the Basic Law.

The Basic Law is hereby published in the Federal Law Gazette pursuant to paragraph (3) of Article 145.[2]

Preamble

The German People
in the Laender of Baden[3], Bavaria, Bremen, Hamburg, Hesse, Lower Saxony, North Rhine-Westphalia, Rhineland-Palatinate, Schleswig-Holstein, Wuerttemberg-Baden[3] and Wuerttemberg-Hohenzollern[3], conscious of their responsibility before God and men, animated by the resolve to preserve their national and political unity and to serve the peace of the world as an equal partner in a united Europe, desiring to give a new order to political life for a transitional period, have enacted, by virtue of their constituent power, this Basic Law for the Federal Republic of Germany. They have also acted on behalf of those Germans to whom participation was denied. The entire German people are called upon to achieve in free self-determination the unity and freedom of Germany.

I. Basic Rights
Article 1

(1) The dignity of man shall be inviolable. To respect and protect it shall be the duty of all state authority.

(2) The German people therefore acknowledge inviolable and inalienable human rights as the basis of every community, of peace and of justice in the world.

(3)[4] The following basic rights shall bind the legislature, the executive and the judiciary as directly enforceable law.

Das Grundgesetz für die Bundesrepublik Deutschland
23. Mai 1949

Gliederung

Der Parlamentarische Rat hat am 23. Mai 1949 in Bonn am Rhein in öffentlicher Sitzung festgestellt, daß das am 8. Mai des Jahres 1949 vom Parlamentarischen Rat beschlossene Grundgesetz für die Bundesrepublik Deutschland in der Woche vom 16. – 22. Mai 1949 durch die Volksvertretungen von mehr als Zweidritteln der beteiligten deutschen Länder angenommen worden ist.

Auf Grund dieser Feststellung hat der Parlamentarische Rat, vertreten durch seine Präsidenten, das Grundgesetz ausgefertigt und verkündet.

Das Grundgesetz wird hiermit gemäß Artikel 145 Absatz 3 im Bundesgesetzblatt veröffentlicht:[2]

Präambel

Im Bewußtsein seiner Verantwortung vor Gott und den Menschen, von dem Willen beseelt, seine nationale und staatliche Einheit zu wahren und als gleichberechtigtes Glied in einem vereinten Europa dem Frieden der Welt zu dienen, hat das Deutsche Volk in den Ländern Baden[3], Bayern, Bremen, Hamburg, Hessen, Niedersachsen, Nordrhein-Westfalen, Rheinland-Pfalz, Schleswig-Holstein, Württemberg-Baden[3] und Württemberg-Hohenzollern[3], um dem staatlichen Leben für eine Übergangszeit eine neue Ordnung zu geben, kraft seiner verfassungsgebenden Gewalt dieses Grundgesetz der Bundesrepublik Deutschland beschlossen. Es hat auch für jene Deutschen gehandelt, denen mitzuwirken versagt war. Das gesamte Deutsche Volk bleibt aufgefordert, in freier Selbstbestimmung die Einheit und Freiheit Deutschlands zu vollenden.

I. Grundrechte
Artikel 1

(1) Die Würde des Menschen ist unantastbar. Sie zu achten und zu schützen ist Verpflichtung aller staatlichen Gewalt.

(2) Das Deutsche Volk bekennt sich darum zu unverletzlichen und unveräußerlichen Menschenrechten als Grundlage jeder menschlichen Gemeinschaft, des Friedens und der Gerechtigkeit in der Welt.

(3)[4] Die nachfolgenden Grundrechte binden Gesetzgebung, vollziehende Gewalt und Rechtsprechung als unmittelbar geltendes Recht.

Article 2

(1) Everyone shall have the right to the free development of his personality in so far as he does not violate the rights of others or offend against the constitutional order or the moral code.
(2) Everyone shall have the right to life and to inviolability of his person. The liberty of the individual shall be inviolable. These rights may only be encroached upon pursuant to a law.

Article 3

(1) All persons shall be equal before the law.
(2) Men and women shall have equal rights.
(3) No one may be prejudiced or favoured because of his sex, his parentage, his race, his language, his homeland and origin, his faith, or his religious or political opinions.

Article 4

(1) Freedom of faith, of conscience, and freedom of creed, religious or ideological (weltanschaulich), shall be inviolable.
(2) The undisturbed practice of religion is guaranteed.
(3) No one may be compelled against his conscience to render war service involving the use of arms. Details shall be regulated by a federal law.

Article 5

(1) Everyone shall have the right freely to express and disseminate his opinion by speech, writing and pictures and freely to inform himself from generally accessible sources. Freedom of the press and freedom of reporting by means of broadcasts and films are guaranteed. There shall be no censorship.
(2) These rights are limited by the provisions of the general laws, the provisions of law for the protection of youth, and by the right to inviolability of personal honour.
(3) Art and science, research and teaching, shall be free. Freedom of teaching shall not absolve from loyalty to the constitution.

Article 6

(1) Marriage and family shall enjoy the special protection of the state.
(2) The care and upbringing of children are a natural right of, and a duty primarily incumbent on, the parents. The national community shall watch over their endeavours in this respect.
(3) Children may not be separated from their families against the will of the persons entitled to bring them up, except pursuant to a law, if those so entitled fail or the children are otherwise threatened with neglect.
(4) Every mother shall be entitled to the protection and care of the community.
(5) Illegitimate children shall be provided by legislation with the same opportunities for their physical and spiritual development and their place in society as are enjoyed by legitimate children.

Article 7

(1) The entire educational system shall be under the supervision of the state.
(2) The persons entitled to bring up a child shall have the right to decide whether it shall receive religious instruction.
(3) Religious instruction shall form part of the ordinary curriculum in state and municipal schools, except in secular (bekenntnisfrei) schools. Without prejudice to the state's right of supervision, religious instruction shall be given in accordance with the tenets of the religious communities. No teacher may be obliged against his will to give religious instruction.
(4) The right to establish private schools is guaranteed. Private schools, as a substitute for state or municipal schools, shall require

Artikel 2

(1) Jeder hat das Recht auf die freie Entfaltung seiner Persönlichkeit, soweit er nicht die Rechte anderer verletzt und nicht gegen die verfassungsmäßige Ordnung oder das Sittengesetz verstößt.
(2) Jeder hat das Recht auf Leben und körperliche Unversehrtheit. Die Freiheit der Person ist unverletzlich. In diese Rechte darf nur auf Grund eines Gesetzes eingegriffen werden.

Artikel 3

(1) Alle Menschen sind vor dem Gesetz gleich.
(2) Männer und Frauen sind gleichberechtigt.
(3) Niemand darf wegen seines Geschlechtes, seiner Abstammung, seiner Rasse, seiner Sprache, seiner Heimat und Herkunft, seines Glaubens, seiner religiösen oder politischen Anschauungen benachteiligt oder bevorzugt werden.

Artikel 4

(1) Die Freiheit des Glaubens, des Gewissens und die Freiheit des religiösen und weltanschaulichen Bekenntnisses sind unverletzlich.
(2) Die ungestörte Religionsausübung wird gewährleistet.
(3) Niemand darf gegen sein Gewissen zum Kriegsdienst mit der Waffe gezwungen werden. Das Nähere regelt ein Bundesgesetz.

Artikel 5

(1) Jeder hat das Recht, seine Meinung in Wort, Schrift und Bild frei zu äußern und zu verbreiten und sich aus allgemein zugänglichen Quellen ungehindert zu unterrichten. Die Pressefreiheit und die Freiheit der Berichterstattung durch Rundfunk und Film werden gewährleistet. Eine Zensur findet nicht statt.
(2) Diese Rechte finden ihre Schranken in den Vorschriften der allgemeinen Gesetze, den gesetzlichen Bestimmungen zum Schutze der Jugend und in dem Recht der persönlichen Ehre.
(3) Kunst und Wissenschaft, Forschung und Lehre sind frei. Die Freiheit der Lehre entbindet nicht von der Treue zur Verfassung.

Artikel 6

(1) Ehe und Familie stehen unter dem besonderen Schutze der staatlichen Ordnung.
(2) Pflege und Erziehung der Kinder sind das natürliche Recht der Eltern und die zuvörderst ihnen obliegende Pflicht. Über ihre Betätigung wacht die staatliche Gemeinschaft.
(3) Gegen den Willen der Erziehungsberechtigten dürfen Kinder nur auf Grund eines Gesetzes von der Familie getrennt werden, wenn die Erziehungsberechtigten versagen oder wenn die Kinder aus anderen Gründen zu verwahrlosen drohen.
(4) Jede Mutter hat Anspruch auf den Schutz und die Fürsorge der Gemeinschaft.
(5) Den unehelichen Kindern sind durch die Gesetzgebung die gleichen Bedingungen für ihre leibliche und seelische Entwicklung und ihre Stellung in der Gesellschaft zu schaffen wie den ehelichen Kindern.

Artikel 7

(1) Das gesamte Schulwesen steht unter der Aufsicht des Staates.
(2) Die Erziehungsberechtigten haben das Recht, über die Teilnahme des Kindes am Religionsunterricht zu bestimmen.
(3) Der Religionsunterricht ist in den öffentlichen Schulen mit Ausnahme der bekenntnisfreien Schulen ordentliches Lehrfach. Unbeschadet des staatlichen Aufsichtsrechtes wird der Religionsunterricht in Übereinstimmung mit den Grundsätzen der Religionsgemeinschaften erteilt. Kein Lehrer darf gegen seinen Willen verpflichtet werden, Religionsunterricht zu erteilen.
(4) Das Recht zur Errichtung von privaten Schulen wird gewährleistet. Private Schulen als Ersatz für öffentliche Schulen bedürfen der Genehmigung des Staates und unterstehen den Landesgeset-

the approval of the state and shall be subject to the laws of the Laender. Such approval must be given if private schools are not inferior to the state or municipal schools in their educational aims, their facilities and the professional training of their teaching staff, and if segregation of pupils according to the means of the parents is not promoted thereby. Approval must be withheld if the economic and legal position of the teaching staff is not sufficiently assured.

(5) A private elementary school shall be permitted only if the education authority finds that it serves a special pedagogic interest, or if, on the application of persons entitled to bring up children, it is to be established as an inter-denominational or denominational or ideological school and a state or municipal elementary school of this type does not exist in the commune (Gemeinde).

(6) Preparatory schools (Vorschulen) shall remain abolished.

Article 8

(1) All Germans shall have the right to assemble peaceably and unarmed without prior notification or permission.

(2) With regard to open-air meetings this right may be restricted by or pursuant to a law.

Article 9

(1) All Germans shall have the right to form associations and societies.

(2) Associations, the purposes or activities of which conflict with criminal laws or which are directed against the constitutional order or the concept of international understanding, are prohibited.

(3) The right to form associations to safeguard and improve working and economic conditions is guaranteed to everyone and to all trades, occupations and professions. Agreements which restrict or seek to impair this right shall be null and void; measures directed to this end shall be illegal. Measures taken pursuant to Article 12 a, to paragraphs (2) and (3) of Article 35, to paragraph (4) of Article 87 a, or to Article 91, may not be directed against any industrial conflicts engaged in by associations within the meaning of the first sentence of this paragraph in order to safeguard and improve working and economic conditions.[5]

Article 10[6]

(1) Privacy of posts and telecommunications shall be inviolable.

(2) This right may be restricted only pursuant to a law. Such law may lay down that the person affected shall not be informed of any such restriction if it serves to protect the free democratic basic order or the existence or security of the Federation or a Land, and that recourse to the courts shall be replaced by a review of the case by bodies and auxiliary bodies appointed by Parliament.

Article 11

(1) All Germans shall enjoy freedom of movement throughout the federal territory.

(2)[6] This right may be restricted only by or pursuant to a law and only in cases in which an adequate basis of existence is lacking and special burdens would arise to the community as a result thereof, or in which such restriction is necessary to avert an imminent danger to the existence or the free democratic basic order of the Federation or a Land, to combat the danger of epidemics, to deal with natural disasters or particularly grave accidents, to protect young people from neglect or to prevent crime.

zen. Die Genehmigung ist zu erteilen, wenn die privaten Schulen in ihren Lehrzielen und Einrichtungen sowie in der wissenschaftlichen Ausbildung ihrer Lehrkräfte nicht hinter den öffentlichen Schulen zurückstehen und eine Sonderung der Schüler nach den Besitzverhältnissen der Eltern nicht gefördert wird. Die Genehmigung ist zu versagen, wenn die wirtschaftliche und rechtliche Stellung der Lehrkräfte nicht genügend gesichert ist.

(5) Eine private Volksschule ist nur zuzulassen, wenn die Unterrichtsverwaltung ein besonderes pädagogisches Interesse anerkennt oder, auf Antrag von Erziehungsberechtigten, wenn sie als Gemeinschaftsschule, als Bekenntnis- oder Weltanschauungsschule errichtet werden soll und eine öffentliche Volksschule dieser Art in der Gemeinde nicht besteht.

(6) Vorschulen bleiben aufgehoben.

Artikel 8

(1) Alle Deutschen haben das Recht, sich ohne Anmeldung oder Erlaubnis friedlich und ohne Waffen zu versammeln.

(2) Für Versammlungen unter freiem Himmel kann dieses Recht durch Gesetz oder auf Grund eines Gesetzes beschränkt werden.

Artikel 9

(1) Alle Deutschen haben das Recht, Vereine und Gesellschaften zu bilden.

(2) Vereinigungen, deren Zwecke oder deren Tätigkeit den Strafgesetzen zuwiderlaufen oder die sich gegen die verfassungsmäßige Ordnung oder gegen den Gedanken der Völkerverständigung richten, sind verboten.

(3) Das Recht, zur Wahrung und Förderung der Arbeits- und Wirtschaftsbedingungen Vereinigungen zu bilden, ist für jedermann und für alle Berufe gewährleistet. Abreden, die dieses Recht einschränken oder zu behindern suchen, sind nichtig, hierauf gerichtete Maßnahmen sind rechtswidrig. Maßnahmen nach den Artikeln 12 a, 35 Abs. 2 und 3, Artikel 87 a Abs. 4 und Artikel 91 dürfen sich nicht gegen Arbeitskämpfe richten, die zur Wahrung und Förderung der Arbeits- und Wirtschaftsbedingungen von Vereinigungen im Sinne des Satzes 1 geführt werden.[5]

Artikel 10[6]

(1) Das Briefgeheimnis sowie das Post- und Fernmeldegeheimnis sind unverletzlich.

(2) Beschränkungen dürfen nur auf Grund eines Gesetzes angeordnet werden. Dient die Beschränkung dem Schutze der freiheitlichen demokratischen Grundordnung oder des Bestandes oder der Sicherung des Bundes oder eines Landes, so kann das Gesetz bestimmen, daß sie dem Betroffenen nicht mitgeteilt wird und daß an die Stelle des Rechtsweges die Nachprüfung durch von der Volksvertretung bestellte Organe und Hilfsorgane tritt.

Artikel 11

(1) Alle Deutschen genießen Freizügigkeit im ganzen Bundesgebiet.

(2)[6] Dieses Recht darf nur durch Gesetz oder auf Grund eines Gesetzes und nur für die Fälle eingeschränkt werden, in denen eine ausreichende Lebensgrundlage nicht vorhanden ist und der Allgemeinheit daraus besondere Lasten entstehen würden oder in denen es zur Abwehr einer drohenden Gefahr für den Bestand oder die freiheitliche demokratische Grundordnung des Bundes oder eines Landes, zur Bekämpfung von Seuchengefahr, Naturkatastrophen oder besonders schweren Unglücksfällen, zum Schutze der Jugend vor Verwahrlosung oder um strafbaren Handlungen vorzubeugen, erforderlich ist.

Article 12[7]

(1) All Germans shall have the right freely to choose their trade, occupation or profession, their place of work and their place of training. The practice of trades, occupations, and professions may be regulated by or pursuant to a law.

(2) No specific occupation may be imposed on any person except within the framework of a traditional compulsory public service that applies generally and equally to all.

(3) Forced labour may be imposed only on persons deprived of their liberty by court sentence.

Article 12 a[8]

(1) Men who have attainted the age of eighteen years may be required to serve in the Armed Forces, in the Federal Border Guard, or in a Civil Defence organization.

(2) A person who refuses, on grounds of conscience, to render war service involving the use of arms may be required to render a substitute service. The duration of such substitute service shall not exceed the duration of military service. Details shall be regulated by a law which shall not interfere with the freedom of conscience and must also provide for the possibility of a substitute service not connected with units of the Armed Forces or of the Federal Border Guard.

(3) Persons liable to military service who are not required to render service pursuant to paragraph (1) or (2) of this Article may, when a state of defence (Verteidigungsfall) exists, be assigned by or pursuant to a law to specific occupations involving civilian services for denfence purposes, including the protection of the civilian population; it shall, however, not be permissible to assign persons to an occupation subject to public law except for the purpose of discharging police functions or such other functions of public administration as can only be discharged by persons employed under public law. Persons may be assigned to occupations – as referred to in the first sentence of this paragraph – with the Armed Forces, including the supplying and servicing of the latter, or with public administrative authorities; assignments to occupations connected with supplying and servicing the civilian population shall not be permissible except in order to meet their vital requirements or to guarantee their safety.

(4) If, while a state of defence exists, civilian service requirements in the civilian public health and medical system or in the stationary military hospital organization cannot be met on a voluntary basis, women between eighteen and fifty-five years of age may be assigned to such services by or pursuant to a law. They may on no account render service involving the use of arms.

(5) During the time prior to the existence of any such state of defence, assignments under paragraph (3) of this Article may be effected only if the requirements of paragraph (1) of Article 80 a are satisfied. It shall be admissible to require persons by or pursuant to a law to attend training courses in order to prepare them for the performance of such services in accordance with paragraph (3) of this Article as presuppose special knowledge or skills. To this extent, the first sentence of this paragraph shall not apply.

(6) If, while a state of defence exists, the labour requirements for the purposes referred to in the second sentence of paragraph (3) of this Article cannot be met on a voluntary basis, the right of a German to give up the practice of his trade or occupation or profession, or his place of work, may be restricted by or pursuant to a law in order to meet these requirements. The first sentence of paragraph (5) of this Article shall apply mutatis mutandis prior to the existence of a state of defence.

Artikel 12[7]

(1) Alle Deutschen haben das Recht, Beruf, Arbeitsplatz und Ausbildungsstätte frei zu wählen. Die Berufsausübung kann durch Gesetz oder auf Grund eines Gesetzes geregelt werden.

(2) Niemand darf zu einer bestimmten Arbeit gezwungen werden, außer im Rahmen einer herkömmlichen allgemeinen, für alle gleichen öffentlichen Dienstleistungspflicht.

(3) Zwangsarbeit ist nur bei einer gerichtlich angeordneten Freiheitsentziehung zulässig.

Artikel 12 a[8]

(1) Männer können vom vollendeten achtzehnten Lebensjahr an zum Dienst in den Streitkräften, im Bundesgrenzschutz oder in einem Zivilschutzverband verpflichtet werden.

(2) Wer aus Gewissensgründen den Kriegsdienst mit der Waffe verweigert, kann zu einem Ersatzdienst verpflichtet werden. Die Dauer des Ersatzdienstes darf die Dauer des Wehrdienstes nicht übersteigen. Das Nähere regelt ein Gesetz, das die Freiheit der Gewissensentscheidung nicht beeinträchtigen darf und auch eine Möglichkeit des Ersatzdienstes vorsehen muß, die in keinem Zusammenhang mit den Verbänden der Streitkräfte und des Bundesgrenzschutzes steht.

(3) Wehrpflichtige, die nicht zu einem Dienst nach Absatz 1 oder 2 herangezogen sind, können im Verteidigungsfalle durch Gesetz oder auf Grund eines Gesetzes zu zivilen Dienstleistungen zum Zwecke der Verteidigung einschließlich des Schutzes der Zivilbevölkerung in Arbeitsverhältnisse verpflichtet werden; Verpflichtungen in öffentlich-rechtliche Dienstverhältnisse sind nur zur Wahrnehmung polizeilicher Aufgaben oder solcher hoheitlichen Aufgaben der öffentlichen Verwaltung, die nur in einem öffentlich-rechtlichen Dienstverhältnis erfüllt werden können, zulässig. Arbeitsverhältnisse nach Satz 1 können bei den Streitkräften, im Bereich ihrer Versorgung sowie bei der öffentlichen Verwaltung begründet werden; Verpflichtungen in Arbeitsverhältnisse im Bereiche der Versorgung der Zivilbevölkerung sind nur zulässig, um ihren lebensnotwendigen Bedarf zu decken oder ihren Schutz sicherzustellen.

(4) Kann im Verteidigungsfalle der Bedarf an zivilen Dienstleistungen im zivilen Sanitäts- und Heilwesen sowie in der ortsfesten militärischen Lazarettorganisation nicht auf freiwilliger Grundlage gedeckt werden, so können Frauen vom vollendeten achtzehnten bis zum vollendeten fünfundfünfzigsten Lebensjahr durch Gesetz oder auf Grund eines Gesetzes zu derartigen Dienstleistungen herangezogen werden. Sie dürfen auf keinen Fall Dienst mit der Waffe leisten.

(5) Für die Zeit vor dem Verteidigungsfalle können Verpflichtungen nach Absatz 3 nur nach Maßgabe des Artikels 80 a Abs. 1 begründet werden. Zur Vorbereitung auf Dienstleistungen nach Absatz 3, für die besondere Kenntnisse oder Fertigkeiten erforderlich sind, kann durch Gesetz oder auf Grund eines Gesetzes die Teilnahme an Ausbildungsveranstaltungen zur Pflicht gemacht werden. Satz 1 findet insoweit keine Anwendung.

(6) Kann im Verteidigungsfalle der Bedarf an Arbeitskräften für die in Absatz 3 Satz 2 genannten Bereiche auf freiwilliger Grundlage nicht gedeckt werden, so kann zur Sicherung dieses Bedarfs die Freiheit der Deutschen, die Ausübung eines Berufs oder den Arbeitsplatz aufzugeben, durch Gesetz oder auf Grund eines Gesetzes eingeschränkt werden. Vor Eintritt des Verteidigungsfalles gilt Absatz 5 Satz 1 entsprechend.

Article 13

(1) The home shall be inviolable.

(2) Searches may be ordered only by a judge or, in the event of danger in delay, by other organs as provided by law and may be carried out only in the form prescribed by law.

(3) In all other respects, this inviolability may not be encroached upon or restricted except to avert a common danger or a mortal danger to individuals, or, pursuant to a law, to prevent imminent danger to public safety and order, especially to alleviate the housing shortage, to combat the danger of epidemics or to protect endangered juveniles.

Article 14

(1) Property and the right of inheritance are guaranteed. Their content and limits shall be determined by the laws.

(2) Property imposes duties. Its use should also serve the public weal.

(3) Expropriation shall be permitted only in the public weal. It may be effected only by or pursuant to a law which shall provide for the nature and extent of the compensation. Such compensation shall be determined by establishing an equitable balance between the public interest and the interests of those affected. In case of dispute regarding the amount of compensation, recourse may be had to the ordinary courts.

Article 15

Land, natural resources and means of production may for the purpose of socialization be transferred to public ownership or other forms of publicly controlled economy by a law which shall provide for the nature and extent of compensation. In respect of such compensation the third and fourth sentences of paragraph (3) of Article 14 shall apply mutatis mutandis.

Article 16

(1) No one may be deprived of his German citizenship. Loss of citizenship may arise only pursuant to a law, and against the will of the person affected only if such person does not thereby become stateless.

(2) No German may be extradited to a foreign country. Persons persecuted on political grounds shall enjoy the right of asylum.

Article 17

Everyone shall have the right individually or jointly with others to address written requests or complaints to the appropriate agencies and to parliamentary bodies.

Article 17 a[9]

(1) Laws concerning military service and substitute service may, by provisions applying to members of the Armed Forces and of substitute services during their period of military or substitute service, restrict the basic right freely to express and to disseminate opinions by speech, writing and pictures (first half-sentence of paragraph (1) of Article 5), the basic right of assembly (Article 8), and the right of petition (Article 17) in so far as this right permits the submission of requests or complaints jointly with others.

(2) Laws for defence purposes including the protection of the civilian population may provide for the restriction of the basic rights of freedom of movement (Article 11) and inviolability of the home (Article 13).

Artikel 13

(1) Die Wohnung ist unverletzlich.

(2) Durchsuchungen dürfen nur durch den Richter, bei Gefahr im Verzuge auch durch die in den Gesetzen vorgesehenen anderen Organe angeordnet und nur in der dort vorgeschriebenen Form durchgeführt werden.

(3) Eingriffe und Beschränkungen dürfen im übrigen nur zur Abwehr einer gemeinen Gefahr oder einer Lebensgefahr für einzelne Personen, auf Grund eines Gesetzes auch zur Verhütung dringender Gefahren für die öffentliche Sicherheit und Ordnung, insbesondere zur Behebung der Raumnot, zur Bekämpfung von Seuchengefahr oder zum Schutze gefährdeter Jugendlicher vorgenommen werden.

Artikel 14

(1) Das Eigentum und das Erbrecht werden gewährleistet. Inhalt und Schranken werden durch die Gesetze bestimmt.

(2) Eigentum verpflichtet. Sein Gebrauch soll zugleich dem Wohle der Allgemeinheit dienen.

(3) Eine Enteignung ist nur zum Wohle der Allgemeinheit zulässig. Sie darf nur durch Gesetz oder auf Grund eines Gesetzes erfolgen, das Art und Ausmaß der Entschädigung regelt. Die Entschädigung ist unter gerechter Abwägung der Interessen der Allgemeinheit und der Beteiligten zu bestimmen. Wegen der Höhe der Entschädigung steht im Streitfalle der Rechtsweg vor den ordentlichen Gerichten offen.

Artikel 15

Grund und Boden, Naturschätze und Produktionsmittel können zum Zwecke der Vergesellschaftung durch ein Gesetz, das Art und Ausmaß der Entschädigung regelt, in Gemeineigentum oder in andere Formen der Gemeinwirtschaft überführt werden. Für die Entschädigung gilt Art. 14 Abs. 3 Satz 3 und 4 entsprechend.

Artikel 16

(1) Die deutsche Staatsangehörigkeit darf nicht entzogen werden. Der Verlust der Staatsangehörigkeit darf nur auf Grund eines Gesetzes und gegen den Willen des Betroffenen nur dann eintreten, wenn der Betroffene dadurch nicht staatenlos wird.

(2) Kein Deutscher darf an das Ausland ausgeliefert werden. Politisch Verfolgte genießen Asylrecht.

Artikel 17

Jedermann hat das Recht, sich einzeln oder in Gemeinschaft mit anderen schriftlich mit Bitten oder Beschwerden an die zuständigen Stellen und an die Volksvertretung zu wenden.

Artikel 17 a[9]

(1) Gesetze über Wehrdienst und Ersatzdienst können bestimmen, daß für die Angehörigen der Streitkräfte und des Ersatzdienstes während der Zeit des Wehr- oder Ersatzdienstes das Grundrecht, seine Meinung in Wort, Schrift und Bild frei zu äußern und zu verbreiten (Artikel 5 Abs. 1 Satz 1 erster Halbsatz), das Grundrecht der Versammlungsfreiheit (Artikel 8) und das Petitionsrecht (Artikel 17), soweit es das Recht gewährt, Bitten oder Beschwerden in Gemeinschaft mit anderen vorzubringen, eingeschränkt werden.

(2) Gesetze, die der Verteidigung einschließlich des Schutzes der Zivilbevölkerung dienen, können bestimmen, daß die Grundrechte der Freizügigkeit (Artikel 11) und der Unverletzlichkeit der Wohnung (Artikel 13) eingeschränkt werden.

Article 18

Whoever abuses freedom of expression of opinion, in particular freedom of the press (paragraph (1) of Article 5), freedom of teaching [paragraph (3) of Article 5], freedom of assembly (Article 8), freedom of association (Article 9), privacy of posts and telecommunications (Article 10), property (Article 14), or the right of asylum (paragraph (2) of Article 16) in order to combat the free democratic basic order, shall forfeit these basic rights. Such forfeiture and the extent therof shall be pronounced by the Federal Constitutional Court.

Article 19

(1) In so far as a basic right may, under this Basic Law, be restricted by or pursuant to a law, such law must apply generally and not solely to an individual case. furthermore, such law must name the basic right, indicating the Article concerned.

(2) In no case may the essential content of a basic right be encroached upon.

(3) The basic rights shall apply also to domestic juristic persons to the extent that the nature of such rights permits.

(4) Should any person's right be violated by public authority, recourse to the court shall be open to him. If jurisdiction is not specified, recourse shall be to the ordinary courts. The second sentence of paragraph (2) of Article 10 shall not be affected by the provisions of this paragraph.[10]

Artikel 18

Wer die Freiheit der Meinungsäußerung, insbesondere die Pressefreiheit (Art. 5 Abs. 1), die Lehrfreiheit (Art. 5 Abs. 3), die Versammlungsfreiheit (Art. 8), die Vereinigungsfreiheit (Art. 9), das Brief-, Post- und Fernmeldegeheimnis (Art. 10), das Eigentum (Art. 14) oder das Asylrecht (Art. 16 Abs. 2) zum Kampfe gegen die freiheitliche demokratische Grundordnung mißbraucht, verwirkt diese Grundrechte. Die Verwirkung und ihr Ausmaß werden durch das Bundesverfassungsgericht ausgesprochen.

Artikel 19

(1) Soweit nach diesem Grundgesetz ein Grundrecht durch Gesetz oder auf Grund eines Gesetzes eingeschränkt werden kann, muß das Gesetz allgemein und nicht nur für den Einzelfall gelten. Außerdem muß das Gesetz das Grundrecht unter Angabe des Artikels nennen.

(2) In keinem Fall darf ein Grundrecht in seinem Wesensgehalt angetastet werden.

(3) Die Grundrechte gelten auch für inländische juristische Personen, soweit sie ihrem Wesen nach auf diese anwendbar sind.

(4) Wird jemand durch die öffentliche Gewalt in seinen Rechten verletzt, so steht ihm der Rechtsweg offen. Soweit eine andere Zuständigkeit nicht begründet ist, ist der ordentliche Rechtsweg gegeben. Artikel 10 Abs. 2 Satz 2 bleibt unberührt.[10]

II. The Federation and the Constituent States (Laender)

Article 20

(1) The Federal Republic of Germany is a democratic and social federal state.

(2) All state authority emanates from the people. It shall be exercised by the people by means of elections and voting and by specific legislative, executive, and judicial organs.

(3) Legislation shall be subject to the constitutional order; the executive and the judiciary shall be bound by law and justice.

(4)[11] All Germans shall have the right to resist any person or persons seeking to abolish that constitutional order, should no other remedy be possible.

Article 21

(1) The political parties shall participate in the forming of the political will of the people. They may be freely established. Their internal organization must conform to democratic principles. They must publicly account for the sources of their funds.

(2) Parties which, by reason of their aims or the behaviour of their adherents, seek to impair or abolish the free democratic basic order or to endanger the existence of the Federal Republic of Germany, shall be unconstitutional. The Federal Constitution Court shall decide on the question of unconstitutionality.

(3) Details shall be regulated by federal laws.

Article 22

The federal flag shall be black-red-gold.

Article 23

For the time being, this Basic Law shall apply in the territory of the Laender of Baden[12], Bavaria, Bremen, Greater Berlin, Hamburg, Hesse, Lower Saxony, North Rhine-Westphalia, Rhineland-Palatinate, Schleswig-Holstein, Wuerttemberg-Baden[12], and Wuerttemberg-Hohenzollern[12]. In other parts of Germany it shall be put into force on their accession[13].

Article 24

(1) The Federation may by legislation transfer sovereign powers to inter-governmental institutions.

(2) For the maintenance of peace, the Federation may enter a system of mutual collective security; in doing so it will consent to such limitations upon its rights of sovereignty as will bring about and secure a peaceful and lasting order in Europe and among the nations of the world.

(3) For the settlement of disputes between states, the Federation will accede to agreements concerning international arbitration of a general, comprehensive and obligatory nature.

Article 25

The general rules of public international law shall be an integral part of federal law. They shall take precedence over the laws and shall directly create rights and duties for the inhabitants of the federal territory.

Article 26

(1) Acts tending to and undertaken with the intent to disturb the peaceful relations between nations, especially to prepare for aggressive war, shall be unconstitutional. They shall be made a punishable offence.

(2) Weapons designed for warfare may not be manufactured, transported of marketed except with the permission of the Federal Government. Details shall be regulated by a federal law.

II. Der Bund und die Länder

Artikel 20

(1) Die Bundesrepublik Deutschland ist ein demokratischer und sozialer Bundesstaat.

(2) Alle Staatsgewalt geht vom Volke aus. Sie wird vom Volke in Wahlen und Abstimmungen und durch besondere Organe der Gesetzgebung, der vollziehenden Gewalt und der Rechtsprechung ausgeübt.

(3) Die Gesetzgebung ist an die verfassungsmäßige Ordnung, die vollziehende Gewalt und die Rechtsprechung sind an Gesetz und Recht gebunden.

(4)[11] Gegen jeden, der es unternimmt, diese Ordnung zu beseitigen, haben alle Deutschen das Recht zum Widerstand, wenn andere Abhilfe nicht möglich ist.

Artikel 21

(1) Die Parteien wirken bei der politischen Willensbildung des Volkes mit. Ihre Gründung ist frei. Ihre innere Ordnung muß demokratischen Grundsätzen entsprechen. Sie müssen über die Herkunft und Verwendung ihrer Mittel sowie über ihr Vermögen öffentlich Rechenschaft geben.

(2) Parteien, die nach ihren Zielen oder nach dem Verhalten ihrer Anhänger darauf ausgehen, die freiheitliche demokratische Grundordnung zu beeinträchtigen oder zu beseitigen oder den Bestand der Bundesrepublik Deutschland zu gefährden, sind verfassungswidrig. Über die Frage der Verfassungswidrigkeit entscheidet das Bundesverfassungsgericht.

(3) Das Nähere regeln Bundesgesetze.

Artikel 22

Die Bundesflagge ist schwarz-rot-gold.

Artikel 23

Dieses Grundgesetz gilt zunächst im Gebiete der Länder Baden[12], Bayern, Bremen, Groß-Berlin, Hamburg, Hessen, Niedersachsen, Nordrhein-Westfalen, Rheinland-Pfalz, Schleswig-Holstein, Württemberg-Baden[12] und Württemberg-Hohenzollern[12]. In anderen Teilen Deutschlands ist es nach deren Beitritt in Kraft zu setzen[13].

Artikel 24

(1) Der Bund kann durch Gesetz Hoheitsrechte auf zwischenstaatliche Einrichtungen übertragen.

(2) Der Bund kann sich zur Wahrung des Friedens einem System gegenseitiger kollektiver Sicherheit einordnen; er wird hierbei in die Beschränkungen seiner Hoheitsrechte einwilligen, die eine friedliche und dauerhafte Ordnung in Europa und zwischen den Völkern der Welt herbeiführen und sichern.

(3) Zur Regelung zwischenstaatlicher Streitigkeiten wird der Bund Vereinbarungen über eine allgemeine, umfassende, obligatorische, internationale Schiedsgerichtsbarkeit beitreten.

Artikel 25

Die allgemeinen Regeln des Völkerrechtes sind Bestandteil des Bundesrechtes. Sie gehen den Gesetzen vor und erzeugen Rechte und Pflichten unmittelbar für die Bewohner des Bundesgebietes.

Artikel 26

(1) Handlungen, die geeignet sind und in der Absicht vorgenommen werden, das friedliche Zusammenleben der Völker zu stören, insbesondere die Führung eines Angriffskrieges vorzubereiten, sind verfassungswidrig. Sie sind unter Strafe zu stellen.

(2) Zur Kriegführung bestimmte Waffen dürfen nur mit Genehmigung der Bundesregierung hergestellt, befördert und in Verkehr gebracht werden. Das Nähere regelt ein Bundesgesetz.

Article 27

All German merchant vessels shall form one merchant fleet.

Article 28

(1) The constitutional order in the Laender must conform to the principles of republican, democratic and social government based on the rule of law, within the meaning of this Basic Law. In each of the Laender, counties (Kreise), and communes (Gemeinden), the people must be represented by a body chosen in general, direct, free, equal, and secret elections. In the communes the assembly of the commune may take the place of an elected body.

(2) The communes must be guaranteed the right to regulate on their own responsibility all the affairs of the local community within the limits set by law. The associations of communes (Gemeindeverbaende) shall also have the right of self-government in accordance with the law and within the limits of the functions assigned to them by law.

(3) The Federation shall ensure that the constitutional order of the Laender conforms to the basic rights and to the provisions of paragraphs (1) and (2) of this Article.

[1] Inserted by federal law of 24 June 1968 (Federal Law Gazette I page 710/711).

[2] The above notice of publication appeared in the first issue of the Federal Law Gazette dated 23 May 1949.

[3] By federal law of 4 May 1951 (Federal Law Gazette I page 284) the Land of Baden-Wuerttemberg was created out of the former Laender of Baden, Wuerttemberg-Baden and Wuerttemberg-Hohenzollern.

[4] As amended by federal law of 19 March 1956 (Federal Law Gazette I page 111).

[5] Last sentence inserted by federal law of 24 June 1968 (Federal Law Gazette I page 709).

[6] As amended by federal law of 24 June 1968 (Federal Law Gazette I page 709).

[7] As amended by federal laws of 19 March 1956 (Federal Law Gazette I page 111) and 24 June 1968 (Federal Law Gazette I page 709).

[8] Inserted by federal law of 24 June 1968 (Federal Law Gazette I page 710).

[9] Inserted by federal law of 19 March 1956 (Federal Law Gazette I page 111).

[10] Last sentence inserted by federal law of 24 June 1968 (Federal Law Gazette I page 710).

[11] Inserted by federal law of 24 June 1968 (Federal Law Gazette I page 710).

[12] By federal law of 4 May 1951 (Federal Law Gazette I page 284) the Land of Baden-Wuerttemberg was created out of the former Laender of Baden, Wuerttemberg-Baden and Wuerttemberg-Hohenzollern.

[13] This Basic Law became effective in the Saarland by virtue of paragraph (1) of section 1 of the federal law of 23 December 1956 (Federal Law Gazette I page 1011).

Whereas the texts of the American documents are reproduced in their entirety here, it would go beyond the scope of this book to reprint the complete Basic Law of the Federal Republic of Germany with its 146 Articles. It was therefore necessary to limit ourselves to those passages most relevant to our subject-matter: Section I on the "basic rights" and Articles 20 to 28 of Section II, on the "federal government and the individual states". The complete text is available as a paperback in West German bookstores.

Artikel 27

Alle deutschen Kauffahrteischiffe bilden eine einheitliche Handelsflotte.

Artikel 28

(1) Die verfassungsmäßige Ordnung in den Ländern muß den Grundsätzen des republikanischen, demokratischen und sozialen Rechtsstaates im Sinne dieses Grundgesetzes entsprechen. In den Ländern, Kreisen und Gemeinden muß das Volk eine Vertretung haben, die aus allgemeinen, unmittelbaren, freien, gleichen und geheimen Wahlen hervorgegangen ist. In Gemeinden kann an die Stelle einer gewählten Körperschaft die Gemeindeversammlung treten.

(2) Den Gemeinden muß das Recht gewährleistet sein, alle Angelegenheiten der örtlichen Gemeinschaft im Rahmen der Gesetze in eigener Verantwortung zu regeln. Auch die Gemeindeverbände haben im Rahmen ihres gesetzlichen Aufgabenbereiches nach Maßgabe der Gesetze das Recht der Selbstverwaltung.

(3) Der Bund gewährleistet, daß die verfassungsmäßige Ordnung der Länder den Grundrechten und den Bestimmungen der Absätze 1 und 2 entspricht.

[1] Durch das Bundesgesetz vom 24. Juni 1968 eingefügt (Bundesgesetzblatt I Seite 710/711).

[2] Die obenstehende Erklärung erschien in der ersten Ausgabe des Bundesgesetzblattes vom 23. Mai 1949.

[3] Durch das Bundesgesetz vom 4. Mai 1951 (Bundesgesetzblatt I Seite 284) wurde aus den früheren Ländern Baden, Württemberg-Baden und Württemberg-Hohenzollern das Land Baden-Württemberg geschaffen.

[4] Wie durch das Bundesgesetz vom 19. März 1956 (Bundesgesetzblatt I Seite 111) geändert.

[5] Letzter Satz durch das Bundesgesetz vom 24. Juni 1968 (Bundesgesetzblatt I Seite 709) eingefügt.

[6] Wie durch das Bundesgesetz vom 24. Juni 1968 (Bundesgesetzblatt I Seite 709) geändert.

[7] Wie durch die Bundesgesetze vom 19. März 1956 (Bundesgesetzblatt I Seite 111) und 24. Juni 1968 (Bundesgesetzblatt I Seite 709) geändert.

[8] Durch das Bundesgesetz vom 24. Juni 1968 (Bundesgesetzblatt I Seite 710) eingefügt.

[9] Durch das Bundesgesetz vom 19. März 1956 (Bundesgesetzblatt I Seite 111) eingefügt.

[10] Letzter Satz durch das Bundesgesetz vom 24. Juni 1968 (Bundesgesetzblatt I Seite 710) eingefügt.

[11] Durch das Bundesgesetz vom 24. Juni 1968 eingefügt (Bundesgesetzblatt I Seite 710).

[12] Durch das Bundesgesetz vom 4. Mai 1951 (Bundesgesetzblatt I Seite 284) wurde aus den früheren Ländern Baden, Württemberg-Baden und Württemberg-Hohenzollern das Land Baden-Württemberg geschaffen.

[13] Dieses Grundgesetz trat im Saarland in Kraft aufgrund Paragraph (1) des ersten Abschnitts des Bundesgesetzes vom 23. Dezember 1956 (Bundesgesetzblatt I Seite 1011).

Im Gegensatz zu der Wiedergabe der amerikanischen Dokumente mußte bei dem vorstehenden Abdruck des Grundgesetzes ein Auswahl getroffen werden. Der vollständige Nachdruck mit 146 Artikeln würde den Rahmen dieses Buches sprengen. Wir bitten um Verständnis, wenn wir uns auf den Abdruck des für unsere Untersuchung wichtigen Abschnitts I über „Die Grundrechte" und die Artikel 20–28 des Abschnitts II über „Der Bund und die Länder" beschränkten. Der komplette Text ist im freien Handel in Taschenbuchform jederzeit zugänglich, zumindest in der Bundesrepublik Deutschland.

Index of Names   Personenregister

Figures in italics refer to pictures and captions   Kursive Ziffern verweisen auf Bilder und Bildlegenden

Source of Illustrations   Bildnachweis

Archiv der Sozialen Demokratie, Bonn (3); Archiv für Kunst und Geschichte, Berlin (4); Bayerische Staatsbibliothek, München (48); Bibliothek des Präsidiums des Deutschen Bundestages, Bonn (11); British Museum, London (3); Stephen R. Brown, Washington (1); Bundesarchiv, Koblenz (3); Bundesbildstelle, Bonn (2); Deutsche Presse Agentur, München (2); Generallandesarchiv, Karlsruhe (1); Greenpeace, Hamburg (1); Ferdi Hartung, Saarbrücken (1); Historisches Museum, Frankfurt am Main (3); Imperial War Museum, London (1); Institut für Kommunikationswissenschaft, München (1); Kurpfälzisches Museum, Heidelberg (1); Landesbildstelle Berlin (2); Walter Leisler-Kiep, Kronberg (1); National Archives, Washington (7); New York Public Library (3); Presse- und Informationsamt der Bundesregierung, Bonn (9); Philadelphia Museum of Art (2); Revolutionsmuseum, Rastatt (3); Society of Colonial Wars, New York (1); Staatliche Graphische Sammlung, München (13); Stadtarchiv Frankfurt (1); Süddeutscher Verlag, München (23); United States Information Service, Bonn (12); Verkehrsverband Chiemsee (1); Verlagsarchiv (67); G. Will, New York (1).

Wall inscription, National Archives Building, Washington D.C.
Wandinschrift, National Archives Building, Washington D.C.

Rüdiger Wersich (Ed.)

Carl Schurz
Revolutionary and Statesman

A bilingual richly illustrated volume documenting the fascinating life of Carl Schurz, who took part in the 1848 revolution and in a daring escapade, freed his friend and teacher Kinkel from prison. Compelled to flee his homeland, in 1852 he came to America by way of England, tried his hand at farming, became a lawyer and publicist, supported Lincoln's emancipation policies and actively contributed to Lincoln's successful presidential campaign. Following service as an officer in the Civil War, Schurz was appointed U.S. secretary of the interior.

24 x 28.5 cm, 172 pages, 182 illustrations and documents, chronological table, English/German, cloth with dust jacket, DM 56.–ISBN 3-89164-033-1

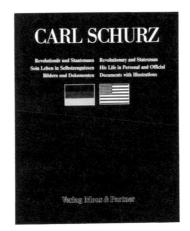

Rüdiger Wersich (Hrsg.)

Carl Schurz
Revolutionär und Staatsmann

Schurz nahm an der Achtundvierziger-Revolution teil, befreite auf abenteuerliche Weise seinen Freund Kinkel aus der Haft und kam 1852 nach Amerika. Er war Farmer, Anwalt, Publizist, unterstützte Lincoln im Kampf gegen die Sklaverei und hatte Anteil an dessen Wahlsieg. Schurz nahm am Bürgerkrieg teil und hatte als Politiker bedeutenden Einfluß auf die Versöhnung mit den Südstaaten und die Reform des öffentlichen Dienstes, vor allem als Innenminister.

24 x 28,5 cm, 172 Seiten mit 182 Abbildungen und Dokumenten, deutsch/englisch, Ganzleinen mit farbigem Schutzumschlag, DM 56.–
ISBN 3-89164-033-1

Klaus Wust / Heinz Moos (Eds.)

300 Years of German Immigrants in North America

This commemorative volume informs the American reader about the varied background of German emigration to the United States over three centuries. The three introductory chapters are followed by 47 short biographies, each illustrated with 4 to 8 pictures, introducing selected individuals who emigrated from Germany.

24 x 28.5 cm, 188 pages, more than 500 illustrations, English/German, cloth with dust jacket, DM 56.–
ISBN 3-89164-206-7

Klaus Wust / Heinz Moos (Hrsg.)

300 Jahre Deutsche Einwanderer in Nordamerika

Mit diesem Band wird dem deutschen und amerikanischen Publikum Einblick in die jeweils wechselnden Hintergründe der deutschen Auswanderung nach Nordamerika vermittelt. Drei reich bebilderten Einführungskapiteln folgen 47 Kurzbiographien mit jeweils 4 bis 8 Abbildungen über ausgewählte Persönlichkeiten.

24 x 28,5 cm, 188 Seiten mit über 500 Abbildungen, deutsch/englisch, Ganzleinen mit farbigem Schutzumschlag DM 56.–   ISBN 3-89164-206-7

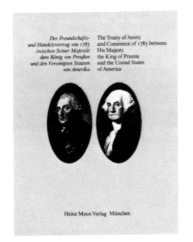

Karl J. R. Arndt (Ed.)

The Treaty of Amity and Commerce of 1785 between His Majesty the King of Prussia and the United States of America

This first great humanitarian treaty between two countries was the point of departure for many future treaties such as the Geneva Convention. This reproduction of the original treaty, in German, English and French, with a commentary by the editor will prove to be a valuable reference work for anyone concerned with German-American relations.

24 x 28.5 cm, 120 pages, 36 illustrations, English/German, cloth with dust jacket, DM 56.–
ISBN 3-89164-101-X

Karl J. R. Arndt (Hrsg.)

Der Freundschafts- und Handelsvertrag von 1785 zwischen seiner Majestät dem König von Preußen und den Vereinigten Staaten von Amerika

Eine kommentierte und von historischen Materialien begleitete Faksimile-Reproduktion des berühmten Vertragswerks, das in seiner humanitären Tendenz Teile der Genfer Konvention vorwegnahm. Die Ausgabe stellt ein erstrangiges Quellenwerk dar, darüber hinaus wird sie das Interesse derer finden, die auf dem Gebiet der deutsch-amerikanischen Beziehungen engagiert sind.

24 x 28,5 cm, 120 Seiten, 36 Abbildungen, deutsch/englisch, Leinen mit farbigem Schutzumschlag, DM 56.–   ISBN 3-89164-101-X

Verlag Moos & Partner   Rottenbucher Straße 30   8032 Gräfelfing vor München   West Germany   Telefon 0 89 / 85 13 11

Wolfgang Glaser

Americans
and
Germans

Deutsche
und
Amerikaner

A Handy Reader
and Reference Book

Ein Lese- und
Nachschlagebuch

Verlag Moos&Partner

Wolfgang Glaser

Americans and Germans/Deutsche und Amerikaner

The informative but inexpensive "little gift" for Germans and Americans. Bilingual text with 258 illustrations and color cover.

13 x 20 cm, 224 pages. Paperback with color cover, DM 16.80
ISBN 3-89164-035-8

Wolfgang Glaser

Americans and Germans/Deutsche und Amerikaner

Das preiswerte und informative »kleine Geschenk« für Deutsche und Amerikaner. Zweisprachig mit 258 Abbildungen und farbigem Umschlag.

13 x 20 cm, Umfang 224 Seiten, Paperback mit farbigem Umschlag, DM 16,80
ISBN 3-89164-035-8

Gift-box

An exclusive present for special occasions. The elegant gift-box contains the three books depicted on the preceding page, each one lavishly illustrated and with an abundance of precise information, DM 148.–
ISBN 3-89164-036-6

Buch-Kassette

Eine Art »Staatsgeschenk« für die besondere Gelegenheit. Die repräsentative Kassette enthält die drei umseitig beschriebenen Bücher, jedes reich illustriert und mit einer Fülle exakter Informationen, DM 148,–
ISBN 3-89164-036-6

Verlag Moos & Partner

Verlag Moos & Partner   Rottenbucher Straße 30   8032 Gräfelfing vor München   West Germany   Telefon 0 89 / 85 13 11